EMPOISONNEUSE À LA COUR DES BORGIA

SARA POOLE

88 ter, avenue du Général-Leclerc
92100 Boulogne-Billancourt

1ère Edition française – Novembre 2011

Auteur : Sara Poole

Traductrice : Patricia Barbe-Girault

Titre original : *Poison : A novel of the Renaissance* Copyright © 2010 by Sara Poole

ISBN : 978-2822-400-510

Prélude

ROME,
ÉTÉ 1483

Le taureau blanc chargea dans le passage et ne s'arrêta qu'une fois sur la piazza. Instantanément, les gradins en bois érigés en arc de cercle se mirent à trembler sous les assauts de la foule tonitruante. Assise au milieu, la petite fille qui se cramponnait à son père sentit une profonde vibration monter en lui quand il se mit à crier de concert avec les autres :

— Borgia ! Borgia ! Hourrah !

Sous un ciel sans nuage et une lumière si éclatante qu'elle en faisait mal aux yeux, le prince de notre Mère la sainte Église, vêtu de rouge, se tenait sur une estrade ornée des soieries rouge et or de la maison des Borgia. Il ouvrit grand les bras comme pour embrasser la foule, la piazza, le palazzo en marbre travertin qui flamboyait dans le soleil doré et, au-delà, les lointains confins de l'ancienne cité qui se prenait à rêver d'une gloire nouvelle.

— Mes frères, mes sœurs, s'exclama Rodrigo Borgia d'une voix résonnant tel un coup de tonnerre dans le calme soudain. Je vous rends grâce d'être venus ici aujourd'hui. Je vous rends grâce de votre amitié et de votre soutien. Et je vous donne dès à présent...

Il marqua un temps d'arrêt et la fillette sentit la foule tout entière retenir son souffle, suspendue comme elle l'était à la volonté de cet homme qui, disait-on, aspirait à régner sur toute la chrétienté alors qu'il aurait mérité de gouverner en Enfer.

— Je vous donne, tout droit venu des plaines de mon pays, la belle province de Valence, le plus puissant de tous les taureaux jamais vus dans notre bien-aimée Rome ! Je vous donne sa force, son courage, sa gloire ! Je vous donne son sang ! Qu'il nourrisse notre magnifique cité ! Roma Eterna !

— Roma ! Roma ! Roma !

Le taureau, dont les immenses yeux noirs saisissaient parfaitement la frénésie de la scène, se mit à piétiner dans la poussière estivale et à souffler bruyamment, rejetant en arrière sa tête formidable. Un abîme de silence s'ouvrit alors, si profond que la petite fille entendit le cuir craquer sur les harnais des chevaux approchant de tous côtés, contraints d'avancer, malgré leur peur, par la pression des éperons des hommes à la tête des compagnies de l'armée privée d'Il Cardinale.

Des trompettes retentirent au-dessus d'eux, sur toute la longueur des murs du palazzo. Une bande de *campinos* en costumes bariolés et perruques d'un rouge criard arrivèrent en courant sur la piazza, agitant leurs capes à franges et faisant des cabrioles aussi près du taureau qu'ils l'osaient.

— *Andiamo, toro ! Andiamo !*

Ainsi attirée jusque devant eux, la bête se tourna vers la rangée d'hommes à cheval. L'un d'eux, à qui l'on avait accordé cet honneur, se hissa bien haut sur sa selle pour saluer Borgia. Quand il s'élança, la pointe mortelle de sa lance *rejón* brilla au soleil.

La foule hurla de joie. Sentant le danger, le taureau baissa la tête et chargea le cavalier et sa monture. Au dernier moment, le *rejonear* tira sur les rennes pour se décaler de côté et, prenant de nouveau appui sur les étriers, abattit brusquement sa lance.

La bête mugit, et le sang jaillit d'entre ses épaules qui se soulevaient déjà avec effort pour se répandre sur son pelage blanc et éclabousser la poussière. Elle s'emballa et se mit à courir autour de la piazza, cherchant certainement une issue, songeait la petite fille, mais ne trouvant à la place que les hommes en habits bariolés qui foncèrent vers elle, poings sur les hanches.

— *Andiamo, toro ! Andiamo !*

De nouveau, ils attirèrent le taureau vers le *rejonear* qui, d'un geste mesuré, fit jaillir davantage de sang pour la plus grande joie de la foule. Encore et encore et encore, jusqu'à ce que l'animal chancelle et tombe d'abord sur un genou, puis sur l'autre. Enfin, son colossal arrière-train se déroba sous lui et s'effondra dans la poussière transformée en boue par son sang.

La petite fille resta figée sur place, glacée d'effroi dans la chaleur estivale, incapable de détourner le regard. Elle regarda tour à tour l'animal blanc taché de rouge, l'homme en rouge sur l'estrade dont le mugissement de triomphe lui rappelait le taureau et, tournoyant tout autour d'elle dans la lumière crue, les visages tordus de la foule abasourdie par sa propre soif de sang.

Le *rejonear* leva sa lance vers le soleil, avant de la pointer vers le bas pour porter le *colpo di morte*. Un long spasme traversa la bête, telle une vague. Dans son sillage, les hommes en habits bariolés sortirent en courant, la lueur de leurs couteaux brillant au soleil.

La petite fille ne les vit pas dépecer la carcasse, ni prendre les oreilles, la queue, les testicules. Elle ne vit pas non plus ces trophées dégoulinants être brandis sous les acclamations de la foule. Tout ce qu'elle vit, ce fut la rivière de sang, ce flot écarlate qui l'entraîna, faisant tout tourner autour d'elle et la rendant indifférente aux cris qu'elle poussa et qui attirèrent le regard du taureau rouge vers elle.

1

L'Espagnol mourut dans d'atroces souffrances. Cela ne faisait pas l'ombre d'un doute, au vu de la contraction de ses membres, de son visage autrefois beau, et de l'écume noire qui avait séché sur ses lèvres. Une mort horrible, pour sûr, que seule la plus crainte des armes pouvait donner.

— Du poison.

Ayant prononcé son verdict, le cardinal Rodrigo Borgia, prince de notre Mère la sainte Église, jeta un regard sombre et lourd de soupçons aux membres de sa maison rassemblés autour de lui.

— Il a été empoisonné.

Un frisson parcourut gardes, serviteurs et domestiques comme si une rafale de vent s'était engouffrée dans la somptueuse salle de réception, alors même qu'en cet été romain caniculaire de l'an 1492 après Jésus-Christ, seule une brise embaumant le jasmin et le tamarin des jardins parvenait à la rafraîchir.

— Dans ma maison, cet homme que j'ai fait venir à mon service a été empoisonné dans ma maison !

La voix tonitruante qui s'abattit sur eux fit s'envoler les pigeons nichés sous l'avant-toit du palazzo. Quand il se mettait en colère Il Cardinale était impressionnant à voir, une vraie force de la nature.

— Je trouverai qui a fait ça. Et celui qui a osé en paiera le prix ! Capitaine, je vous…

Sur le point de donner des ordres à son chef des condottieri, Borgia marqua un temps d'arrêt. Je venais de m'avancer, jouant des coudes entre un prêtre de la maison et un secrétaire pour me placer devant l'assemblée qui l'observait, aussi fascinée que terrorisée. Le mouvement le déconcentra. Il me fixa d'un air renfrogné.

J'inclinai légèrement la tête vers le corps à terre.

— Dehors !

Tous décampèrent alors, des vétérans les plus âgés aux plus jeunes des domestiques, se faisant tomber les uns les autres dans leur hâte à quitter les lieux, à fuir sa colère terrifiante, capable de vous glacer le sang, pour pouvoir évoquer librement (et discrètement) ce qui s'était passé, ce que cela signifiait et surtout, qui avait bien pu oser le faire.

Je me retrouvai ainsi seule avec lui.

— La fille de Giordano ? articula Borgia dans le vaste espace. La salle de réception était ornée des plus somptueux tapis mauresques, aménagée avec un mobilier fabriqué dans les essences les plus rares et garni des tissus les plus précieux, parée de la plus fine vaisselle d'or et d'argent – et tout cela dans le but de proclamer le pouvoir et la gloire de l'homme dont j'avais osé défier la volonté.

Une goutte de sueur me descendit le long des omoplates. Craignant de vivre mes dernières heures sur terre, j'avais mis ma plus belle tenue de jour. Ma robe de dessous, en velours marron foncé, plissée au niveau du corsage et dont le bas traînait légèrement derrière moi, me pesait lourdement sur les épaules. Bien que resserrée sous la poitrine, ma robe du dessus jaune pâle restait lâche, signe du poids que j'avais perdu depuis la mort de mon père.

Le Cardinal était au contraire l'incarnation même du confort dans la grande chemise et la culotte bouffante qu'il aimait enfiler à la maison pour se détendre, ainsi qu'il était en train de le faire quand on était venu lui annoncer la mort de l'Espagnol.

J'acquiesçai d'un signe de tête.

— Francesca Giordano, Éminence, à votre service.

Le Cardinal arpenta la pièce dans un sens puis dans l'autre, tel un animal agité, dévoré de pouvoir, d'ambition, d'appétits. Il me scrutait, et je savais qu'il voyait en moi une jeune femme n'ayant pas vingt ans, mince, quelconque si ce n'étaient d'immenses yeux marron, des cheveux auburn et une peau qui, la peur aidant, était plus pâle encore que d'habitude.

Il désigna de la main l'Espagnol, qui commençait déjà à empester dans cette chaleur.

— Que sais-tu à propos de ceci ?

— Je l'ai tué.

Le son de ma voix se réverbérant contre les murs couverts de tapisseries était étrangement discordant. Le Cardinal s'approcha, arborant une expression de choc et d'incrédulité mêlés.

— Tu l'as tué, *toi* ?

J'avais préparé un discours qui, je l'espérais, expliquerait mes actes tout en cachant mon réel dessein. Les mots sortirent dans un tel flot de ma bouche que je craignis de tout mélanger.

— Je suis la fille de mon père. J'ai appris à ses côtés et pourtant, lorsqu'on l'a tué, vous n'avez pas envisagé un seul instant que je puisse prendre sa place. Eussé-je été un garçon, vous l'auriez fait, mais au lieu de cela, vous avez engagé cet… autre. (Je repris mon souffle et pointai le mort du doigt.) Vous l'avez engagé pour vous protéger, vous et votre famille. Pourtant il a échoué à se protéger lui-même… De moi en tout cas.

J'aurais pu en dire davantage. Que Borgia n'avait rien fait pour venger le meurtre de mon père. Qu'il l'avait laissé se faire rouer de coups dans la rue comme un chien, qu'il l'avait abandonné dans la crasse, le crâne fracassé, et n'avait pas levé le petit doigt pour réclamer vengeance. Qu'un tel manquement de sa part était sans précédent… et impardonnable.

Il m'avait laissé le soin, à moi la fille de l'empoisonneur, de faire justice. Mais pour y parvenir il me fallait du pouvoir, et ma monnaie d'échange se résumait à un cadavre d'Espagnol.

Le front immense du Cardinal se plissa, et ses yeux devinrent de simples fentes. Il paraissait plutôt calme, pourtant, ne montrant aucun signe de la colère qui l'animait quelques minutes auparavant.

Une lueur d'espoir s'éveilla alors en moi. Dix années passées à vivre sous son toit, à l'observer, à entendre mon père parler de lui. Dix années qui m'avaient convaincue d'avoir véritablement affaire à un homme d'intelligence, de raison et de logique, un homme qui ne se laisserait jamais dominer par ses émotions. Tout cela pour en arriver à cet instant précis.

— Comment t'y es-tu pris ?

Il me testait ; c'était bon signe. Je pris une profonde inspiration avant de répondre, plus calmement.

— Je savais qu'il aurait chaud et soif à son arrivée, mais aussi que la prudence lui dicterait d'examiner ce qu'on lui donnait à boire. La cruche que j'ai laissée pour lui contenait seulement de l'eau glacée, suffisamment pure pour passer toute inspection. Le poison était à l'extérieur, enduit sur le verre. Comme il transpirait, les pores de sa peau étaient grand ouverts. Il suffisait qu'il touche la cruche, et à partir de là tout irait très vite.

— Ton père ne m'a jamais fait état d'un tel poison, que l'on puisse utiliser de cette façon.

Je ne voyais aucune raison de dire à Il Cardinale que c'était moi, et non mon père, qui avais trouvé ce poison-là. De toute façon, il ne m'aurait probablement pas crue. Pas en ce temps-là.

— Un artisan ne révèle jamais tous ses secrets, répliquai-je.

Il ne répondit pas tout de suite mais s'approcha encore de moi, suffisamment pour que je sente la chaleur irradiant de lui et voie ses épaules m'évoquant celles d'un taureau bloquer la lumière. Le reflet de l'or sur la croix qui pendait de son torse puissant capta mon regard, et je ne pus l'en détacher.

Cristo en extremis.

Sauvez-moi.

— Bon Dieu, jeune fille, dit le Cardinal, tu m'as surpris.

Un aveu capital de la part d'un homme qui, disait-on, savait avant tout le monde quelle hirondelle irait se poser en premier sur quel arbre de Rome, et si la branche supporterait son poids.

Sentant ma gorge se serrer je pris une inspiration, détournai les yeux de la croix, de lui, et me forçai à les fixer à travers la fenêtre ouverte sur le grand fleuve et la vaste contrée au-delà.

Respire.

— Je vous servirai, signore. (Je tournai la tête, juste assez pour croiser son regard et le soutenir.) Mais pour cela vous devez me laisser vivre.

2

Les domestiques s'activèrent pour effacer rapidement toute trace de l'Espagnol. Ils apportèrent les coffres contenant mes effets, ainsi qu'à boire et à manger, et allèrent jusqu'à rabattre les couvertures sur le lit aux montants en bois ornés d'acanthes qui avait jadis été notre couche, à mon père et moi, et serait désormais la seule mienne.

Leurs tâches accomplies, ils sortirent les uns derrière les autres en silence, tous sauf une vieille femme, qui devait se sentir suffisamment proche du Paradis pour n'avoir plus rien à perdre. Avant de détaler, elle cracha :

— *Strega !*

Sorcière.

Un frisson me parcourut, mais je m'appliquai à ne rien montrer. Jamais pareil terme n'aurait été employé pour désigner mon père, ou l'Espagnol, ou tout homme possédant le savoir-faire redoutable mais respecté de l'empoisonneur professionnel. Mais à présent il me désignerait, pour toujours, et je ne pouvais rien y faire.

On brûle les sorcières, comme vous le savez sûrement. Le terrible autodafé ne se limite pas à l'Espagne, où il trouve son origine. Il s'est propagé aux Pays-Bas, à la péninsule italienne, à toute l'Europe. On jette avant tout aux flammes ceux condamnés pour hérésie, mais il est si facile d'accuser un homme ou une femme (quasiment toujours une femme), parfois même un enfant, du péché plus grave encore qui est de marchander avec Satan. Tout individu un peu trop familier des secrets des anciens guérisseurs, de ceux des plantes, ou simplement trop différent des autres, pourrait fort bien finir sur l'un de ces bûchers qui carbonisent la peau, brûlent la graisse, fendent les os et réduisent en cendres tout espoir et tout rêve.

Je décidai de déballer mes affaires des coffres pour me changer les idées lorsque soudain je fis volte-face, une main pressée sur la bouche. Tombant à genoux, j'extirpai le pot à pisse de sous le lit et eus juste le temps de me pencher au-dessus avant de vomir le contenu de mon estomac, un flot amer de bile qui faillit bien m'étouffer.

Disgustoso !

N'allez pas en conclure que je sois sujette à une telle faiblesse mais en cet instant les événements de la journée, le risque désespéré que j'avais été forcée de prendre et la terreur du péché mortel qui y était associé, tout me submergea. Je m'allongeai où j'étais et ne bougeai plus. L'épuisement m'emporta, tel un courant fort m'éloignant prestement du rivage.

Le cauchemar commença quasiment tout de suite. Le même rêve qui ma vie durant m'a tourmentée. Je me trouve dans un tout petit espace, derrière un mur. Un minuscule trou me permet de voir l'intérieur d'une pièce remplie d'ombres, dont certaines se déplacent. L'obscurité est déchirée par un éclair de lumière à intervalles réguliers. Du sang s'en écoule, un immense flot de sang qui vient clapoter contre les murs de la pièce et menace de m'emporter. Je finis par me réveiller en sursaut au son de mes propres cris, que j'ai depuis longtemps appris à étouffer dans l'oreiller.

Je me remis debout aussi prestement que possible. Je tremblais de tous mes membres, et sentais un flot de larmes brûlantes coulant sur mes joues. Quelqu'un m'avait-il vue dans cet état ? Quelqu'un était-il là présentement, tapi dans l'ombre ? L'Espagnol avait succombé non loin de là où je me trouvais. Son esprit s'était-il attardé après lui ? Ou bien le fantôme de mon père, incapable de reposer en paix tant que je n'aurais pas assouvi ma vengeance ?

Le cœur battant j'allumai la bougie près du lit, mais son faible halo de lumière ne parvint guère à me réconforter. Derrière les hautes fenêtres la lune brillait dans le ciel, baignant d'une lueur argentée le jardin et bien au-delà. Rome dormait, si tant est qu'elle ne le fît jamais. Dans les ruelles et venelles étroites les rats étaient à l'œuvre, qui rongeant un bout de bois, qui festoyant dans un tas de déchets, le tout dans l'ombre de la curie. Je levai les yeux à mi-distance, et me figurai voir dans la lumière argentée d'immenses tentacules se tordant et s'étendant en toute direction, s'emparant du pouvoir et de la gloire dans toute la chrétienté. Cette vision n'était rien de plus qu'une affabulation née d'un esprit à bout de nerfs, et pourtant elle était bien réelle. Aussi réelle que les rumeurs selon lesquelles celui qui régnait sur tout cela, le Vicaire de Jésus-Christ sur Terre, Il Papa Innocent VIII, était en train de mourir.

De mort naturelle ?

Ne me dites pas que je vous choque. Nous vivons à l'ère du poison, sous toutes ses formes. Toutes les grandes maisons emploient quelqu'un comme moi pour se protéger, ou bien punir un ennemi pour l'exemple, si nécessaire. La vie est ainsi faite. Le trône de Saint-Pierre ne saurait être épargné puisque pour ces mêmes maisons il s'agit de la place suprême à occuper, et que pour ce faire elles sont prêtes à se battre tels des chiens de meute rendus fous par l'odeur du sang. Quiconque juché dessus devrait éviter de dormir sur ses deux oreilles. Ou de manger sans avoir fait goûter ses plats auparavant, mais ce n'est qu'un avis de professionnelle.

Cui bono ? À qui profite le crime, si le pape meurt ?

Le corps et l'esprit toujours las, j'ôtai mes vêtements et me glissai enfin dans le lit. Je serrai mes genoux contre ma poitrine et accueillis la fraîcheur de l'étoffe damassée sous ma joue. Autour de moi le palazzo dormait paisiblement et bientôt je fis de même, me sentant en sécurité dans la forteresse de l'homme qui avait comploté des décennies durant pour faire de la papauté l'ultime joyau de sa couronne terrestre.

Au petit matin, je récupérai les habits que j'avais laissés par terre, les défroissai et les rangeai soigneusement dans l'armoire. Soucieuse de la dignité afférente à mes nouvelles fonctions autant que de mon confort par cette journée qui s'annonçait étouffante, j'enfilai une simple robe de dessous en lin blanc et mis par-dessus une robe bleue à l'ourlet brodé de fleurs – une bien piètre tentative de ma part aux travaux d'aiguille, car je n'ai jamais maîtrisé cet art. J'avais opté pour ces fleurs à l'apparence faussement inoffensive qui poussent sur diverses plantes vénéneuses dans le but de rendre supportable cette activité à laquelle toute femme convenable est censée exceller au mépris de ses prédispositions.

Correctement habillée et coiffée (mes cheveux tressés en une natte enroulée autour de la tête), j'ignorai les gargouillements de mon estomac et entrepris de remplir mes responsabilités fraîchement acquises avec un empressement dont on ne me tiendrait pas rigueur, du moins l'espérais-je. En premier lieu, j'allai trouver le capitaine des condottieri pour passer en revue avec lui les mesures de sécurité mises en place par mon père. La moindre bouchée de nourriture, goutte de liquide, babiole qui pouvait se retrouver en contact avec Il Cardinale ou tout membre de sa famille devait être vérifiée et approuvée, et sa provenance tracée. Cela nécessitait l'entière coopération du capitaine de sa garde.

Je trouvai Vittoro Romano devant l'arsenal, dans l'aile du palazzo abritant également la caserne. Une dizaine de gardes avaient tiré des bancs dehors, au soleil, et étaient en train d'astiquer leur armure tout en gardant un œil sur les jeunes servantes qui trouvaient toujours une raison de passer par là, tenant en équilibre sur leurs hanches généreuses des paniers à linge ou à provisions pour les cuisines. Plusieurs chats somnolaient dans la cour, daignant seulement lever la tête pour observer les pigeons qui restaient juste hors d'atteinte. Cela faisait des jours qu'il n'avait pas plu. Le ciel était de cette teinte citronnée caractéristique de Rome en été. Malgré ses pavés, la cour était très poussiéreuse. Je vis un tourbillon de poussière s'élever au passage d'un souffle de brise et danser sur plusieurs mètres avant de se désagréger quasiment devant les bottes de Vittoro.

Celui-ci ne sembla même pas le remarquer. La cinquantaine, de taille moyenne et sombre de caractère, le capitaine de la garde donnait l'impression de n'être ni très intéressé, ni même spécialement conscient de ce qui se passait autour de lui. Mais celui qui était assez sot pour le croire pouvait s'estimer heureux s'il vivait suffisamment longtemps pour le regretter.

En me voyant, Vittoro congédia les lieutenants avec qui il était en train de parler. J'étais inquiète à l'idée de m'entretenir avec lui, ne sachant comment il réagirait à l'idée de devoir traiter avec une jeune femme qui avait tué pour obtenir un poste de pouvoir. À mon grand soulagement, il m'accueillit d'un cordial signe de tête.

— *Buongiorno,* Donna Francesca. Je suis heureux de voir que vous allez bien.

J'en déduisis que le capitaine, tout au moins, ne regrettait pas la décision d'Il Cardinale de me laisser la vie sauve au lieu d'ordonner de me trancher la gorge et de jeter mon corps dans le Tibre – ou toute autre manière qu'il affectionnait pour éliminer ceux qui l'avaient contrarié. Mais je ne me berçais pas d'illusion quant au fait que le reste de la maison partageât ce sentiment. La vieille femme qui m'avait traitée de sorcière n'était probablement guère seule à le penser.

Soucieuse de nous savoir observés, je me campai devant lui et pris un air grave.

— Merci, Capitaine, moi de même. Si vous n'y voyez pas d'inconvénient, je souhaiterais discuter de nos mesures de sécurité.

Il esquissa une petite révérence en souriant.

— Mais certainement. Souhaitez-vous y apporter quelque changement ?

— Au contraire, je souhaite m'assurer que personne ne profite de la confiance qu'Il Cardinale a placée en moi pour céder au laxisme. Si cela devait se produire, je n'aurais d'autre choix que de mal le prendre.

— Mal à quel point ? demanda Vittoro. Le pétillement malicieux dans ses yeux n'aurait su me duper. Il me connaissait depuis que je vivais sous ce toit, et m'avait vue passer d'une enfant empotée à une jeune femme qui l'était un peu moins. Son épouse, une matrone grassouillette et enjouée, lui avait donné trois filles proches de moi en âge. Étant des jeunes filles convenables, elles s'étaient toutes mariées, mais vivaient toujours dans les environs avec leurs maris et une progéniture en constante augmentation. Elles étaient source de grande satisfaction pour Vittoro. J'avais vu mon propre père les observer d'un air mélancolique lors de leurs fréquentes et bruyantes visites au palazzo.

— Très mal, insistai-je.

Vittoro acquiesça d'un signe de tête.

— Je le ferai savoir. Quoi que l'on pense de la décision d'Il Cardinale à votre propos, aucun homme sensé ne voudrait se faire mal voir d'un empoisonneur.

Je m'autorisai un léger soupir de soulagement. Son soutien était l'une des clés de mon succès, et je lui en étais reconnaissante. Nous entreprîmes de détailler les mesures qui, jusqu'ici du moins, s'étaient avérées aptes à protéger Borgia et sa famille.

Au fil des années, on avait à plusieurs reprises tenté de tuer ou, tout au moins, de rendre Il Cardinale infirme, mais grâce à la vigilance sans faille de mon père tous les complots avaient été déjoués. L'un d'eux visait un morceau de fromage dans lequel on avait injecté une solution d'arsenic. La fois suivante, c'était un rouleau de tissu qui avait été empoisonné à l'aide d'une teinture de pomme épineuse. Il y en eut d'autres encore, mais la raison veut que je m'abstienne de les détailler ici.

Dans tous les cas, il y aurait à n'en pas douter d'autres tentatives encore. Ce n'était qu'une question de temps avant que la vigilance de la nouvelle empoisonneuse des Borgia ne fût mise à l'épreuve. Je le savais fort bien, et m'en inquiétais tout autant.

— D'Marco vous cherche, me prévint Vittoro quand nous eûmes terminé.

Je fis la grimace, ce qui l'amusa, et pris congé de lui. J'escomptais imposer ma présence dans ce qui était (de mon point de vue) la partie la plus cruciale de la maison, et par nécessité celle qui retenait l'essentiel de mon attention : les cuisines. Mais à peine avais-je eu le temps d'atteindre les arcades y menant que je fus interceptée par un petit homme m'évoquant le furet.

La propension de Renaldo d'Marco, l'intendant de Borgia, à explorer le moindre recoin du palazzo dans l'espoir de découvrir quelque méfait lui valait l'antipathie de tous. Lorsque l'on est au service d'une famille aussi illustre, un certain quota d'actes frauduleux fait partie des avantages annexes ; mais l'intendant ne peut se permettre de trop fermer les yeux, de crainte de mettre la maison en péril et de tuer la poule aux œufs d'or. En faisant au moins mine de ne rien tolérer de tout cela, il parvenait à circonscrire ce qui se passait réellement dans les limites du raisonnable.

Tapi dans un coin sombre du passage, il fonça droit sur moi. Il vouait un tel respect à sa charge que, malgré la chaleur, il portait une robe en velours écarlate et une toque assortie. Il serrait une écritoire portative contre sa maigre poitrine comme si elle avait le pouvoir de parer les coups dont il pourrait être victime.

— Vous voilà enfin, Donna Francesca, dit-il en fronçant les sourcils. Je vous ai cherchée partout. Je dois dire que j'ai été grandement surpris d'apprendre… Mais passons, cela n'a plus d'importance maintenant. Vous auriez été bien avisée de venir me trouver directement ce matin, et à l'avenir j'espère que c'est ce que vous ferez. Son Éminence me fait confiance en toute chose, et je connais ses volontés. Je pourrais vous être d'une grande aide.

N'ayant aucun désir de m'en faire un ennemi, je lui répondis posément :

— Je saurai m'en souvenir, Maître d'Marco. Que puis-je faire pour vous, aujourd'hui ?

Amadoué, l'intendant se redressa quelque peu pour me mettre au fait :

— Son Éminence vous fait mander au plus tôt auprès de Madonna Adriana de Mila afin d'inspecter le dispositif de sécurité et de confirmer le bien-être de Madonna Lucrezia et des autres membres de sa maison. D'autre part, j'ai reçu l'ordre de vous donner ceci.

Avec une réticence palpable, il me tendit une petite bourse qui, compris-je rapidement, contenait des florins d'or. J'avais déjà été en contact avec de l'argent : petite, lorsque j'allais au marché avec mon père, il me donnait souvent des pièces pour que je paye les commerçants. En grandissant, il m'avait enseigné l'art du marchandage et s'en remettait à moi pour obtenir les meilleurs prix. De fait, je n'étais pas tant surprise de recevoir de l'argent que perplexe quant à ce que j'étais censée faire avec.

— Votre salaire pour ce trimestre, dit Renaldo. (Il orienta l'écritoire vers moi.) Signez le reçu ici.

Je m'exécutai, heureuse de constater que ma main ne tremblait pas. J'avais manifestement compris que mon travail méritait salaire ; simplement, je n'avais songé à aucun montant précis. Mon père avait déposé une somme d'argent considérable sur un compte d'une banque de Rome. Elle m'était revenue à sa mort. L'ajout de ces nouveaux revenus faisait de moi cette rareté (pour mon âge) que l'on nomme une femme indépendante, sur le plan financier.

Cela me convenait parfaitement, songeai-je après avoir quitté Renaldo, pris le temps de retourner dans mes quartiers pour mettre en sécurité la plus grande partie des florins dans un coffre, et alors que je partais exécuter les ordres de Son Éminence.

De son propre aveu, Il Cardinale était un homme discret. Par exemple, il évitait de loger sa maîtresse du moment, ainsi que ses nombreux enfants, avec son ancienne maîtresse dans sa résidence officielle sur le Corso. À la place, ils les avaient confiés à sa cousine qui se trouvait, fort à propos, être veuve d'un membre du puissant clan Orsini et vivre non loin de là, dans des conditions matérielles seyant à son rang.

Depuis la mort de mon père je ne m'étais pas aventurée au-delà du palazzo, dont l'immense bâtiment principal et les dépendances habitées par des centaines de domestiques, serviteurs, courtisans et ecclésiastiques faisaient penser à une ville en miniature. Devant se trouvait une élégante place que Borgia considérait comme une extension de son domaine privé, et à ce titre utilisait pour toutes sortes de divertissements populaires, des courses de taureaux aux mimes et aux feux d'artifice. Il était même allé jusqu'à rénover les autres maisons donnant sur la place, afin d'élever l'ensemble à son propre niveau d'exigence.

Tel un monument à sa propre gloire, les façades avaient été refaites en marbre travertin expédié de Tivoli, qui se trouve non loin. Ce matériau est visible dans toute la ville, à présent, sur les ponts, les églises, les palazzi, même sur les rebords de fenêtres des maisons modestes et les trottoirs des rues fraîchement pavées. Si vous deviez un jour visiter Rome, ou si vous avez la chance d'y résider, je ne saurais trop vous recommander de vous lever une fois aux aurores pour observer comment le jour nouveau transforme la cité, la faisant passer du monochrome de la nuit aux nuances rougeoyantes que le soleil parvient à donner à cette pierre remarquable. Ensuite vous verrez ces couleurs devenir plus profondes, jusqu'à virer quasiment au violet, avant finalement de se changer, en fin de journée, en un or mat. On dit que Rome possède la plus belle palette de couleurs qu'une ville peut avoir, et je ne vois rien à redire à cela.

Comme toujours, quitter la place pour entrer dans la ville proprement dite éveilla brièvement en moi un sentiment de confusion. Rome était dans son état d'agitation habituel. Où que mes yeux se posent, la rue grouillait de monde, qui à pied ou à cheval, qui sur une litière, une charrette ou un chariot, créant une cacophonie de bruits et un océan de mouvements à même de vous donner le vertige. Prêtres, négociants, paysans, soldats ou voyageurs aux yeux écarquillés, tous jouaient des coudes pour avancer dans les rues et ruelles. On raconte que toutes les langues de la terre peuvent être entendues ici, ce que je crois aisément. La cicatrisation, quelques décennies plus tôt, du Grand Schisme qui avait déchiré l'Église avait ramené Rome au centre de la chrétienté. Ce qui avait jusqu'alors été une petite ville médiévale miteuse, aux ruines hantées et à la population largement réduite, paraissait bel et bien se transformer du jour au lendemain en la plus grande ville d'Europe.

Et rien n'illustrait mieux la renaissance de Rome que les somptueux palaces en train d'être bâtis par les grandes familles. Si l'imposant palazzo d'Il Cardinale, érigé de façon plutôt appropriée sur le site de l'ancien hôtel de la Monnaie romain, avait été l'un des premiers, le vaste et luxueux palazzo Orsini semblait vouloir lui faire concurrence. Car il serait en fait plus juste de parler de *palazzi* Orsini, tant il y avait de bâtiments construits autour d'une immense cour intérieure, chaque palais appartenant à une branche différente du clan – d'aucuns diraient « rivale ». Ma destination finale était l'aile qui donnait sur une rue étroite près du Tibre.

J'eus à peine le temps de franchir l'entrée (dont le marbre conservait délicieusement la fraîcheur) et de m'annoncer qu'une toute jeune fille, au fin visage encadré par un tourbillon de boucles blondes, fondit sur moi. Cette créature exquise, qui sentait la violette avec une touche de vanille, se jeta dans mes bras et m'étreignit farouchement.

— Je m'inquiétais tellement ! Pourquoi n'es-tu pas venue plus tôt ? J'ai pleuré pour toi… pour ton père bien-aimé… pour vous deux ! Pourquoi n'étais-tu pas ici ?

Quelle raison donner à la fille unique et chérie d'Il Cardinale pour justifier qu'elle ait été tant négligée ? Comment lui demander pardon ?

— Je suis vraiment désolée, dis-je en étreignant la jeune fille de douze ans. Je n'étais pas de très bonne compagnie, mais je savais, vraiment, que j'étais dans vos pensées et vos prières. Du fond de mon cœur, je vous remercie.

Ainsi apaisée, Lucrèce sourit, mais sa joie s'évanouit en m'examinant. Je la connaissais quasiment depuis le début de sa toute jeune vie. Nous avions en commun ce lien qui unit les filles aimées de pères puissants et craints. Dans l'isolement qu'imposait une telle existence, nous nous étions rapprochées, et la solidarité féminine qui était née entre nous nous apportait un certain réconfort – sans pour autant combler le fossé social qui nous séparait.

— Tu es trop pâle, déclara Lucrèce.

Bien que de sept ans ma cadette, elle n'hésitait pas à faire usage de l'autorité que sa condition supérieure lui conférait.

— Et tu as perdu du poids, tu es trop maigre maintenant. Et tes cheveux, pourquoi dois-tu toujours les tresser ainsi ? Ils sont beaux pourtant, cette nuance auburn est si jolie, tu devrais les lâcher pour que tout le monde puisse les admirer.

Je fis un pas en arrière et lui souris.

— Mes cheveux ne sont pas beaux, et je ne cherche pas d'admirateurs. D'autre part, c'est plus pratique pour moi de les attacher.

La bonne humeur de Lucrèce s'évanouit, tout comme son bref intérêt pour mes problèmes. Elle soupira en faisant une moue qui lui allait à ravir.

— Peut-être devrais-je t'envier. As-tu entendu la nouvelle ?

— Quelle nouvelle ? demandai-je alors que j'étais déjà au courant. Même le deuil de mon père avait échoué à me protéger des cancans de la maison. Nous nous prîmes par le bras et partîmes en direction de l'aile réservée aux Borgia.

— Mes fiançailles, rompues pour la seconde fois ! Encore un futur mari aux oubliettes ! Mais à quoi songe mon père ? Il a promis ma main à deux hommes, tous deux de bons seigneurs, des Espagnols comme nous, et le voilà qui change encore d'avis. C'est certain, je vais mourir vieille fille !

— Vous aurez de magnifiques noces et votre époux vous chérira pour toujours.

— Tu es sincère ?

L'étais-je réellement ? Il n'était pas permis de douter qu'Il Cardinale arrangerait le mariage le plus splendide possible pour sa fille unique. Il n'avait qu'un seul but, dans tout ce qu'il faisait : la gloire toujours plus grande de La Famiglia. Peut-être croyait-il vraiment que par l'avancement des Borgia, il apporterait quelque chose de bon à l'Église et à la chrétienté. Peut-être s'en moquait-il au contraire complètement. Quoi qu'il en soit, l'intérêt de La Famiglia guidait ses moindres pas. Mais qui pouvait savoir si cela ferait un jour le bonheur de Lucrèce ?

— Il faut s'en remettre à la volonté de Dieu, tranchai-je. À présent, je dois parler à Madonna Adriana. Voulez-vous venir avec moi ?

Nous continuâmes à parler tout en progressant dans le dédale de galeries remplies de statues, certaines récentes, d'autres récupérées dans les chantiers de fouilles qui étaient en train de se multiplier en ville. En chemin, je tentai d'évaluer si Lucrèce avait une quelconque idée de mon changement de statut depuis la veille. La jeune fille ne le mentionna à aucun moment, et continua son joyeux bavardage. Si par bien des aspects elle restait une enfant, la fille du Cardinal faisait preuve d'une étonnante maturité quand il s'agissait de garder ses pensées pour elle. Il était impossible d'avoir une quelconque certitude sur ce qu'elle savait, ni comment elle le savait.

Enfin nous arrivâmes à l'aile du palais occupée par la famille d'Il Cardinale. Le garde posté à l'entrée nous salua au moment de franchir les hautes portes en bronze. Elles révélèrent un monde de fontaines rafraîchissantes, de jardins embaumés, de boudoirs drapés de soieries, de salles de réception tout en dorures et si féminines que je les avais rebaptisées *il harem*. Là où le Cardinal, prince de la sainte Église catholique, l'un des hommes les plus puissants de toute la chrétienté, venait oublier les soucis de la journée et trouver le réconfort auprès de ses femmes.

Et quelles femmes c'étaient ! Outre l'adorable verve de sa fille unique, il jouissait de la compagnie de sa cousine, Madonna Adriana de Mila, veuve de feu le seigneur de Bassanello, qui faisait autorité dans la maison. Sa plus grande vertu, et pas des moindres, était l'esprit pratique. Madonna Adriana était si sensée de nature qu'elle n'avait opposé aucune objection lorsqu'Il Cardinale avait pris comme maîtresse l'étonnante Giulia Farnese, Giulia la Bella comme on l'appelait, dont on disait qu'elle était la plus belle femme de toute l'Italie – si ce n'était du monde. Le fait qu'elle soit également l'épouse du beau-fils d'Adriana aurait pu susciter quelque désapprobation de sa part. Mais comme toujours, La Famiglia eut le dessus. Adriana accepta d'expédier son beau-fils dans sa propriété à la campagne, afin de laisser le champ libre au Cardinal, soixante et un ans, de profiter des charmes de la jeune Giulia, dix-huit ans, elle-même ravie d'y consentir.

Les deux femmes, assises dans le jardin intérieur à l'ombre d'un platane, étaient en train de siroter une limonade fraîche tout en observant les cabrioles auxquelles s'adonnaient deux jeunes bichons maltais dans l'herbe. Des nègres coiffés de turbans ourlés de perles et vêtus de culottes bouffantes en soie se tenaient derrière elles, les éventant à l'aide d'une paire de vraies plumes d'autruche blanche.

Lucrèce se précipita vers elles, s'assit lourdement sur le banc dans un éclat de rire, aux côtés de Giulia, puis demanda quelque chose de frais à boire. Je restai en arrière, attendant que l'on signale ma présence. Madonna Adriana me jaugea un long moment avant de désigner d'une main parée de bijoux le tabouret à ses pieds.

— Nul besoin d'être aussi formelle, *cara*. Assieds-toi, raconte-nous les dernières nouvelles.

Je fis ce que l'on me demandait, lissant ma jupe tout en murmurant « *Grazie, Madonna* ».

— Quelle chaleur, soupira Giulia. (Elle pencha son fin cou en arrière et s'étira langoureusement.) J'ai le plus grand mal à garder les yeux ouverts.

Rien de surprenant à cela, la rumeur voulant qu'elle fût enceinte. Le Cardinal en était ravi, disait-on. Il avait eu je ne sais combien d'enfants de diverses maîtresses, mais il avait à n'en pas douter ses favoris. Celui de La Bella viendrait probablement allonger la liste.

Je ne pus m'empêcher de dévisager Giulia avec fascination. Elle était réellement la plus belle femme qu'il m'ait été donné de rencontrer. La mystérieuse combinaison d'une chevelure dorée, d'un regard sombre, de traits parfaitement harmonieux et d'une attitude à la fois chaleureuse et détachée avait créé en elle une aura de perfection sensuelle et spirituelle. La seconde semblait tout à fait inappropriée, mais s'agissant de la première… Probablement seul Il Cardinale pouvait-il vraiment en juger.

Par ailleurs, nonobstant cela, elle n'était pas sans cervelle.

— Que c'est habile de la part de Sa Grâce, lança-t-elle en me regardant. Que c'est osé. Je n'imaginais pas qu'il croyait les femmes capables d'assumer de telles responsabilités.

Ainsi, elles savaient. Tant mieux, cela me simplifiait la tâche.

— Sa Grâce est, comme toujours, infiniment sage et juste, renchéris-je.

Les deux femmes murmurèrent leur approbation en se lançant instinctivement dans des prières. Lucrèce se contenta de les observer, ses yeux passant de l'une à l'autre.

— Mais nous n'avons rien à craindre ici, n'est-ce pas, hasarda Adriana en embrassant du regard le jardin niché derrière des murs protecteurs.

— Non, bien sûr, m'empressai-je de répondre. Je souhaite seulement m'assurer que tout est en ordre.

— Ce dont nous te sommes sincèrement reconnaissantes, répliqua Giulia. L'époque dans laquelle nous vivons est tellement troublée.

Adriana l'approuva dans un soupir :

— Vraiment, qui peut dire le matin au réveil vers quel nouvel écueil nous nous dirigeons ? Mais assez de morosité. Ma servante me dit que le Saint-Père va mieux. La fièvre est tombée et il est de bonne humeur, paraît-il.

Giulia porta son verre à ses lèvres. À coup sûr, le soupçon d'amertume dans sa réponse provenait de la *limonata*, et rien d'autre.

— C'est merveilleux.

— Qui sait ce qui peut bien causer un tel mal, avançai-je prudemment. Peut-être les chrétiens, par leurs prières, ont-ils contribué à améliorer l'état de Sa Sainteté.

— Le penses-tu vraiment ? demanda Lucrèce. Elle lança une petite balle rouge à l'un des chiots. Il courut après en haletant, nettement à la peine sur ses courtes pattes.

Effectivement, le pensais-je ? En ce temps-là ma foi était encore, d'une certaine façon, celle d'un enfant, et pourtant les questions affleuraient déjà en moi.

— Il faut espérer que le pape se remettra, déclarai-je évasivement. À présent, si vous le permettez, je souhaiterais vous entretenir de questions plus urgentes. Ainsi que vous le savez, il m'incombe désormais de protéger cette maison.

Pour ne pas avoir l'air pompeux, je m'empressai d'ajouter :

— Non qu'il faille vous en inquiéter, bien entendu. Je demande seulement à être prévenue sur-le-champ si vous engagez un nouveau domestique, si vous changez vos habitudes d'une quelconque manière, ou si vous remarquez quelque chose d'inhabituel. Cela vous sied-il ?

Le silence s'abattit sur le jardin parfumé un instant… qui se prolongea… jusqu'à ce que le rire de Giulia, par trop souvent comparé à un carillon argenté, résonne.

— Chère Francesca, comme tu es sérieuse ! Quel soulagement de ne pas avoir à assumer les devoirs d'un homme ! Mais naturellement, ne crains rien, nous te dirons tout ce qui est nécessaire.

— Oui, bien entendu, renchérit Adriana. Mais à présent, laissons de côté ces sombres pensées. (Elle leva de nouveau la main, pour faire venir l'un des nègres.) Apporte-nous de quoi nous divertir… de la musique, des jeux, et oh, je me souviens maintenant, il y a une lettre de César. Va la chercher.

Je baissai alors la tête, reportant toute mon attention sur les motifs de ma jupe, les cabrioles du chien à mes pieds, le parfum des citrons dans l'air en train de fraîchir. Tout pour éviter le souvenir intempestif du fils d'Il Cardinale, dix-sept ans à peine, aussi beau qu'un ange des ténèbres et dangereux que Satan. Une réminiscence que je serais bien avisée de chasser à jamais de mon esprit.

— César, soupira Lucrèce. Comme il me manque !

Giulia éclata de rire, et Adriana se joignit à elle. Seule je restai silencieuse, dans ce jardin clos du harem du Cardinal. Au-delà, la vieille Rome s'échauffait et bouillonnait, grillait littéralement dans la chaleur estivale, attendant éternellement la suite des événements.

3

L'année précédente, alors qu'il était venu à Rome rendre une brève visite à son papa, César m'avait embrassée. Quelle idiotie de ma part d'en avoir conservé le souvenir ! C'était idiot, et dangereux aussi. Il serait allé bien plus loin (en fait, il avait sa langue dans ma bouche et sa main sous ma jupe, tout près de l'endroit où penser à lui me rend moite), si je ne m'étais rappelé soudain que je n'étais pas l'une de ces jeunes sottes de soubrettes que l'on culbute pour quelques minutes de plaisir brutal.

Mais je ne pouvais pas non plus me permettre de provoquer sa colère. Je l'avais connu pratiquement toute ma vie, comme sa sœur. Jusqu'à ce qu'on l'envoie à l'école, il y avait trois ans de cela, pas un jour quasiment n'était passé sans que l'on se voie. Par la suite, ses fréquents séjours à la maison étaient venus confirmer que sa nature n'avait pas été altérée au contact du vaste monde. Il était versatile, ce fils que le Cardinal voulait voir devenir prêtre. Il se vexait facilement.

Dieu merci, je ne suis pas esclave de mes émotions, comme on le dit souvent des femmes. Ce sont les hommes, ai-je déjà observé, qui sont davantage enclins à réfléchir avec leurs parties intimes qu'avec le cerveau que notre Seigneur leur a donné. Assurément, César était de ceux-là. J'avais attendu qu'il détache ses lèvres des miennes et tourne son attention vers mes seins pour m'exclamer :

— Prends garde à ne pas casser la fiole attachée à ma ceinture. Elle contient un poison mortel.

Il avait levé les yeux, les traits relâchés au plus fort de la passion. Comme son père, il était d'une nature éminemment charnelle. Il était devenu un ardent disciple de Vénus à treize ans à peine, et à compter de là ses conquêtes étaient devenues légion. Mais cela ne l'empêchait pas d'avoir un peu de bon sens.

— Du poison ? avait-il répété.

J'avais souri gentiment.

— Tu n'étais pas au courant ? J'aide mon père à préparer les potions, maintenant. Il dit que je suis très douée.

À la vérité, j'avais depuis longtemps cessé d'être l'assistante et maîtrisais tout ce que mon père avait pu m'enseigner, et bien davantage encore. Mais naturellement, je n'allais pas lui révéler cela.

Il avait alors laissé tomber ses mains et fait un pas en arrière, le regard fixé sur moi. Je m'étais retenue de sourire et n'avais aucunement tenté de me couvrir. Qu'il ne croie pas que je me refusais à lui, de crainte que piqué dans sa vanité, il fasse une bêtise.

— Ah, Francesca ! avait-il marmonné enfin, avant de me quitter précipitamment, sa cape écarlate flottant derrière lui tandis qu'il s'éloignait à grands pas dans le couloir, avant de disparaître.

Et de réapparaître de temps à autre dans des rêves dont le seul souvenir me fait rougir.

L'orage grondait à l'ouest, mais pas une goutte de pluie ne tomba pour dissiper la torpeur de la journée. En ayant fini au palazzo Orsini, je partis pour le marché. J'allai d'un bon pas et regardai droit devant moi, ignorant les boutades lancées par les jeunes hommes qui aimaient à porter des chausses bariolées et des plumes sophistiquées au chapeau, et semblaient n'avoir rien de mieux à faire que de traîner dans les rues pour y insulter les femmes seules et chercher la bagarre. À cause d'individus comme eux, il m'arrivait parfois de m'habiller en homme pour circuler en ville. J'ai quelque hésitation à avouer cette pratique car, comme nous le savons tous, il y a quelques décennies de cela seulement, ce « crime » a été le principal chef d'accusation sur lequel on s'est appuyé lors du procès de la bienheureuse sainte Jeanne pour la juger coupable d'hérésie et la brûler vive. Que l'Église ait depuis changé d'avis sur son compte est un piètre réconfort, pour certaines d'entre nous.

Entre le Vatican et la Basilica di San Rocco, demeure de l'évêque de Rome (autrement dit, du pape), se trouve le florissant Campo dei Fiori, le marché le plus important de la ville et le lieu où l'on dit que tout Romain finit par venir, ne serait-ce que pour assister aux fréquentes exécutions. Ici, la préférence va moins au travertin qu'à la bonne vieille brique rouge fabriquée avec de la vase du Tibre, qui brille comme de l'or rougissant en été.

Comme toujours, l'endroit fourmillait de vendeurs, d'acheteurs, de badauds et des inévitables voleurs qui tentaient d'esquiver les patrouilles armées de gourdins, embauchées par les commerçants pour donner tout au moins l'illusion de la sécurité. Tout cela au beau milieu de tas d'ordures, de déchets et de fumier, qui venaient ajouter leurs effluves aux paniers suspendus et autres treillis de plantes grimpantes envahissant même la plus modeste des ruelles.

Je passai devant la rue des fabricants d'arbalètes, puis celle des fabricants de coffres, regardai brièvement ce que proposaient marchands de tissus et orfèvres, et arrivai enfin Via dei Vertrarari, où les verriers s'étaient regroupés.

J'étais déjà venue, à maintes reprises même, mais cela ne m'empêcha pas d'hésiter avant de tourner dans la rue. Dans une ville qui se nourrit des commérages, la nouvelle de ma promotion au sein de la maison des Borgia m'avait sûrement devancée. Consciente d'être la cible de plusieurs regards, je passai promptement devant une dizaine d'échoppes et m'arrêtai enfin devant un modeste immeuble en bois à moitié caché par les bâtisses voisines.

Un petit garçon à la tignasse brune, la douceur de la petite enfance subsistant encore dans ses traits, était en train de jouer aux billes, assis en tailleur par terre, tout en montant la garde devant un petit étal d'objets en verre. Il resta bouche bée en me voyant, puis se leva d'un bond et courut à toute vitesse pour se jeter sur moi et m'enlacer la taille. En m'agenouillant pour prendre ses mains dans les miennes, je me surpris à sourire.

— Donna Francesca, s'exclama-t-il avant de s'écarter un peu, pour mieux me regarder. Tu vas bien ?

Me tapotant la joue de sa petite main sale, il ajouta :

— Je suis tellement désolé pour ton papa. Tu dois être très triste.

Ma gorge se serra et l'espace d'un instant je n'eus pas le courage de parler. J'avais vu Nando grandir, depuis qu'il était tout bébé dans ses langes, riant devant ses pitreries et le dorlotant lorsqu'il s'était fait bobo ou devait surmonter une frustration. S'il y avait jamais un moment où l'envie d'avoir un enfant à moi se faisait sentir, c'était en sa compagnie.

— Je suis triste, répondis-je, car je n'aurais su lui faire l'affront de lui mentir, mais je suis également très heureuse d'être ici avec toi.

Satisfait de ma réponse, il me lâcha et fila à toute vitesse à l'intérieur. À peine eus-je le temps de me relever qu'un homme qui n'avait pas trente ans, grand, solidement charpenté, son torse nu recouvert d'un tablier en cuir, sortit de l'échoppe.

— Francesca !

Je parvins à lui adresser un sourire qui, je l'espérais, dissimulait ma gêne. Rocco Moroni était arrivé à Rome quelque six années auparavant, apportant dans ses bagages le don rare que possèdent les artisans verriers et un fils orphelin de mère. Mon père avait été l'un de ses premiers clients. Combien de fois l'avais-je regardé à la dérobée lors de nos fréquentes visites à son échoppe… car il était sans conteste bel homme. L'hiver précédent, il était venu voir mon père afin d'évoquer la possibilité d'un mariage entre nous. J'en étais arrivée à la seule conclusion possible, à savoir que dans son innocence il ne s'était pas rendu compte que l'intérêt que je portais au métier de mon père allait bien au-delà de celui d'une enfant obéissante. Car quel homme oserait se lier délibérément à une créature versée dans l'art des ténèbres ?

De même, il était impossible qu'il soupçonne la présence de ténèbres encore plus grandes en moi, là où rôde mon cauchemar.

Pendant plusieurs jours après la demande de Rocco, j'avais lutté pour me convaincre que j'étais capable d'être la femme que Nando et lui méritaient tous deux, avant de concéder ma défaite avec un mélange de soulagement et de tristesse qui me hantait encore. Rocco avait paru accepter mon refus de bonne grâce, mais il était devenu plus vigilant en ma présence, comme s'il prenait conscience après coup que j'étais en fait un être plus complexe qu'il n'avait bien voulu le croire au départ. Ce jour-là, toutefois, il m'eut l'air seulement gentil et accueillant. Il jeta un regard furtif des deux côtés de la rue avant de retourner à l'abri dans son échoppe.

— *Venite*, il y a des oreilles qui traînent, dehors. Venez à l'intérieur.

Je le suivis dans la pièce sombre et fraîche qui constituait le rez-de-chaussée. Il referma la porte derrière nous et me regarda attentivement, ses yeux d'un marron profond brillant de compassion.

— Je suis sincèrement désolé pour ton père. Nous sommes venus au palazzo…

Il inclina la tête vers Nando, qui se tenait à côté et nous regardait tour à tour.

— Nous voulions te présenter nos condoléances, mais ils ont refusé de nous laisser entrer, et même de reconnaître ce qui s'était passé.

— Ils l'ont enterré de nuit.

Je n'avais pas eu l'intention d'en parler, mais en présence d'un homme dont j'avais la certitude qu'il avait été l'ami de mon père et, osais-je l'espérer, qui restait le mien, il fallait que la douleur de ma perte s'exprime.

— Au cimetière de Santa Maria. À la hâte, comme s'ils pensaient pouvoir dissimuler ce qui était arrivé.

Rocco acquiesça d'un signe de tête. Il tendit une main comme pour me consoler, mais la laissa retomber dans l'espace qui nous séparait.

— Giovanni est avec notre Seigneur à présent, dit-il gentiment. Il a laissé les vicissitudes de ce monde pour la joie éternelle au Paradis.

Sa conviction me donnait mauvaise conscience, moi qui n'en avais pas. Je l'enviais tout autant que je m'agaçais de le voir accepter une chose que, pour ma part, je ne pouvais que remettre en question.

Comme s'il comprenait la peur que de tels doutes provoquaient en moi, il ajouta :

— Ton père était un homme bon, au fond. Je suis sûr que le Seigneur, béni soit-il, le recevra. D'autre part, il…

— … obéissait aux ordres d'Il Cardinale, l'interrompis-je, prince de notre Mère la sainte Église, qui lui a donné l'absolution. C'est ce que je me dis. J'espère seulement que cela sera suffisant.

S'agissant de moi, qui avais tué sans l'aval d'Il Cardinale et même pire, en opposition à son souhait, je ne pouvais que m'interroger sur le prix qu'il me faudrait payer dans l'au-delà.

Le large torse du verrier se souleva puis retomba dans un profond soupir.

— *Cara*, je crois en un Dieu aimant, un Dieu qui pardonne…

Songeant à la présence de son fils, il n'alla pas plus loin, mais je compris. Rocco avait lui aussi besoin de croire à la clémence divine. Alors qu'il n'était encore qu'un enfant, à peine plus âgé que son fils, on l'avait fait entrer chez les dominicains et il était resté moine pendant plusieurs années. Seul l'amour qu'il portait à une jeune femme l'avait poussé à quitter l'ordre pour l'épouser, puis prendre soin de leur fils lorsqu'elle était morte en couches. Pour avoir commis de tels actes charnels, il pouvait encore être traqué, châtié et jugé comme un traître à sa foi, par les mêmes hommes qui entretenaient leurs fonctions sacerdotales comme ils entretenaient leurs maîtresses, et complotaient pour faire avancer les enfants qu'ils avaient eus avec elles.

Cela en disait long sur l'état de la sainte Église catholique. Quant à l'état de l'âme humaine…

J'esquissai un sourire rassurant pour le petit garçon aux yeux rivés sur nous et m'écartai, faisant semblant de m'intéresser à un vase en verre posé dans une niche sur le mur du fond.

— Mais je m'égare. Je suis venue parler affaires.

Rocco lança un regard à son fils et lui fit un signe de tête.

— Nando, va à la boulangerie et rapporte-nous une belle miche de pain frais, d'accord ? Dis à Maria que j'en veux une tout juste sortie du four, et tant que tu y es, prends-toi un biscotto.

Il sortit une pièce de sa poche, qu'il lança en l'air ; l'enfant la rattrapa, nous adressa un large sourire, ouvrit la porte et dévala la rue en courant.

Lorsque nous fûmes seuls, Rocco ouvrit un buffet et en sortit une carafe de vin et deux coupes. Les ayant toutes deux remplies, il m'en tendit une.

— Nous n'avons que quelques minutes devant nous. Dis-moi, est-ce vrai ce que j'ai entendu ? Est-ce que tu as…

J'avais redouté ce moment où je devrais admettre les actes que j'avais commis et faire face à la possibilité que Rocco se détourne de moi, d'écœurement. Comme lorsque Borgia m'avait demandé des explications, les mots sortirent en un flot effréné.

— J'ai fait ce que j'avais à faire. Mon père a été assassiné et personne n'a levé le petit doigt pour conduire ses meurtriers devant la justice. Il ne me reste plus qu'à m'en charger moi-même. Mais en tant que femme, sans pouvoir ni influence, comment espérer y arriver ? Je n'avais pas le choix. D'autre part, ajoutai-je, enhardie de le voir me regarder avec toujours autant d'inquiétude mais sans signe d'horreur, l'Espagnol était loin d'être un innocent. Si sa réputation n'est pas usurpée, il avait tué à maintes reprises.

Rocco m'examina un moment, puis demanda :

— Recherches-tu la justice… ou bien la vengeance ?

Je compris que cette question était essentielle pour lui, car elle attestait de l'état de mon âme. Pourtant j'étais réticente à lui répondre.

— Cela fait-il une différence, dans le cas de mon père ?

Si Rocco était resté chez les dominicains, je suis convaincue qu'il aurait montré un certain talent pour le débat théologique. Sa propension à s'aventurer sur ce terrain m'agaçait parfois, mais je ne nierai pas que dans mes pires moments de doute, je me suis toujours adressée à lui. Il a été, et restera, l'étoile capable de guider ma barque sur les eaux sombres.

— Bien sûr que cela fait une différence, rétorqua-t-il. La justice est au service du bien commun. La vengeance est purement personnelle, et par conséquent égoïste. Elle ne peut trouver grâce aux yeux de Dieu.

— Ne me demande pas de ressentir les choses de façon *impersonnelle* concernant les meurtriers de mon père. Lorsqu'ils paieront, et ils paieront, le monde ne s'en portera que mieux.

Rocco ne contesta pas mes propos, mais souleva un autre sujet d'inquiétude.

— C'est bien beau, mais qu'en est-il de Borgia ? Maintenant que tu es à son service, ne va-t-il pas attendre certaines choses de toi ?

Je pris une gorgée du vin frais et gouleyant dans l'espoir qu'il me calmerait, puis haussai les épaules.

— Il peut bien attendre ce qu'il veut, mais contrairement à ce que dit la rumeur, il recourait aux services de mon père avec la plus grande parcimonie, et seulement en dernier ressort. Je ne vois pas de raison que cela change.

À mon grand soulagement, Rocco sembla rassuré de ma réponse, tout au moins suffisamment pour passer à autre chose.

— Que sait-on des meurtriers de Giovanni ? demanda-t-il.

— L'intendant du Cardinal m'a fait savoir que c'étaient des voyous qui n'avaient d'autre intention que de le voler. Et pourquoi pas ? Nous savons tous que Rome est une ville dangereuse.

— Oui, bien sûr, mais pourtant… (Il me regarda attentivement.) Tu n'y crois pas, n'est-ce pas ?

J'hésitai. Je faisais confiance au verrier mais je n'étais pas certaine de vouloir l'impliquer plus encore dans mes problèmes que je ne le faisais déjà, simplement par ma présence dans son échoppe.

— Quelque chose préoccupait mon père ces derniers temps, dis-je finalement. Je ne sais quoi mais il s'était mis à prier à toute heure du jour, ce qui ne lui ressemblait pas du tout. À plusieurs reprises, je l'ai trouvé à genoux, presque en larmes. Il ne voulait pas me dire ce qui le tourmentait, mais il était en train de prendre des dispositions pour m'envoyer à la campagne quand il a été tué.

— Tu penses que cela avait à voir avec son travail pour Il Cardinale ?

— J'ai du mal à croire que cela pourrait être autre chose. Mon père vivait pour son travail et pour moi. Il n'avait rien d'autre dans sa vie, du moins pas à ma connaissance.

— Mais il a été au service du Cardinal pendant tant d'années. Pourquoi aurait-il été pris de tourment maintenant ?

— Je ne sais pas, admis-je. Peut-être sa charge était-elle devenue trop lourde à porter.

Le deviendrait-elle également pour moi un jour ?

Je posai la coupe et regardai dehors dans la cour, là où le four dont Rocco se servait pour transformer du sable ordinaire en œuvres d'une beauté sans pareille brûlait nuit et jour. Dans le foyer ouvert, je voyais les flammes danser, et arrivais presque à sentir leur chaleur purificatrice. Pourtant, cette vision me fit trembler comme si un froid profond et incontrôlable venait de s'abattre sur moi.

— Mais je sais, ajoutai-je, que je ne trouverai pas le repos tant que je n'aurai pas découvert qui l'a tué. Tant que je n'aurai pas retrouvé les responsables, et que je ne les aurai pas fait payer. C'est le moins que je puisse faire.

Nando revint quelques instants plus tard, s'immisçant dans le silence qui avait suivi mes propos avec une excitation tout enfantine. Il patienta, incertain, jusqu'à voir son père sourire. Lui prenant la miche de pain des mains, Rocco fit mine de respirer sa bonne odeur avec grand plaisir.

— Bravo, *mi figlio*. Viens, assieds-toi, et mangeons.

Le festin que nous fîmes de pain, de fromage, de saucisson et une autre coupe de ce bon vin me détendirent un peu. Assurément, j'étais de meilleure humeur au moment de repousser nos assiettes.

— De quoi as-tu besoin ? demanda Rocco lorsque nous eûmes terminé.

Ne tardant pas davantage, j'annonçai :

— Principalement des tubes, très fins, comme ceux que tu as fabriqués pour mon père l'an dernier. Ils sont de très bonne qualité mais finissent par se casser après un certain temps, c'est inévitable. J'ai également besoin d'autres pipettes, ainsi que de vases à bec, de ballons à chauffer et de plusieurs lentilles.

Je sortis un papier de ma poche et le posai sur la table.

— Voici la liste. Le Cardinal a été très généreux, l'argent ne sera pas un problème.

Rocco écarta cette remarque d'un geste comme si elle n'avait pas d'importance, mais j'étais tout de même fière d'avoir été en mesure de la faire. Fière, également, lorsqu'il se pencha sur la liste d'un air sérieux et lui accorda toute son attention.

— Tout me semble en ordre, mises à part les lentilles. Il me faudra peut-être trouver quelqu'un pour te les fabriquer.

J'acquiesçai d'un signe de tête.

— Du moment qu'il est discret.

— Il ne ferait pas long feu dans notre métier s'il ne l'était pas.

Nous le savions tous deux sans avoir besoin de le dire, le type de matériel que je recherchais et que Rocco fabriquait était vu par beaucoup comme indispensable aux serviteurs du Diable. Car qui d'autre chercherait à sonder si intimement les secrets de la nature, à transformer la matière en une chose nouvelle et potentiellement dangereuse, voire à tenter de comprendre l'essence même de la Création ? C'était l'apanage de Dieu, non de l'Homme, comme toute personne sensée devrait le savoir – assurément.

Et pourtant, ici à Rome et ailleurs dans les États italiens, jusqu'à la France et les Pays-Bas, même (disait-on) dans la lointaine Angleterre, des hommes et des femmes audacieux étaient prêts à donner leur vie, inspirés par la conviction que la foi n'est pas un substitut à la connaissance.

Il se murmurait même que certains avaient osé se regrouper pour se soutenir mutuellement, et se faisaient appeler du nom de ce qu'ils souhaitaient le plus ardemment apporter au monde : Lux, la lumière. Si mes soupçons étaient fondés, mon père en avait fait partie.

Mes affaires étant réglées, je m'attardai un peu, profitant de la compagnie de Rocco et Nando. L'amour qu'ils éprouvaient si visiblement l'un pour l'autre me ramenait à tout ce que j'avais perdu, mais cela n'en restait pas moins un réconfort de savoir une telle affection possible dans un monde qui semblait devoir plonger toujours plus avant dans la spirale des ténèbres et de la perdition.

Lorsque finalement je me levai pour prendre congé, Rocco m'accompagna à la porte. M'effleurant le bras, il me dit à voix basse, pour que le petit garçon n'entende pas :

— Le meurtre de Giovanni a choqué tout le monde, mais jusqu'ici les langues ne se sont pas encore déliées. Ça ne durera pas. Si j'entends quoi que ce soit, je te le ferai savoir. En attendant, prends bien soin de toi, Francesca. C'est ce qu'aurait souhaité ton père.

Je hochai la tête en signe de gratitude. Si Rocco avait de prime abord l'air d'être un homme simple, voire humble, la nature de son travail impliquait des contacts à l'université, dans les grandes familles, et même au sein de la curie elle-même, à ce que l'on racontait. Fatalement, cela signifiait aussi qu'il était au courant d'un grand nombre de secrets. Il était possible qu'il connaisse les personnes avec lesquelles mon père avait été en relation, personnes qui à leur tour auraient peut-être quelque information à lui donner concernant les circonstances de sa mort. Il était même possible que Rocco lui-même fasse partie de Lux, si l'on partait du principe qu'une telle confrérie existait vraiment. Mon père ne s'étant jamais confié à moi directement à ce sujet, je ne pouvais guère escompter que Rocco avoue y jouer un quelconque rôle. Mais je savais que je pouvais compter sur lui pour qu'il se montre honnête envers moi.

Je serrai sa main en remerciement, fis de tendres adieux à Nando par-dessus l'épaule de son père, et me mis en marche pour le palazzo des Borgia. Je me disais qu'il allait falloir déballer les affaires fourrées si précipitamment dans le coffre à l'annonce de la mort de mon père, tout ce que j'avais pu mettre avant que les gardes du Cardinal ne ferment l'appartement. Ils avaient bien fouillé le coffre mais, n'y trouvant que des vêtements, n'avaient vu aucune raison de m'empêcher de le prendre. Pour sûr, s'ils avaient repéré le compartiment dissimulé dans le double fond, ils auraient agi différemment.

Les cumulonimbus étaient en train de glisser vers l'ouest, et une brise rafraîchissante soufflait du nord. Cette relative fraîcheur rendit mon pas plus léger et contribua peut-être, si on y ajoute mon état général de préoccupation, à mon manque de vigilance. Quelle qu'en fût la cause, je me trouvai prise au dépourvu lorsque, étant presque en vue du palazzo, trois hommes surgirent d'une ruelle.

Bloquant le passage, ils me toisèrent des pieds à la tête en ricanant.

— *Puttana*, lança le plus gros des trois. Qu'est-ce que tu crois être en train de faire, putain ?

— Laissez-moi tranquille, rétorquai-je brusquement.

À cet instant-là, je n'avais pas encore pris peur. Ils avaient seulement l'air d'être trois idiots de plus d'humeur à harceler une femme. Mes vêtements indiquaient que je ne faisais pas partie de la noblesse mais que j'étais loin d'être pauvre, une femme jouissant d'une certaine protection. Peut-être auraient-ils l'effronterie de m'agresser verbalement, mais cela s'arrêterait là. Je n'attendis même pas leur réponse, et entrepris de les contourner.

Je fus arrêtée net lorsque celui qui se trouvait le plus près de moi me saisit le bras.

— *Puttana*, répéta-t-il avant de me jeter à terre.

À ce moment-là, la situation changea du tout au tout pour moi. L'illusion de sécurité créée par le fait de remporter un défi contre Il Cardinale vola en éclats. J'avais pris un risque terrible, j'étais allée jusqu'à tuer un homme – pour en arriver là ? Cela semblait impossible et pourtant c'était bien en train de se produire, là et maintenant. Alors même que dans ma tête une voix hurlait de me remettre debout et de m'enfuir, le choc me paralysait.

Avant d'avoir le temps de me ressaisir, l'un des hommes me donna un coup de pied dans l'estomac. Je poussai un cri de douleur autant que d'incrédulité, tout en me recroquevillant d'instinct en boule pour me protéger.

— Qu'est-ce que vous faites ? Arrêtez !

J'étais au service de l'un des hommes les plus puissants de la chrétienté, protégée par son omnipotence et mon savoir-faire. Ils étaient fous de s'attaquer à moi. Et pourtant, mon père avait joui de la même protection et il était mort, après s'être fait tabasser dans une rue ressemblant fort à celle où je gisais à présent, incapable de me protéger des coups qui pleuvaient telle une averse écarlate.

— Arrêtez !

— Un conseil, entre au couvent, *puttana*, dit l'un des hommes. Il se pencha et remonta d'un coup sec ma jupe pour découvrir mes jambes nues, et plus haut. La peur primale du viol me saisit, et j'arrêtai alors totalement de penser pour devenir un animal acculé, luttant pour s'échapper.

Le son de leur rire m'enveloppa. Je levai les yeux à ce moment-là et vis le médaillon qui pendait au cou de l'un d'eux. Je m'entendis gémir. C'était la médaille papale, identique à celle que mon père avait reçue l'année précédente des mains du pape Innocent VIII lui-même, un honneur que le Cardinal avait obtenu pour son loyal serviteur. Mon père était fier de la porter, mais on ne l'avait pas retrouvée sur son corps. Sa disparition était restée un mystère… jusqu'à maintenant.

— Arrête de causer des problèmes, lança une voix différente. (Je reçus un autre coup encore, cette fois la pointe en métal d'une botte contre mes côtes.) Sinon tu finiras comme ton père.

Je n'arrivais pas à respirer et mon cœur cognait si fort, j'eus l'impression qu'il allait exploser. La douleur me submergea, rivalisant avec cette peur qui me rendait folle. De très loin, me sembla-t-il, j'entendis :

— On y va doucement avec toi, pour cette fois. Si tu nous écoutes, peut-être même que tu resteras en vie.

J'eus un mouvement de recul et je les maudis pour cela, je me maudis et je maudis l'horreur de ce qui était arrivé à mon père, de ce qu'il avait dû ressentir au moment de mourir.

Et puis tout fut fini ; mes agresseurs étaient partis. Ne restaient plus que les pavés humides, durs et pointus sous moi, la pestilence de la rue, et l'air frais soufflant sur ma peau nue.

Tout cela, et la vieille femme qui me regardait depuis le balcon d'un appartement, au-dessus d'une échoppe que tout le monde avait désertée au premier signe de danger. Juste une vieille femme, tricot en main, dont la bouche édentée s'étirait en un grand sourire tant l'épisode dont elle avait été témoin dans la ruelle crasse l'avait amusée.

4

Je retournai discrètement au palazzo en passant par une entrée dérobée. Tenant tant bien que mal mes côtes contusionnées, je pris un étroit escalier dissimulé dans le mur sans être vue. Une fois dans ma chambre, je m'écroulai sur le lit, tremblante. Pendant un bref instant, je capitulai devant le tourbillon d'émotions qui menaçait de me dévorer.

Ces hommes m'avaient dressé un guet-apens ; ou bien, ils m'avaient suivie sans que je m'en aperçoive. Dans les deux cas, on avait délibérément choisi de m'attaquer, tout comme mon père avant moi – de cela il n'était plus permis de douter. Mais pour quelle raison ? À quoi était-il en train de travailler pour qu'on le tue délibérément ? Quelle était cette chose que quelqu'un voulait m'empêcher de découvrir ?

Si ces questions me tourmentaient, le chagrin que je ressentais pour mon père allait bien au-delà de la peur que j'éprouvais pour moi. Avant cela, je n'avais pu qu'imaginer ce qui lui était arrivé. À présent je savais de première main ce à quoi avaient dû ressembler ses derniers instants de vie. Un nouvel élément prompt à nourrir la haine s'était fait jour en moi et gagnait à présent en force à chaque respiration laborieuse.

La haine de ces hommes qui m'avaient fait céder et sangloter comme une enfant. La haine des meurtriers de mon père qui, s'ils ne faisaient pas qu'un avec mes agresseurs, étaient certainement liés à eux. Et par-dessus tout, la haine de quiconque avait donné les ordres. Cet homme, qui était bien tranquille quelque part puisqu'il avait gardé les mains propres, devrait souffrir plus que tous les autres. J'y veillerais personnellement.

Je parvins enfin à m'asseoir, et à sécher mes larmes. Mieux valait me passer d'aide, au risque de déclencher un tourbillon de rumeurs et de spéculations : je devais me soigner seule. Je grimaçai de douleur en ôtant mes vêtements, à tel point que je dus me mordre les lèvres pour ne pas crier. Côtes et estomac avaient reçu le gros des coups, mais des bleus étaient en train de se former sur mes bras, mes jambes, et lorsque je regardai par-dessus mon épaule dans le miroir, je vis que mon dos était déjà un patchwork de taches violettes évoquant, par la taille et la forme, des bottes pointues.

Au prix de suprêmes efforts je parvins à appliquer du baume sur les zones les plus touchées et à mettre un bandage sur mes côtes, que je soupçonnais d'être fêlées. Le temps d'accomplir tout cela et d'avoir passé des habits propres, mes mains tremblaient et mon épuisement était tel que je fus obligée de m'allonger de nouveau sur le lit, de me caler contre un traversin et de prier pour que le sommeil m'emporte.

Il arriva, mais ne fut que trop bref. Rapidement, le pénible endolorissement qui avait envahi chaque centimètre de mon corps me réveilla. Je caressai l'idée de prendre un opiacé, mais décidai de m'en passer. Le soulagement de la douleur s'accompagnerait d'une perte de contrôle que je ne pouvais me permettre. À la place, je me forçai à sortir du lit et m'agenouillai à côté du coffre en bois sculpté. L'ouvrir m'ôta quasiment toute force ; je dus marquer un temps d'arrêt pour reprendre mon souffle, luttant comme je devais le faire contre la douleur fulgurante qui me transperçait à chaque respiration. Ménageant mes forces, je retirai les vêtements un à un du coffre, jusqu'à atteindre ce qui paraissait être le fond.

Quiconque soupçonnant la présence d'un double fond chercherait une fente qui, en faisant levier, révélerait un compartiment caché. Mais il chercherait en vain, car le coffre avait été fabriqué selon un ingénieux mécanisme conçu pour maintenir le double fond en place. Pour le débloquer, il était nécessaire d'exécuter dans l'ordre une série d'actions sur les quatre parois extérieures du coffre, impliquant de faire glisser divers éléments en bois dans différentes directions, pour désengager le verrou secret. À ce moment-là seulement le double fond s'inclinait-il légèrement, révélant sa présence. Un seul faux pas, et le verrou se refermait.

Mon père m'avait révélé l'énigme du coffre alors que je n'étais encore qu'une enfant. Il m'avait raconté comment il avait été fabriqué par un marin venu d'Orient avec lequel il s'était lié d'amitié, et comment ce type de coffre était apparemment courant dans le pays d'où il venait. Quelle que soit son origine véritable, il était en tout cas plus sûr que n'importe quel coffre-fort : depuis des d'années, tous les secrets qu'il protégeait étaient restés intacts.

Une fois le mécanisme débloqué, je soulevai le double fond avec précaution et le mis de côté. Le compartiment ainsi découvert était conçu pour contenir fioles et autres bouteilles fermées hermétiquement, chacune soigneusement étiquetée de la main de mon père. Tout aussi importants étaient les carnets où nous avions tous deux consigné nos expériences et nos découvertes.

Ce petit stock et les carnets étaient tout ce que j'avais réussi à dérober entre l'annonce de la mort de mon père et la ruée quelques minutes plus tard des gardes du Cardinal dans ses quartiers pour les sécuriser. Dans le petit laboratoire bien rangé, caché derrière de lourds rideaux, les condottieri avaient découvert des étagères où étaient disposés divers produits chimiques ainsi que du matériel sur plusieurs tables, dont les objets fabriqués par Rocco mais également des balances, des mortiers, des meules à aiguiser. N'étant pas experts, il leur avait semblé que tout était en ordre et ils s'étaient retirés à la hâte, plusieurs d'entre eux allant jusqu'à faire le signe de la croix.

Mais il n'aurait fallu que quelques heures à l'Espagnol pour se rendre compte des trous qui avaient été faits dans le stock, ce qui n'aurait pas manqué de l'interroger. Toutefois, il n'avait pas vécu suffisamment longtemps pour faire cette découverte. Cela restait mon secret.

Assise par terre, je lus attentivement les dernières entrées de mon père dans les carnets ; elles dataient de plusieurs mois. De prime abord je ne remarquai rien d'inhabituel, mise à part l'absence d'entrées plus récentes. Ses activités afférentes à la maison du Cardinal lui laissaient dans le même temps le loisir de poursuivre ses recherches sur l'*alcaest*, le solvant universel dans lequel toute substance pourrait être dissoute et qui, croyait-il, aiderait à produire des médicaments capables de guérir toutes les maladies.

Connaissant la nature complexe de mon père, il ne m'avait pas paru étrange qu'un homme gagnant sa vie comme empoisonneur ait aussi cherché à trouver la clé permettant de sauver des vies. Toutefois, cela me préoccupait de savoir que ses recherches l'amenaient à remettre en question la nature même de la maladie, car c'était un postulat extrêmement dangereux dans un monde où l'on avait décrété que la souffrance était l'expression de la volonté de Dieu. Mais je ne trouvai aucune indication à ce sujet dans ses notes. En fait, j'y trouvai bien peu d'informations.

Frustrée, je remis tout en place et verrouillai le coffre. Je dus rassembler toute ma volonté et ma force physique pour me lever. Au moment où j'étais en train de changer d'avis concernant l'opiacé, on frappa à la porte.

C'était le capitaine des condottieri. Il inclina la tête avec grâce, tout en me mettant à nu de son regard perçant.

— *Buonasera*, Donna Francesca. Son Éminence vous mande auprès de lui.

Et il avait envoyé le capitaine de sa garde pour me le dire ? Un geste pour le moins inattendu, à moins que le Cardinal n'ait changé d'avis concernant son acte de clémence envers moi – auquel cas Vittoro Romano ne m'aurait pas scrutée avec une telle bienveillance.

— Comme c'est gentil de venir vous-même me le dire, Capitano Romano.

L'officier ne chercha pas à nier l'incongruité de son affectation à une mission aussi servile.

— Le bruit court qu'un incident a eu lieu non loin d'ici, il y a quelques heures. Je me demandais si vous saviez quelque chose à ce propos.

Tout en parlant ses yeux s'arrêtèrent sur mon visage qui, étant aussi raide et douloureux que le reste de mon corps, devait également être contusionné, songeai-je.

— Un incident, vraiment ? De quelle sorte ?

— Ce n'est pas clair, mais une femme a peut-être été accostée.

Il attendit, me laissant toute latitude pour raconter ce que lui-même avait assurément déjà deviné. Mais j'avais décidé de garder le silence. Au-delà de l'humiliation, je voulais éviter que quiconque, surtout le Cardinal, sache que j'étais au courant pour mon père – qu'il avait été délibérément pris pour cible. Pour improbable qu'elle fût, la possibilité que Borgia ait lui-même été impliqué dans ce meurtre n'en restait pas moins réelle. Et dans tous les cas, on ne pouvait nier qu'il était sans doute à la source des tourments de mon père dans les dernières semaines de son existence.

— C'est terrible, repris-je. Si seulement il y avait plus d'hommes comme vous, Capitaine, Rome serait une ville plus sûre.

Vittoro cilla de surprise devant ce compliment. L'homme était bien trop fin pour ne pas comprendre que j'étais en train de détourner la conversation, mais il savait aussi qu'il ne pouvait rien y faire. Tout au moins pour l'instant.

— Ne faisons pas attendre Il Cardinale, conclus-je en refermant la porte derrière moi.

Les appartements du Cardinal se situaient au premier étage du palazzo, face au fleuve. On avait visiblement dépensé sans compter pour la décoration et l'ameublement. Les parquets étaient recouverts de luxueux tapis mauresques, les murs ornés de magnifiques tapisseries représentant principalement des scènes de chasse, et les pièces agrémentées ici et là de divans en velours et de tables rehaussées de dorures. Tout ici évoquait la résidence d'un seigneur aussi puissant qu'un prince laïque – si ce n'était davantage.

Vittoro me laissa dans l'antichambre décorée de peintures murales représentant la chute de l'homme. Ne voulant pas m'asseoir (et me trahir quand il faudrait me lever par quelque cri de douleur), je tentai de me distraire en étudiant ces scènes qui, si elles étaient tirées des Saintes Écritures, n'en étaient pas moins imprégnées d'une sensualité toute terrestre.

Ève, dans sa glorieuse nudité, semblait avoir bien plus intéressé l'artiste que le malheureux Adam, qui faisait une seule apparition, au moment d'accepter la pomme fatidique. Quant à son écervelée d'épouse, elle était représentée en train de s'ébattre sous une cascade, sur un lit de fleurs sauvages, et en tout autre lieu mettant en valeur ses formes généreuses. Le Serpent faisait une apparition remarquée, principalement parce qu'il lorgnait Ève. Je l'examinai attentivement, cherchant à deviner si les rumeurs selon lesquelles l'animal avait été peint sous les traits d'un certain cardinal rival étaient fondées.

Je n'avais pas encore tranché lorsque la porte dérobée menant au saint des saints s'ouvrit et qu'un secrétaire me fit signe de le suivre. Borgia était assis derrière un bureau en ronce de bois et marbre incrusté. Il paraissait plus jeune que son âge, et rempli de vitalité malgré la journée déjà fort chargée qu'il venait sans aucun doute de passer.

En me voyant avancer vers lui sur l'épais tapis, Il Cardinale fronça des sourcils.

— Que t'est-il arrivé ?

— J'ai fait une chute, répliquai-je. Ce n'est rien.

Borgia n'eut pas l'air convaincu, à tel point qu'il désigna un siège en face de son bureau. Une telle faveur était inhabituelle, et seul le dégoût à l'idée de me voir m'écrouler à ses pieds pouvait l'avoir suscitée.

Juchée au bord du siège, droite comme un piquet, je me lançai :

— En quoi puis-je vous être utile, signore ?

— Tu peux commencer par me dire comment les choses allaient dans la maison de ma chère cousine.

En cela tout au moins je n'étais pas prise au dépourvu : j'avais préparé ma réponse.

— Madonna Adriana a eu la gentillesse de m'accorder audience. J'ai demandé à être informée de tout changement, qu'il concerne de nouveaux domestiques ou autre, ce qu'elle a accepté. Je l'ai également assurée qu'il n'y avait pas lieu de s'inquiéter.

Je m'interrompis pour examiner le Cardinal.

— J'espère que j'ai bien fait, signore ?

Une seconde audience en deux jours était bien entendu un grand honneur, mais c'était également le signe que quelque chose tracassait Borgia, et que cela avait à voir avec son empoisonneuse.

— Je n'ai pas été informé d'une menace spécifique, dit-il. Toutefois…

Ah, nous y voilà. La raison de mes semonces répétées. À la vérité, c'était probablement la raison de ma survie. Le Cardinal devait faire appel à mes services.

— Toutefois, répéta-t-il, l'époque dans laquelle nous vivons est troublée. La santé du Saint-Père faiblit…

— J'ai entendu dire ce matin même qu'il allait mieux.

Borgia fronça les sourcils, mais était-ce dû à l'impertinence dont j'avais fait preuve en l'interrompant ou bien à ce que j'avais dit ?

— Des rumeurs colportées sur la place du marché, rien de plus. Giovanni a cinquante-neuf ans et n'a jamais été de bonne constitution.

Je me retins d'observer que le Cardinal lui-même avait deux ans de plus que le pape prétendument mourant. La comparaison entre les deux hommes était incongrue. Borgia était un homme fort comme un taureau, à qui les excès semblaient réussir ; Giovanni Battista Cibo, ainsi qu'il se nommait avant de monter sur le trône de Saint-Pierre, paraissait usé par une vie d'extravagances. Père d'au moins douze enfants, prétendument prêt à partir en croisade pour libérer la Terre Sainte alors que dans le même temps il était à la solde du sultan de Turquie, adepte de la pratique de la simonie (la vente de charges papales) pour tenter de renflouer des caisses qui ne cessaient de désemplir, ce pape avait la réputation de redouter la mort et le jugement qui s'ensuivrait au point d'être prêt à commettre les actes les plus vils pour y échapper.

— En ces temps troublés, reprit le Cardinal, il semble simplement prudent d'exercer une vigilance accrue. Puis-je compter sur toi pour y veiller ?

J'acquiesçai gravement.

— Bien entendu, signore. Vous pouvez compter sur moi en toute chose.

Borgia n'eut pas exactement l'air convaincu. Mais il semblait au moins disposé à faire semblant de me croire, pour l'instant.

— Bien. À présent, dis-moi ce que tu sais des travaux auxquels se consacrait ton père au moment de sa mort.

Ici il me fallait peser mes mots, indubitablement. D'un côté, je ne pouvais me permettre de révéler mon ignorance. De l'autre, il ne m'était guère non plus possible, si je prétendais posséder des informations que je n'avais pas, d'espérer conserver la confiance du Cardinal.

— Il s'intéressait à divers problèmes d'alchimie, répondis-je. Peut-être pourriez-vous me préciser à quoi vous faites référence ?

Mon stratagème s'avéra être un piètre succès. Le Cardinal se cala dans son fauteuil, me regarda droit dans les yeux et s'exclama :

— Donc, il ne t'en a pas parlé. Pourtant tu travaillais en étroite collaboration avec lui, n'est-ce pas ?

— J'étais… l'assistante de mon père, oui.

Borgia me lança un tel regard que l'espace d'un instant je me demandai s'il en savait plus sur moi qu'il ne voulait bien le dire. Pour autant qu'il m'ait été donné de l'observer dans les dix années où j'avais vécu sous son toit, était-il possible que lui aussi ait observé la fille de l'empoisonneur, si irrésistiblement attirée par le métier de son père du fait de ses ténèbres intérieures ? Il me paraissait improbable d'être un objet d'intérêt pour lui, mais je pouvais me tromper.

— N'a-t-il laissé aucune note ? demanda Borgia.

Je déglutis difficilement (j'avais la gorge sèche), et plantai mes yeux dans les siens.

— Il y a bien des carnets, mais les entrées s'arrêtent tout à coup il y a plusieurs mois. Et rien sur ses travaux plus récents.

— Ne trouves-tu pas cela étrange ?

Je répondis honnêtement, pour une fois.

— Si, en effet. Mon père croyait fermement que l'observation et les expériences ne se suffisent jamais à elles-mêmes. Seul un bon compte rendu permet de comprendre les résultats obtenus et d'avancer.

— Sage approche. Il faut donc en conclure qu'il a bien laissé des notes, mais pas avec toi.

J'avais des doutes là-dessus. La nature même du travail de mon père (et le mien désormais) faisait qu'il était très difficile d'avoir des relations d'amitié, et plus encore des confidents. S'il n'avait pas voulu me dire ce qu'il était en train de faire, il était peu vraisemblable qu'il se fût confié à quelqu'un d'autre.

— Il est important de retrouver ces notes, reprit le Cardinal. (De nouveau, il me regarda droit dans les yeux.) Je compte sur toi pour te les procurer sans tarder.

— Je ferai de mon mieux, signore, naturellement. Mais tant que je ne sais pas ce à quoi se consacrait mon père, je ne peux vous garantir de découvrir si ces fameuses notes existent, et encore moins ce qu'il en a fait.

J'espérais simplement entendre le Cardinal m'éclairer sur ce point, à supposer que lui-même sût. À la place, il fit glisser un papier plié sur le bureau. Je le dépliai et y lus un nom, « S. Montefiore », ainsi qu'une adresse dans le Quarto Ebreo – le quartier juif. L'intérêt de Borgia pour ce lieu m'interpella. Comme tous les princes de la sainte Église, je ne lui présumais pas exactement d'amitié pour les juifs.

— Rends-toi là, m'expliqua-t-il. Et lorsque tu y seras, souviens-toi que tu agis en tant que personne attachée à mon service, et non en tant que fille de ton père. Suis-je clair ?

Il ne l'était pas, bien sûr, mais je l'en assurai quand même.

Je m'étais levée, et un secrétaire était en train de me faire sortir lorsque Borgia me donna une ultime instruction.

— Francesca, s'exclama-t-il.

L'emploi de mon prénom me fit sursauter. Je me tournai si vivement que chaque muscle de mon dos endolori fut transpercé de douleur. Les dents serrées, je répondis :

— Signore ?

— À compter de maintenant, ne sors plus sans escorte.

Escorte qui observerait mes moindres faits et gestes et rendrait compte au Cardinal d'où j'allais, de qui je voyais, de ce que je faisais.

Tout en moi se révolta à cette idée. Enfin, presque tout. Le souvenir de mon agression était encore omniprésent, et une petite part de moi acceptait de renoncer à ma liberté. Après tout, ce n'était pas comme si j'avais le choix. C'était la volonté d'Il Cardinale.

— Soit, signore, approuvai-je avant de prendre congé.

5

Les entrées du quartier juif étant fermées du crépuscule à l'aube, les ordres du Cardinal durent être remis au lendemain matin. Mais même ainsi, il me fallut passer une heure dans un bain chaud avant d'être en mesure de me mouvoir normalement – ou de ce qui en approchait le plus.

Mes côtes me faisaient toujours atrocement souffrir mais pour le reste, la douleur se réduisait désormais à un sourd élancement. Le bleu sur mon front (Dieu merci le seul que j'avais au visage) s'était considérablement assombri, mais je parvins à le dissimuler avec une mèche de cheveux. Cela impliquait toutefois de les laisser lâchés, pour une fois, ce à quoi je n'étais guère habituée.

J'étais en train de fermer la porte de ma chambre quand je faillis me cogner à Vittoro Romano.

— Capitaine, quelle surprise.

D'autant plus qu'il ne portait pas son uniforme. À la place, le chef des condottieri avait revêtu un pourpoint et des chausses très ordinaires, tenue qu'un modeste commerçant aurait pu porter.

— *Buongiorno*, Donna Francesca, dit-il dans un sourire. J'espère que vous vous sentez mieux ce matin ?

— Oui, tout à fait. Puis-je demander la raison de votre présence ici ?

— N'est-il pas vrai que vous avez une course à faire en dehors du palazzo ?

Bien entendu, tout comme il était vrai que le capitaine le savait et savait aussi qu'Il Cardinale avait ordonné qu'on m'escorte. Toutefois, je n'avais pas prévu qu'il s'en chargerait lui-même.

— Je pensais que quelqu'un d'autre m'accompagnerait, me justifiai-je tandis que nous avancions dans le couloir, vers les escaliers. En fait, j'avais espéré pouvoir orienter son choix vers quelqu'un de jeune et d'inexpérimenté qui serait plus maniable, ne sachant probablement pas comment gérer une femme d'autorité.

Vittoro sembla lire dans mes pensées car il me fit un grand sourire, un exercice peu courant pour cet homme habituellement sombre.

— Cela fait un moment que je ne suis pas allé dans le quartier juif. Je suis curieux de voir ce qu'il s'y passe.

Je savais à quoi il faisait référence. Depuis quasiment trois mois que Leurs Majestés très catholiques, le roi Ferdinand d'Aragon et la reine Isabelle de Castille, avaient publié l'édit expulsant tous les juifs de leur royaume, des dizaines de milliers de réfugiés désespérés avaient fui vers d'autres parties de l'Europe – dont Rome. Une fois là, comme dans les autres villes, ils avaient dû s'entasser dans des ghettos déjà surpeuplés, où de plus en plus d'Hébreux étaient forcés de vivre. Celui de Rome étant situé sur un terrain marécageux en bordure du Tibre, les conditions de vie n'y avaient jamais été satisfaisantes, mais le bruit courait qu'elles empiraient maintenant de jour en jour.

— Savez-vous ce que nous allons trouver à l'adresse que le Cardinal m'a donnée ? demandai-je au moment de sortir dans la rue. Les averses de la nuit avaient fait partir la poussière et la saleté des pavés, et l'air était plus frais que les jours précédents. Une brise légère répandait le parfum des vergers de citronniers et d'oliveraies situés aux portes de la ville.

— Non, je ne sais pas, répliqua Vittoro, et il fut suffisamment prompt pour que je le croie. Mais je suis certain que quoi que l'on y trouve, vous saurez gérer la situation dignement.

Je fus surprise de sa confiance et de sa franchise. Je ne connaissais pas bien l'homme, mais je savais qu'il avait été ami avec mon père. Les deux hommes jouaient régulièrement aux échecs ensemble.

— Merci, dis-je doucement. Je ferai de mon mieux.

Ainsi chaperonnée, le trajet jusqu'au ghetto se fit sans encombre. Mais je n'arrivais pourtant pas à me défaire d'une certaine appréhension. Dès que nous passions une ruelle sombre, je revivais le moment où mes agresseurs s'étaient jetés sur moi. Le temps que nous arrivions dans le quartier de Sant'Angelo, mes paumes étaient moites et ma respiration saccadée.

— Avez-vous besoin de vous reposer ? demanda Vittoro. Il me prit légèrement par le bras pour me stabiliser.

— Non, l'assurai-je. Je vais bien.

Je regardai droit devant moi, vers les murs qui s'élevaient face à nous et les toits au-delà. Malgré la journée ensoleillée, l'ombre sinistre du désespoir semblait planer au-dessus du ghetto. Il me tardait d'en avoir fini.

— Je voudrais simplement en terminer au plus vite, expliquai-je.

— Naturellement, acquiesça-t-il.

En ce temps-là, aucun mur n'avait encore été construit autour du ghetto, même si de nombreuses rues permettant d'en sortir étaient bloquées par des tas de pierres et de gravats. Depuis l'annonce de l'édit expulsant les juifs d'Espagne, on parlait de plus en plus de la nécessité d'en ériger un, mais jusque-là cela n'avait pas été plus loin.

Pour autant, ce n'était pas chose facile d'aller et venir entre le ghetto et le reste de Rome. Les chariots n'avaient le droit de passer que par un seul point de contrôle, gardé par des condottieri qui décidaient de l'accorder ou non selon ce qu'on leur glissait dans la main.

Les piétons n'avaient guère plus de facilité. Seuls l'air d'autorité arboré par Vittoro et l'insigne des Borgia qu'il n'hésita pas à montrer nous assurèrent d'y entrer sans nous faire harceler. Mais je ne fus pas loin de le regretter, car dès l'instant où je mis les pieds dans le ghetto, je fus prise de nausée. L'odeur de tant de gens entassés dans un espace aussi exigu était accablante. Les détritus s'amoncelaient partout en tas puants recouverts d'une nuée de moustiques attirés du fleuve. À chaque marée haute une eau sale s'immisçait au rez-de-chaussée de la plupart des échoppes et logements délabrés, et laissait un dépôt de boue et de débris en se retirant. Aucun souffle d'air quasiment ne passait entre les bâtiments, si agglutinés les uns contre les autres que les rayons du soleil ne venaient presque jamais les réchauffer.

Mais tout cela paraissait dérisoire en comparaison de la masse d'êtres humains qui se déversait de chaque bâtisse et envahissait les rues : des enfants maigres aux yeux ternes ; des hommes et des femmes voûtés et usés, qui faisaient bien plus que leur âge ; et quelques très rares vieilles personnes, qui se serraient les unes contre les autres malgré la chaleur et se balançaient d'avant en arrière comme pour échapper au malheur insoutenable qu'était devenue leur vie.

— Mon Dieu, murmurai-je en saisissant la main de Vittoro.

Il hocha la tête d'un air sombre.

— Selon les prêtres, l'expulsion des Hébreux d'Espagne n'est que le dernier châtiment que Dieu leur inflige pour avoir tué le Christ.

J'avais entendu dire cela, mais je n'aurais su me targuer de le comprendre. Les prêtres qui dirigeaient la messe au palazzo du Cardinal évoquaient rarement de telles questions. Dans leurs sermons, ils préféraient porter aux nues le bien-fondé de l'autorité et la nécessité d'y obéir. Toutefois, à l'occasion, il leur arrivait de mentionner, en passant presque, combien les juifs étaient à blâmer pour tous les maux de la terre car ils avaient tué Jésus-Christ, le Rédempteur de l'Humanité.

Une fois, j'avais demandé à mon père pour quelle raison les juifs avaient agi ainsi, mais il s'était contenté de sourire tristement et de me rappeler que c'étaient des soldats romains qui se trouvaient au pied de la croix, non des juifs.

Ainsi, se pouvait-il qu'en réalité ce fût Rome que l'on soit en train de punir ? Rome, sa sainte Église et son sempiternel cortège de princes et de palais ? D'hommes tels Rodrigo Borgia, qui rêvaient d'y régner ?

Je chassai promptement ces pensées. C'était le genre même de questions auxquelles il valait mieux renoncer de répondre si l'on souhaitait rester en vie. Mais elles m'avaient tout de même troublée au point que je ne sentis pas la main qui se glissa furtivement par une fente de ma jupe pour atteindre la bourse contenant des pièces, mes clés et certains objets importants que je portais en dessous. N'eussé-je trébuché sur un pavé inégal à cet instant précis, le jeune voleur en train de me délester aurait fort bien pu s'esquiver.

Mais au lieu de cela, je sentis une main contre ma cuisse et m'écriai d'instinct : « Au voleur ! »

Le coupable tenta une sortie dans la foule mais Vittoro, en dépit de son âge, fut plus rapide. Sa main s'abattit violemment sur un cou crasseux.

— Pas si vite ! (Le capitaine secoua durement la frêle créature en haillons qui se balançait à un mètre au-dessus du sol.) Tu croyais t'en tirer ?

Chose incroyable, le garçon – qui n'avait pas l'air d'avoir plus de six ou sept ans mais était probablement beaucoup plus grand – ne fit aucun effort pour implorer notre clémence. Au contraire, il se mit à donner de féroces coups de pieds dans l'espoir d'atteindre le plus possible sa cible, tout en hurlant :

— *Bastardo !* Lâche-moi ! Lâche-moi !

Vittoro leva sa main libre pour frapper l'enfant mais je lui saisis le bras.

— Il ne vaut mieux pas, murmurai-je en inclinant la tête vers la foule qui s'était rassemblée.

Le capitaine suivit mon regard et comprit. Personne parmi les Hébreux ne faisait de quelconque geste menaçant à notre égard, et ils tentaient encore moins de venir au secours du garçon. Mais la grande masse qu'ils formaient de toutes parts et leur observation silencieuse de la scène obligeaient à se demander comment ils réagiraient s'ils pensaient que le garçon risquait d'être arrêté, voire pire.

— Ça ne nous aidera pas, continuai-je à voix toujours basse.

Vittoro hocha la tête. Il remit le garçon sur ses pieds tout en empoignant fermement son bras fluet.

— Comment t'appelles-tu ? demanda-t-il au jeune voleur.

La réponse nous parvint sous la forme d'un amas de glaires d'une taille étonnante pour un si petit garçon, qui atterrit à exactement deux centimètres de la pointe des bottes de Vittoro.

Le capitaine soupira et secoua la tête.

— Qu'est-ce que c'est que ces manières ? Je t'ai parlé poliment.

Il baissa les yeux vers le garçon qui, voyant que les choses ne se déroulaient pas comme il l'espérait, commençait à froncer les sourcils sous son air de bravade.

— Mais peut-être que tu ne connais pas ton nom, suggéra Vittoro. Peut-être que tu ne connais pas ton père.

— Ce n'est pas moi, le bâtard, rétorqua le garçon. C'est toi.

— Eh non, répliqua Vittoro patiemment. Moi, je m'appelle Vittoro Romano. Cette dame se nomme Francesca Giordano. Et toi ?

À contrecœur, le garçon lâcha :

— Benjamin Albanesi.

— Bien, dit Vittoro. Benjamin Albanesi, je vais te relâcher. Lorsque je le ferai, deux options s'offrent à toi. Tu peux partir en courant et en finir avec tout ça. Ou bien tu peux rester, nous aider à trouver le lieu que nous cherchons et gagner un sou en argent pour ta peine, au lieu de chercher à le voler.

Benjamin le fixa d'un air soupçonneux.

— Montre-moi le sou.

Ces exigences enfantines lui inspirèrent un soupir, mais Vittoro s'exécuta. Le jeune voleur regarda attentivement la pièce, puis tendit la main. Une fois dans sa paume, il soupesa le sou tout aussi précautionneusement avant finalement d'acquiescer d'un signe de tête.

— *Bene*. Je vais vous aider.

La foule parut satisfaite et se dispersa. Vittoro relâcha le garçon, qui resta où il était, les yeux fixés sur nous.

— Que cherchez-vous ? demanda-t-il.

Je sortis le papier que le Cardinal m'avait donné et le lui montrai, pensant qu'il me faudrait le lui lire. Mais Benjamin me surprit : il jeta un œil à ce qui y était écrit et hocha la tête.

— Je connais l'endroit. Venez.

Nous le suivîmes dans une rue bondée, avant de tourner dans une étroite venelle pour retomber dans une autre rue. Nous étions en train de nous enfoncer dans le labyrinthe du ghetto, tant et tant que je commençais à me demander s'il ne nous faisait pas tourner en rond. En chemin, nous empruntâmes des rues différentes des autres, où ni le fleuve, ni les masses grouillantes ne venaient empiéter. Derrière de hauts murs érigés de manière à ne rien laisser transparaître de ce qu'ils cachaient, des négociants juifs faisant affaire partout, de l'Angleterre à la lointaine Rus et aux souks du Maroc et de Constantinople, vivaient dans ce que la rumeur disait être une opulence débridée. Mais ils avaient beau jouir d'un plus grand confort que les autres membres de leur tribu, ils n'étaient pas plus libres de vivre en dehors du ghetto qu'eux. Pour jouir d'une telle liberté, la seule issue possible était de renier sa foi. Un certain nombre de juifs avaient emprunté cette voie et étaient devenus des *conversi*, mais non sans en avoir payé le prix fort. Ils avaient été les premiers à être reconnus coupables d'hérésie, et les premiers à brûler sur le bûcher.

Nous débouchâmes enfin dans une ruelle tortueuse et sombre. Une file désordonnée s'étirait devant ce qui semblait être l'échoppe d'un apothicaire. Plusieurs personnes tenaient des enfants malades dans leurs bras. D'autres soutenaient des amis ou des proches incapables de tenir debout.

— Couvrez-vous le visage, m'ordonna Vittoro tout en tirant prestement un bout de sa chemise pour en faire de même.

J'obéis. Je ne pouvais m'empêcher de jeter des coups d'œil furtifs autour de moi, mes yeux se plissant de plus en plus à mesure qu'ils enregistraient la misère qui nous cernait de toutes parts. Je vis des plaies suppurantes, des blessures qui s'étaient infectées, des corps squelettiques qui souffraient le martyre ne serait-ce qu'en respirant, des individus si proches de la mort qu'ils avaient perdu connaissance. Avec la plus grande difficulté, nous atteignîmes la porte de l'apothicaire au moment où une femme d'âge moyen l'ouvrait.

— Binyamin, s'exclama-t-elle. Que fais-tu ici ?

Le garçon, qui n'avait pas pris la peine de se couvrir le visage, la regarda d'un air assuré.

— Benjamin, Signora Montefiore. *Per favore*, mon nom est Benjamin.

— Balivernes. Tu n'as rien à faire ici. Tu n'es pas en sécurité.

— Si, j'ai quelque chose à faire, signora. J'ai amené ces deux-là, qui veulent te voir.

Il fit un pas de côté et, avec un grand geste du bras, nous désigna tous deux.

En nous voyant, la femme fronça les sourcils. Son regard se posa sur moi alors que sans réfléchir je baissais le châle qui me recouvrait le visage. Après m'avoir examinée un instant, elle demanda doucement :

— Qu'est-ce qui vous amène ici, madame ?

Me souvenant du nom écrit sur le papier que le Cardinal m'avait donné, je lui répondis :

— Je cherche Signore Montefiore, ton mari peut-être ?

Un faible sourire éclaira le visage exténué de la femme, qui était encadré de mèches de cheveux argentés échappées d'un fichu noué à la hâte.

— Alors, tes recherches resteront vaines. Voilà dix ans que mon mari est mort. Je m'appelle Sofia Montefiore. Je pense que c'est moi que tu veux voir.

Elle s'effaça pour nous laisser passer.

Une fois à l'intérieur, je jetai un coup d'œil rapide autour de moi, qui vint confirmer ce que je soupçonnais déjà : l'échoppe servait à la fois d'hôpital et de mouroir. Chaque centimètre du plancher ou presque était occupé par des patients allongés sur des litières ou à même le sol. La plupart étaient emmitouflés dans des couvertures élimées. D'autres, en proie à la fièvre, les avaient rejetées à leurs pieds. Une poignée d'hommes et de femmes allaient et venaient entre eux, offrant le peu de réconfort qu'ils pouvaient.

Vittoro m'empoigna le bras.

— Nous devons partir. *Maintenant.*

Pour tentée que je fusse d'obtempérer, je lui fis non de la tête.

— Pas encore. Je dois découvrir la raison pour laquelle le Cardinal m'a envoyée ici.

À Sofia Montefiore, j'annonçai :

— Mon nom est Francesca Giordano. Je suis…

— Je sais qui tu es, répliqua la femme. (Elle essuya ses mains rougies et usées sur le tablier qu'elle avait mis par-dessus une jupe simple, tous deux propres en dépit du chaos qui régnait autour d'elle, et indiqua d'un geste l'arrière de l'échoppe.) Allons là-bas pour parler.

Lançant un rapide coup d'œil à Vittoro, elle ajouta :

— À moins que vous n'ayez trop peur pour vous attarder.

Le capitaine rougit, mais je n'eus pas la moindre hésitation. Je suivis la femme, veillant à ce qu'il fasse de même. L'espace d'un instant, j'envisageai de lui demander d'attendre dehors, mais cela aurait été faire offense à sa fierté comme à son sens du devoir. Nous entrâmes donc à la suite de Sofia Montefiore dans une petite pièce.

Une fois isolés par la magie d'une porte fermée de la masse d'êtres humains agonisants à l'avant de l'échoppe, je m'exclamai :

— Tu me reconnais. Comment se fait-ce ?

Sofia Montefiore prit appui sur une table encombrée. Elle semblait lasse au-delà des mots, mais sa voix n'avait pourtant rien perdu de sa force.

— Je connaissais ton père. Un jour où nous nous trouvions au Campo dei Fiori, il t'a montrée du doigt pendant que tu discutais avec la marchande d'épices. C'était un honnête homme. Sa mort est une tragédie.

— Merci, déclarai-je sans m'attarder. Mais comment l'as-tu connu ?

Je n'arrivais sincèrement pas à imaginer comment Giovanni Giordano et la juive auraient pu se rencontrer, et encore moins qu'ils aient pu devenir suffisamment amis pour qu'il lui désigne sa fille. Ce n'est pas que mon père m'ait fait part de quelque ressentiment envers les juifs, mais bien plutôt qu'il ne les mentionnait quasiment jamais.

— Mon défunt mari était apothicaire, commença Sofia. (Elle me donnait l'impression de choisir ses termes avec le plus grand soin.) Ton père et lui s'étaient connus dans leur jeunesse. Ils ont recommencé à se voir quand Giovanni est venu à Rome pour entrer au service du cardinal Borgia.

— Cela a dû se passer peu de temps avant la mort de ton mari.

Mon père n'était resté que dix ans au service d'Il Cardinale, il n'avait donc pu renouer ses liens d'amitié avec le mari de Sofia Montefiore que brièvement.

— C'est vrai, admit Sofia. À la mort de mon mari, Giovanni est venu me présenter ses condoléances. Étant donné que j'ai pris la suite d'Aaron à l'échoppe, nous sommes restés en contact.

— Tu es devenue apothicaire ? m'étonnai-je, incapable de dissimuler ma surprise. J'avais entendu parler de femmes qui entraient dans certains corps de métiers (les teinturiers, les brasseurs, et d'autres encore) à la mort de leur mari, reprenant le poste laissé vacant. Mais elles devaient invariablement faire face à de grandes difficultés, et ne restaient en place que jusqu'au jour où l'un de leurs fils était assez âgé pour reprendre le flambeau. Les juifs, naturellement, n'étaient pas admis dans ces corporations. Sans doute avaient-ils leurs propres règles.

— Oui, confirma Sofia avec un léger sourire. Tu ne désapprouves tout de même pas l'idée d'une femme exerçant un métier d'homme ?

À la façon dont elle dit cela, je soupçonnai Sofia Montefiore d'être au courant de ma récente ascension dans cette catégorie-là. Les ragots étant prompts à occulter tout le reste à Rome, ce n'était pas si surprenant.

— Bien sûr que non. Ce que tu fais te regarde. Mais je veux savoir quel genre de contact tu as eu avec mon père ces derniers mois, ainsi que toute autre chose qu'il aurait pu te dire ou te laisser en garde ici.

La confusion se lut sur le visage de la femme. Elle secoua lentement la tête.

— Je ne sais absolument pas de quoi tu veux parler. La dernière fois où j'ai vu ton père, c'était en hiver.

Je me raidis. Sofia Montefiore était en train de me dire que la mission de Borgia était *una ricerca vana*, qu'il m'avait envoyée ici pour rien. Étant donné qu'Il Cardinale possédait le réseau d'espions le plus important et le plus capable de Rome, des États pontificaux, et d'ailleurs, pareille chose était hautement improbable.

— Ce serait une erreur de ta part, dis-je en pesant mes mots, de mésestimer l'intérêt du Cardinal dans cette affaire.

Calmement, Sofia répliqua :

— Je t'assure que je ne ferais jamais cela. À présent, si tu veux bien m'excuser, je dois retourner auprès de mes patients.

N'ayant d'autre choix, Vittoro et moi sortîmes de l'échoppe par la porte de derrière. Elle donnait sur une venelle froide et humide, qui nous mena finalement à l'une des rues un peu plus larges, et de là à l'entrée de la ville. Lorsque nous eûmes quitté l'atmosphère confinée du ghetto, mes genoux faillirent se dérober sous moi de soulagement. Rien ne m'avait préparée à la souffrance des juifs de Rome. Je m'éloignai le plus rapidement possible, tout en sachant que ce que j'avais vu reviendrait me hanter.

Dans ces circonstances, et étant donné que je n'avais rien de concret à rapporter au Cardinal, je persuadai Vittoro de m'escorter seulement jusqu'à l'échoppe de Rocco, au Campo. Là, le capitaine me quitta après m'avoir fait promettre de ne pas retourner au palazzo sans le garde qu'il envoyait de ce pas me chercher.

Vous vous demandez peut-être dans quel but je me rendais là-bas. Pour être franche, je me sentais accablée et ne savais vers qui d'autre me tourner. Concrètement, je venais d'échouer dans ma première mission pour Borgia, puisque je n'avais rien découvert s'agissant des récents travaux de mon père, et encore moins ses notes. Sofia Montefiore avait prétendu tout ignorer de ses activités. La seule autre personne en mesure de savoir, selon moi, était Rocco.

Affairé à son four dans la cour arrière, il ne me vit pas tout de suite et j'eus le loisir de l'observer. Il était en train de manier une énorme canne de souffleur avec autant de facilité que s'il s'était agi d'une plume. Bandant les muscles sculptés de son dos nu pour emplir de son souffle une masse de sable en fusion, il la transforma instantanément en une bulle de verre chatoyante, striée d'écarlate et d'azur.

Selon Pline l'Ancien, ce sont les Phéniciens qui ont introduit l'art des maîtres verriers, même si d'aucuns disent que sa découverte est bien antérieure encore. Les Maures d'Andalousie, en affinant la technique, ont produit des œuvres d'une pureté étonnante. Mais c'est aux Vénitiens qu'il est revenu de créer un verre d'une beauté si époustouflante qu'on le compare au souffle des anges. Rocco exerçait son art de façon magistrale, et c'était pour cette raison (à l'évidence, pour aucune autre) que je le trouvais si fascinant à regarder.

Ne voulant pas le faire sursauter, je me retins jusqu'à ce qu'il ait coupé l'extrémité de la coupe et l'ait mise à sécher sur une étagère avant de faire l'effort de sourire et de m'avancer.

Il eut un moment d'inattention en m'apercevant. Je vis dans ses yeux – quoi, exactement ? De la surprise, manifestement, car il ne devait pas s'attendre à me revoir aussi vite, mais autre chose également. Une timide étincelle de plaisir, peut-être, ou bien était-ce une illusion d'optique provoquée par les rayons du soleil filtrant à travers les branches des platanes ? À coup sûr, rien ne justifiait cette soudaine bouffée de chaleur qui me colora les joues et me fit détourner le regard.

— J'ai besoin d'un conseil, annonçai-je simplement, et je fus soulagée de le voir poser ses outils et acquiescer d'un signe de tête.

De nouveau, nous nous assîmes à la table qui se trouvait à l'écart de la rue animée. Pour le moment, nous étions seuls : Nando était allé jouer avec les autres enfants. Brièvement, je lui relatai ce qui s'était passé dans les dernières vingt-quatre heures. Je passai sous silence l'agression dont j'avais été victime, mais je le vis froncer les sourcils en voyant le bleu sur mon front, que j'exposai en repoussant distraitement une mèche de cheveux.

— Est-ce que tu vas bien ? s'enquit-il.

— Oui, bien sûr.

Son regard pénétrant me mettant mal à l'aise, je passai rapidement à la raison de ma visite.

— Sais-tu ce sur quoi mon père était en train de travailler au moment de sa mort ?

— Non, fit Rocco. Pourquoi me demandes-tu cela ?

— Certaines questions ont été soulevées, dis-je évasivement. Je m'efforce de trouver des réponses.

— Pour Borgia ? Est-ce lui qui pose des questions ?

— Eh bien, mais c'est nécessairement lui, n'est-ce pas ? Ce n'est pas comme si je pouvais courir en tous sens et interroger sur ordre de quelqu'un d'autre.

Une réplique plus acerbe que je ne l'aurais voulu, mais Rocco ne parut pas en prendre ombrage. Il se pencha en arrière pour mieux me scruter, et se lança :

— J'ai fabriqué du matériel pour ton père il y a quelques mois de cela, mais il était en tous points similaire à ce que tu viens de me commander, et aurait donc pu avoir un certain nombre de finalités.

— Il ne t'a rien dit de la raison pour laquelle il en avait besoin ?

Le maître verrier hésita un instant avant de répondre :

— Giovanni a toujours été un homme très discret. Il parlait rarement de son travail autrement qu'en termes très vagues.

— Y a-t-il jamais eu des circonstances dans lesquelles il s'est senti plus enclin à en parler plus avant ? Peut-être lors d'un rassemblement d'amis de même sensibilité ?

Si j'espérais que Rocco allait saisir la maladroite perche que je lui tendais pour évoquer Lux, je fus bien déçue. Il se contenta de hausser les épaules et de dire :

— Je t'aiderais si je le pouvais, Francesca, mais sincèrement je ne sais pas ce que ton père manigançait. Si Borgia ne le sait pas non plus, peut-être que Giovanni avait de bonnes raisons de le garder pour lui.

— Je ne parierais pas que Son Éminence ne soit pas au courant, avouai-je. (Ayant échoué une fois de plus, il ne me restait plus grand-chose à perdre.) Peut-être pas, mais peut-être que si. Je pense qu'il s'intéresse davantage au fait de savoir si mon père a laissé ou non des notes sur son travail.

Je lui relatai brièvement la mission qu'il m'avait confiée.

— Tu es déjà allé dans le ghetto ? lui demandai-je ensuite.

— Cela m'est arrivé. J'ai quelques clients là-bas, du moins j'en avais avant toute cette agitation.

— Tu veux parler des réfugiés ?

Rocco hocha la tête.

— J'ai entendu dire que c'était une vraie pagaille là-bas maintenant.

— Et cela ne va faire qu'empirer, vraisemblablement. Dans un peu plus d'un mois, tout juif qui n'aura pas quitté l'Espagne risquera l'exécution immédiate.

— Ils sont fous, ces Espagnols.

— Peut-être, mais ce n'est pas comme si les juifs étaient les bienvenus ici. Les conditions de vie dans le ghetto sont atroces.

Quelque chose dans le son de ma voix dut révéler ma détresse devant ce que j'avais vu car Rocco se leva, alla chercher la carafe de vin dans le buffet et nous en versa une coupe à tous deux.

— Avant de continuer, bois ça.

Reconnaissante, je lui obéis. J'avais l'estomac vide et le vin me secoua, mais il m'aida également à me distancier légèrement de la réalité de ce que j'avais vu.

— Savais-tu que mon père s'y rendait ?

— Dans le ghetto ?

— Il y connaissait une femme, apothicaire.

— Comment sais-tu cela ?

Je lui parlai de Sofia Montefiore. Lorsque j'en eus fini, Rocco secoua lentement la tête.

— Et elle dit que la dernière fois où elle a vu ton père, c'était en hiver, mais le Cardinal pense que c'était bien plus récemment ?

Je hochai la tête.

— Je suis forcée d'en déduire que oui, puisque Borgia m'a envoyée là-bas en même temps qu'il m'a dit vouloir récupérer toute note récente que mon père aurait pu laisser.

— Crois-tu qu'elle dise la vérité ?

C'était le cœur du problème. Sofia Montefiore n'avait montré aucun signe de surprise, à mon arrivée inopinée. C'était presque comme si elle m'avait attendue.

Je mis le temps, mais finis par confirmer mon sentiment : « Non. »

Rocco soupira et se laissa de nouveau aller en arrière dans sa chaise. Il fit tournoyer le pied de la coupe entre ses doigts épais, marqués par tant d'années de travail avec le feu et le verre. Nos yeux se croisèrent.

— Les juifs en bavent vraiment en ce moment. Elle ne te dira rien tant que tu ne l'auras pas convaincue de te faire confiance.

Je bus le vin jusqu'à la dernière goutte et fis glisser ma coupe vers lui. Pendant qu'il la remplissait, j'articulai :

— Et pour cela…

Les images affluaient dans ma tête – l'horreur, la souffrance des hommes, le désespoir noir du ghetto auquel il semblait n'y avoir aucune échappatoire possible, si ce n'était dans la mort.

— Pour cela, répétai-je, je dois y retourner.

6

Fermement résolue à découvrir ce que Sofia Montefiore me cachait, je retournai dans le ghetto dès le lendemain. Vittoro m'accompagna – pour me protéger, mais également porter les médicaments que j'avais eu l'idée d'emmener avec moi. J'aimerais pouvoir vous dire que j'œuvrais par charité, conformément à l'injonction de l'Église selon laquelle on se doit d'agir envers autrui comme on aimerait qu'on agisse envers soi, mais la vérité est que je les emportai dans l'unique but de soudoyer l'apothicaire.

Peut-être soudoyer est-il un terme un peu trop fort. Disons plutôt l'amadouer, afin de la convaincre de me dire ce que j'avais besoin de savoir et, ce faisant, nous éviter à toutes deux beaucoup de problèmes. Mais avant de pouvoir aborder cela avec elle, il me fallait traverser sans encombre la mer de souffrance qu'était le ghetto et retrouver la Via di Miseria, où se situait son échoppe.

À peine passée l'entrée nous cherchâmes Benjamin des yeux, mais il n'y avait aucun signe de lui. Je commençais vaguement à m'inquiéter qu'il se soit aventuré en ville pour faire les poches des passants (ce qui lui vaudrait à n'en pas douter un terrible châtiment), mais avant longtemps il surgit de derrière un tas d'ordures, un sourire nonchalant aux lèvres.

— Tout le monde parle de vous, lança-t-il.

Vittoro se contenta de grogner, mais j'ai tendance à jacasser quand je suis anxieuse.

— Et que dit-on ?

Benjamin prit une profonde inspiration, ce qui augmenta considérablement le volume de sa maigre cage thoracique, et se lança dans une récitation :

— Certains pensent que tu es une sorcière, signorina. D'autres affirment qu'il est trop tôt pour le dire. Plusieurs racontent que tu espionnes pour le compte du Cardinal, et personne ne le conteste vraiment, mais le débat reste ouvert parce que les gens se demandent pourquoi un personnage aussi illustre aurait besoin de nous espionner. Quant à toi, signore… (Il se tourna vers Vittoro.) Pour certains tu es militaire, pour d'autres tu es l'intime de la signorina.

Cela retint visiblement l'attention du capitaine, mais il finit par grogner une seconde fois et continuer son chemin. Nous arrivâmes enfin devant l'échoppe de l'apothicaire. Si pareille chose était possible, la queue qui s'étirait devant était plus longue encore que la veille. Plusieurs corps enveloppés dans des linceuls gisaient près de l'entrée de la rue, dans l'attente de ceux à qui revenait la tâche peu enviable de se débarrasser des cadavres dans le ghetto. De l'autre côté, en ville, on inhume les morts dans les cimetières. Si ce n'est en temps de peste, même les indigents ont droit à un enterrement décent. Mais les juifs morts… Je n'avais aucune idée de ce que l'on faisait d'eux.

— Ne nous attardons pas, me glissa Vittoro alors que Benjamin nous tenait la porte pour nous laisser entrer.

Cette fois-ci, je ne pris pas la peine de me couvrir le visage. Si nombre de gens croient que la maladie est provoquée par la *mala aria*, le mauvais air, je n'en suis pas convaincue ; en revanche, je me serais volontiers protégée de l'odeur pestilentielle en me cachant derrière une pomme de senteur, si cela ne m'avait semblé une bien piètre façon de gagner la confiance de Sofia Montefiore.

En tout état de cause, elle n'était pas en mesure de m'accorder son attention. Une jeune femme dans les affres d'un accouchement difficile gisait dans un coin de la salle grouillante de malades et de mourants. Couchée sur une fine paillasse, elle avait le teint terreux de ceux qui approchent de la mort et l'air d'avoir sombré dans l'inconscience. Sofia Montefiore était agenouillée entre ses jambes écartées. Le jeune homme à son chevet lui avait saisi la main et sanglotait.

— Pousse, l'encouragea Sofia. Pour l'amour de ton enfant, tu dois pousser !

L'apothicaire était tout à fait audible, mais on n'aurait su dire si la jeune femme l'avait entendue. La mare de sang qui s'était formée sous elle laissait à penser qu'elle était déjà bien au-delà de telles considérations.

Je tournai les talons et dans ma précipitation me cognai contre Vittoro. Il posa promptement le coffre contenant les médicaments et me saisit le bras.

— Donna, vous allez bien ?

De grâce, j'étais l'empoisonneuse du cardinal Borgia en personne, l'un des hommes les plus craints de toute la chrétienté. J'avais tué un homme à peine trois jours plus tôt pour parvenir à mes fins. J'avais survécu à un passage à tabac et juré de venger mon père. Je n'étais pas (et n'avais jamais été) faible.

Mais j'étais terrifiée. Ayant toujours vécu uniquement avec mon père (sans mère, tantes, sœurs, ou cousines), je n'étais pas aguerrie à la réalité de l'accouchement comme devrait l'être toute jeune femme. Au contraire, cet acte d'une violence inouïe qui avait tué ma propre mère me paraissait étrange et grotesque.

Au lieu de lui répondre, je me concentrai pour me ressaisir et me passer de son appui. Le jeune homme était penché en avant et sanglotait. Sofia dit autre chose, que je n'entendis pas ; peut-être était-ce un juron. Ne le voyant pas réagir, elle tendit le bras sous la paillasse, s'empara d'un couteau qu'elle avait dû cacher là et…

La jeune femme hurla. Si longtemps que son cri alla se répercuter contre les murs oppressants et sembla faire vibrer l'air tout autour de nous. Il était empreint d'une telle angoisse qu'on avait dû l'entendre jusque dans les fosses de l'Enfer. Enfin, le souffle de vie l'abandonna ;

elle gisait inerte, les yeux grand ouverts mais ne voyant plus, dans les bras du jeune homme.

C'est alors qu'un autre cri se fit entendre, bien plus faible, le geignement d'une nouvelle vie née de la mort. Je vis le nourrisson taché du sang de sa mère, je vis Sofia lâcher le couteau ensanglanté, je vis l'expression sur son visage, et puis je ne vis plus rien que le sol.

Quelle humiliation ! Pendant longtemps, par la suite, je me mentis à moi-même en prétendant ne pas m'être évanouie à la vue du sang. Je m'étais plutôt assise brusquement, oubliant qu'il n'y avait pas de chaise sous moi. Vittoro, que Dieu le bénisse, ne reparla jamais de cet incident. Je pus donc continuer à me bercer de douces illusions, même si je connaissais la vérité.

Le temps que je revienne à moi, on avait eu la décence de fermer les yeux de la morte et de recouvrir son corps, quelqu'un était en train d'emmener son mari éperdu et Sofia, épuisée, avait confié le nourrisson enveloppé dans un bout de couverture crasseuse à une pâle jeune femme qui lui proposa son sein ratatiné d'un air las.

Ne me demandez pas si l'enfant a survécu : je n'en ai aucune idée. Mais en toute honnêteté, il faut bien admettre que ses chances de s'en sortir étaient plutôt ténues.

Une demi-heure plus tard, j'étais assise en face de Sofia Montefiore à l'arrière de l'échoppe, en train de lui donner le choix entre accepter l'aide que je lui proposais ou bien s'exposer à la colère du Cardinal. Je ne fus pas certaine au départ qu'elle m'ait bien comprise tant elle s'était repliée sur elle-même, retirée du monde vers le lieu où l'on va quand la vie devient insupportable. C'était un lieu que je connaissais bien, m'y étant moi-même réfugiée à la mort de mon père, et ayant été tentée d'y retourner après avoir été rouée de coups. Par bonté d'âme j'aurais pu l'y laisser quelques minutes, mais c'était un élan que j'étouffais, en cet instant-là.

— Il faut que tu te décides, étais-je en train d'insister. Je peux t'aider en t'apportant des médicaments et de la nourriture, mais en échange tu dois me raconter tout ce que mon père t'a dit et me donner ce qu'il t'a confié.

Sofia me regarda, regard creusé et lèvres livides. Si doucement que je dus me pencher en avant pour l'entendre, elle dit :

— Je te le répète, il n'a rien laissé ici.

Je savais qu'en cela, tout au moins, elle disait peut-être vrai. Mon père avait toujours été un homme prudent et, par ailleurs, ma vanité était telle que je ne pouvais le croire capable de faire confiance à quelqu'un d'autre que moi.

Mais j'avais également la certitude qu'elle ne me disait pas tout.

— Ceci, annonçai-je en montrant du doigt la petite pharmacie, n'est qu'un échantillon de ce que tu peux avoir. Je t'apporterai…

— Je vais te dire ce que tu vas apporter, me coupa Sofia. (Sa voix était toujours basse mais il ne fallait pas s'y tromper, elle n'avait rien perdu de sa force.) La plupart des médicaments, comme on les appelle, sont inutiles. Je vais te donner une liste de ce qu'il me faut.

Je hochai la tête. Elle poursuivit :

— Une fois que tu auras ce que tu veux, qu'est-ce qui me prouve que tu honoreras ta part du marché ?

— Je te donne ma parole.

Elle partit d'un rire rauque et quelque peu forcé, comme si elle n'en avait guère l'habitude.

— Ta parole ? Le seul chrétien que j'ai connu et qui se souciait de tenir parole envers un juif était ton père, et je ne le vois pas ici.

Cela fit mal. S'il est vrai que je ne ressemble pas à mon père (il avait la peau plus foncée que moi, était plus corpulent), j'aime à penser que j'ai hérité de sa nature. Cela va de soi, puisque c'est lui qui m'a élevée.

— Il n'est peut-être pas ici, rétorquai-je froidement, mais jamais je ne trahirai sa mémoire.

Sofia réfléchit à tout cela un long moment, suffisamment pour que je commence à croire qu'elle allait repousser mon offre. Finalement, elle acquiesça d'un signe de tête.

— Nous devons parler seule à seule, dit-elle en regardant Vittoro. J'insiste.

— Je serai juste à côté, me dit-il en lançant un regard d'avertissement à Sofia. Il emmena Benjamin avec lui.

Le silence planait dans la petite pièce, où l'odeur des herbes pendues aux poutres menait un combat perdu d'avance contre la puanteur de la maladie et de la mort. J'entendis une charrette grincer dans la ruelle voisine, plus loin un cri assourdi.

En fin de compte, Sofia prit la parole :

— J'ai vu ton père pour la dernière fois en mars, juste avant la fête de Pourim. Sais-tu ce que c'est ?

Je fis non de la tête. Mise à part l'accusation selon laquelle ils avaient tué le Christ, il fallait bien l'avouer, je ne savais rien des juifs.

— C'est le jour où nous célébrons notre délivrance de celui que l'on appelle Haman, qui était au service du puissant empereur de Perse et avait juré l'anéantissement de notre peuple.

Malgré moi, elle avait piqué ma curiosité. Cela aussi faisait partie de l'héritage de mon père.

— Pourquoi vouloir cela ?

Sofia feignit la surprise.

— Eh bien, n'est-ce pas suffisant que nous soyons juifs ? Est-il besoin d'une autre raison pour nous tuer ?

Voyant que je me contentais de la dévisager, ne sachant que répondre, elle eut pitié de moi.

— Il se trouve, expliqua-t-elle, que nous avons été sauvés par une femme. Elle s'appelait Esther et son histoire est racontée dans ta Bible, mais je suppose que tu ne la connais pas ?

De nouveau je secouai la tête, contrariée à l'idée de devoir répondre à une question aussi stupide. Car il est bien connu que seuls les prêtres connaissent la Bible, et qu'ils partagent avec leurs ouailles uniquement les passages qu'ils estiment salutaires pour leur âme.

— Peu importe, de toute façon, continua Sofia. Parlons de choses plus récentes. Comme je te l'ai dit, j'ai vu ton père en mars. Giovanni était venu me dire au revoir.

— Mais pourquoi aurait-il fait cela ? Il ne projetait pas de quitter Rome.

Du moins, pas que je le sache, mais je commençais à sentir qu'il y avait beaucoup de choses que mon père m'avait cachées.

— Il n'a pas dit qu'il s'en allait, me dit Sofia. Mais il s'inquiétait de la tournure que les événements prenaient, au point de croire que toute personne liée à lui courait un danger. C'est à cause de cela qu'il ne voulait plus venir me voir.

— Quels événements ? m'enquis-je, tout en songeant que c'était à peu près à cette époque-là que mon père avait commencé à parler de m'envoyer à la résidence du Cardinal à la campagne. J'avais si vigoureusement protesté, ne souhaitant être séparée de lui pour rien au monde, qu'il avait accepté de repousser sa décision. Mais j'avais tout de même craint que celle-ci n'ait déjà été prise et qu'il ne m'en parlerait qu'au dernier moment, pour couper court à toute discussion. L'idée même d'avoir ergoté avec lui me remplit aujourd'hui encore de honte.

Sofia ne répondit pas tout de suite. Elle se pencha en arrière et fixa le mur au-dessus de mon épaule, comme si ce qu'elle y voyait était bien loin de notre réalité. Lentement, elle demanda :

— Sais-tu que ton père s'intéressait beaucoup à ce qui cause les maladies ?

— Il t'a parlé de cela ?

À la réflexion, je n'aurais pas dû être surprise. Mon père s'était certainement rendu compte que l'un des rares individus avec qui il serait possible de discuter sans danger de telles questions était un juif, ou à défaut, un musulman. Car assurément ces deux peuples sont connus pour les grandes compétences de leurs médecins, peut-être car ils sont disposés à envisager des perspectives strictement proscrites pour les chrétiens.

— Il savait que nous avions cet intérêt en commun, expliqua Sofia. Tu dois comprendre, Giovanni voulait vraiment trouver le moyen de guérir la maladie. Mais, plus récemment, il avait entrepris de trouver le moyen de provoquer une mort qui paraîtrait totalement naturelle.

Cela m'interpella, pour une raison assez simple : quand décision est prise de tuer quelqu'un (que ce soit par empoisonnement ou toute autre méthode), l'expédier dans l'autre monde ne suffit pas. D'ordinaire, il est également souhaitable que tout le monde sache ou du moins suppute que la victime a été supprimée délibérément. C'est la seule façon de se faire correctement respecter.

Voyant ma confusion, Sofia tendit une main et vint la poser sur la mienne.

— Je suis désolée, mais il y a autre chose encore.

Et cela n'allait pas être une bonne nouvelle. Elle n'aurait pas comblé la distance physique entre nous par le réconfort simple de sa main sur la mienne si elle n'avait quelque chose de terrible à me dire. Je le savais, mais étais loin de me douter de l'énormité de ce que Sofia Montefiore était sur le point de me révéler.

Je gardai le silence sur le chemin du retour au palazzo. Vittoro respecta cela et ne laissa rien transparaître de ses pensées. Nous nous séparâmes dans la cour. Mais au lieu de retourner tout de suite dans mes quartiers je fis un détour par la petite chapelle où j'allais à la messe, le dimanche. À cette heure de la journée, elle était vide. L'odeur de l'encens flottait dans l'air. Je m'agenouillai devant l'autel en marbre et or, levai les yeux vers le crucifix orné de pierreries, et priai.

Je ne suis pas pieuse. Le don d'une foi profonde et éternelle se dérobe à moi. Peut-être mon esprit est-il trop insatiable, trop enclin à questionner. Ou peut-être ne mets-je tout simplement pas assez de cœur à l'ouvrage. Quelle qu'en soit la raison, la prière ne vient pas facilement à moi.

Or, ce jour-là, je priai, maladroitement sans doute, mais avec la plus grande sincérité. Je priai pour que le Rédempteur du monde me délivre du savoir que j'avais acquis de façon si inconsidérée. Ou, à défaut, qu'il me montre quoi en faire.

Aucun signe ne vint, naturellement. J'envie toujours ceux qui prétendent voir leurs prières entendues, bien souvent dans un fracas de bruits, d'odeurs et de visions. Sainte Catherine de Sienne, par exemple, qui a aidé à combler le fossé laissé béant par le Grand Schisme et à ramener la papauté à Rome, raconte comment elle a éprouvé dans sa chair un mariage mystique avec le Christ et eu une apparition du Paradis, de l'Enfer et du Purgatoire. Le grand saint Thomas d'Aquin, philosophe et théologien (dont on dit qu'il est mort empoisonné, au passage), attribue toutes ses connaissances au pouvoir de la révélation. Et il y en a eu d'autres, toute une suite de saints et de saintes que l'Église brandit comme des modèles pour nous tous.

Je n'en suis pas une, manifestement, mais cela ne m'a pas empêchée ce jour-là de prier pour ne serait-ce qu'entrevoir un filet de lumière divine. À la longue, prenant conscience de mon état d'épuisement tout autant que du désespoir qui montait en moi, je me relevai. C'est ainsi que je me rendis compte du temps que j'avais dû passer dans la chapelle. Mes genoux m'élançaient comme si on les avait brûlés au fer rouge, et le jour avait fait place au soir. Je me faufilai dehors au moment où les moines entraient à la file pour les vêpres.

Enfin, je retrouvai ma chambre. Je dînai seule. Je pris un bain et finis par m'endormir. Le cauchemar revint me hanter, plus saisissant encore que d'habitude. Je me réveillai en sursaut, tremblante, et essuyai les larmes qui coulaient à flots sur mon visage.

Toute idée de retrouver le sommeil étant exclue, je m'assis à la petite table près de la fenêtre et lus toute la nuit, cherchant dans les carnets le moindre élément susceptible de m'éclairer sur cette grande et terrible découverte qui m'était tombée dessus.

Mais vous aimeriez savoir ce dont il s'agit. Ce que Sofia Montefiore m'a dit là-bas, dans le charnier du ghetto.

Très bien ; mais vous aurez été prévenus. Un tel savoir est une malédiction, qui instantanément vous arrache au paradis de l'heureuse ignorance dans lequel vous vous plaisez à vivre, sans jamais vous douter qu'une seule faute peut briser votre vie si totalement.

7

La dernière fois où j'ai vu ton père, m'avait raconté Sofia, l'inquiétude le rongeait. Je ne l'avais jamais vu plus affolé et il éprouvait la plus grande difficulté à s'exprimer, ce qui se comprend, car quand on parle du diable on lui donne vie.

Elle avait passé une main lasse sur son visage, puis ajusté sa position avant de continuer.

— Tu vas me demander comment il savait ce qu'il savait, alors je te le dis d'emblée : il ne me l'a pas expliqué et je n'ai rien demandé. C'était déjà bien suffisant d'avoir fait pareille découverte.

— Et qu'est-ce que c'était ?

Je commençais à m'impatienter devant ce qui semblait être de la fausse timidité. Que Dieu me pardonne, je ne comprenais toujours pas, alors.

Ses yeux aux cernes sombres étaient injectés de sang, mais j'ai été bien plus marquée par la profonde et impénétrable tristesse qui s'y reflétait.

— Il semblerait, avait-elle soupiré enfin, que l'expulsion de tous les juifs d'Espagne, avec toutes les souffrances que cela nous a apportées, ne soit pas suffisante. Sa Sainteté le pape n'est pas encore satisfaite. Pour le bien de son âme, il prépare en ce moment même un édit visant à nous expulser de toute la chrétienté, sous peine de mort si quiconque osait le braver.

Sa voix s'était quelque peu affirmée à mesure que l'indignation la gagnait.

— Innocent usera de son autorité pour expulser tous les juifs des États pontificaux. Mais il ne compte pas s'arrêter là. Il va demander à chaque roi et prince d'en faire autant pour nettoyer la chrétienté de la « pollution » que nous représentons pour lui. Il est prêt à exiger cela dans les termes les plus fermes, et même à menacer d'excommunication tout souverain qui lui désobéirait. Et comme si cela ne suffisait pas, pour être sûr de tous nous balayer de la surface de la Terre, il veut lancer ses fidèles à nos trousses.

Elle avait posé ses mains usées et encore tachées du sang de la jeune mère à plat sur la table, puis m'avait regardée droit dans les yeux.

— Si cet édit est publié, le peuple juif est menacé d'extermination.

Je l'avais entendue, manifestement ; j'avais même plus ou moins compris ce qu'elle disait. Juifs… malheur… extermination… Oui, oui, tout était très clair. Mais que Dieu me pardonne, tout ce qui m'importait en cet instant, c'était de comprendre en quoi cela avait à voir avec mon père.

D'après Sofia Montefiore, le sort des juifs l'avait alarmé, ce que je supposais possible. C'était un homme au cœur tendre, une qualité qui parfois ne s'accordait pas avec sa profession. Je me souviens d'une fois où, ayant recueilli un moineau à l'aile cassée, il s'en était si bien occupé qu'il avait pu le relâcher, au moment même où nos derniers poisons (à mort rapide) étaient en phase de test sur des chiens, ainsi que divers autres animaux.

Donc, en partant de l'hypothèse que mon père ait eu vent d'un tel projet, aurait-il prévenu les juifs ? Depuis que j'avais appris qu'il en comptait une parmi ses amis, cela semblait plausible. Mais si Sofia Montefiore disait vrai (ce qui restait pour moi une question encore sans réponse), il était allé beaucoup plus loin. Suffisamment pour craindre que toute personne liée à lui se trouve sous peu en grave danger.

C'est la raison pour laquelle, selon elle, il avait cherché le moyen de provoquer une mort qui paraisse totalement naturelle.

Je m'emmitouflai un peu plus dans mon châle, comme si ce geste pouvait aider à contenir la peur qui était en train d'exploser en moi. Par la fenêtre je vis se dresser l'ombre inquiétante de la citadelle de la chrétienté, le Vatican, où j'imaginais Sa Sainteté le pape se reposer paisiblement, son état de santé en nette amélioration depuis la mort soudaine de mon père.

Tôt le matin je sortis discrètement du palazzo, au moment où les balayeurs (qui ont toujours de quoi faire dans les quartiers aisés) arrosaient les pavés et se préparaient à les brosser avec leurs balais à poils épais. Soucieuse d'obéir à l'injonction du Cardinal, j'obligeai un jeune garde à m'escorter en passant outre à sa requête hésitante d'avertir au préalable le capitaine.

— Je n'ai pas de temps à perdre avec cela, lui fis-je savoir d'un air hautain. Mais peut-être préfères-tu expliquer au capitaine Romano pourquoi j'ai été forcée de partir sans toi ?

— Non, non, Donna, s'empressa-t-il de répondre avant de se mettre à trotter derrière moi tandis que je passais devant les sentinelles et m'engageai d'un bon pas dans la rue.

Je marchai à vive allure jusqu'au palazzo Orsini pour tenter de distancer mes pensées, mais en vain. À chaque pas j'avais un peu plus de mal à croire mes soupçons déplacés et mes craintes exagérées. Mon état physique n'aidait pas : la blessure aux côtes m'élançait toujours, et chaque respiration venait péniblement me rappeler les coups que j'avais reçus – et l'avertissement qui les avait accompagnés.

Ma visite au palazzo Orsini, comme tout ce que je faisais, serait à coup sûr rapportée au Cardinal. C'est pourquoi je me rendis tout de suite aux celliers et m'appliquai à inspecter les vivres arrivés ces derniers jours. Les aliments frais me préoccupaient moins, étant donné qu'il est extrêmement difficile de les empoisonner sans laisser de traces révélatrices au niveau de l'odeur et du goût, voire de la couleur. Toutefois, il est possible de dissimuler de minuscules quantités de poison dans les replis de la viande, par exemple, ce qui implique de soigneusement vérifier chaque carcasse. De la même façon, il est difficile de contaminer le vin, bien que ce ne soit pas impossible. Ici, la clarté et le bouquet sont les indicateurs les plus fiables : un poison ajouté à du vin se dissoudra, mais en partie seulement. Il a tendance à laisser un dépôt sombre que l'œil aguerri repère immédiatement.

Dans ce métier, il est fort utile que les commerçants fournissant les maisons nobles sachent parfaitement à quel terrible châtiment ils s'exposeraient, eux et leur famille, s'ils étaient ne serait-ce que soupçonnés d'avoir eu de mauvaises intentions. Mais malgré cela, aucun empoisonneur consciencieux ne permettrait l'achat d'aliments déjà préparés au-delà d'une certaine quantité. Saucisses, viandes fumées, poissons séchés et autres produits de ce genre doivent donc tous être préparés selon mes instructions. C'est une simple question de bon sens. Il en va de même avec les précautions à prendre s'agissant des tissus. Les poisons capables de pénétrer la peau (au lieu de devoir être ingérés) restent rares, mais peuvent être très puissants. C'est un poison comme celui-ci qui m'a servie à tuer l'Espagnol – mais à ce sujet je n'en dirai pas davantage.

Précisons cependant que le moyen le plus simple d'administrer un poison est de le dissimuler dans un plat épicé : un ragoût, par exemple, ou toute autre chère dont on attend des saveurs riches et complexes. De tels mets étant fort appréciés de la classe aisée, ils doivent être toujours préparés avec le plus grand soin.

L'usage veut donc de proposer au préalable tout aliment et toute boisson à des animaux réservés à cette fin. C'est la partie de mon métier que je déteste le plus, et je suis heureuse lorsqu'elle s'achève sans incident.

La sécurité des aliments étant établie, il s'agit ensuite de les sceller jusqu'au moment de les cuisiner. Je me charge moi-même de cette opération, à l'aide des petits pains de cire et de l'insigne que mon père conservait dans ce but. Une fois descellés, tous les vivres de la maison deviennent la responsabilité du chef et, en dehors des cuisines, du majordome. Malheur ensuite à celui qui se trouve là s'il arrivait quoi que ce soit à un membre de La Famiglia.

Ayant accompli mon devoir ce matin-là, je m'attardai jusqu'à une heure suffisamment décente pour demander à présenter mes hommages à Madonna Adriana et aux autres membres d'*il harem*. Mais Madame s'était apparemment absentée pour rendre visite à une amie à la campagne, et Giulia la Bella, fidèle à sa réputation de lève-tard, était encore couchée. Seule Lucrèce se trouvait au jardin, en train de prendre son petit-déjeuner.

Elle me fit signe de la rejoindre.

— Francesca, viens donc t'asseoir. Je suis si heureuse de te voir. As-tu faim ? Les fraises sont délicieuses.

Nous prîmes place à l'ombre de la loggia, non loin de la fontaine. La chaleur du jour se faisait déjà sentir. Lucrèce portait une chemise légère, en lin finement tissé. Les deux chiots étaient étendus à ses pieds, langue pendante.

— Que t'est-il arrivé au visage ? demanda-t-elle lorsque je fus assise. Elle me tendit le bol de fraises, peut-être dans le but de faire passer la question plus aisément.

J'en choisis une et croquai dedans avant de répondre. Le bleu que j'avais au front ne me faisait plus mal, sauf si je le touchais, mais il était devenu si sombre que mes cheveux n'arrivaient plus à le dissimuler entièrement.

Un sourire accroché aux lèvres, je lui servis la même histoire qu'à son père : « Je suis tombée. » Mais telle est la nature du mensonge que, malgré moi, j'entrai dans les détails :

— J'ai trébuché, vraiment, rien de plus. C'était un peu gênant.

Avec cette dernière remarque, j'espérais lui ôter toute autre interrogation de la tête.

Les divins sourcils de Lucrèce se froncèrent. Les gens s'extasiaient sur la beauté de Giulia, à juste titre, mais Lucrèce était si jolie. Si elle avait été une enfant fluette, elle commençait à avoir des formes depuis qu'elle était devenue femme, quelques mois plus tôt. Elle avait des traits délicats et très féminins, mais ce qui faisait sa fierté, c'était sa chevelure. D'un blond pâle et coiffée en anglaises, elle la faisait ressembler à un ange nimbé de lumière. Plus tard, lorsqu'on l'accusa de ces crimes si affreux, les gens s'en feraient la remarque.

— Est-ce que ça fait mal ? demanda-t-elle, faisant montre d'une obstination à laquelle elle devrait un jour sa survie, face à un désastre qui nous aurait tous détruits.

— Pas du tout, la rassurai-je.

— Bien. (Elle esquissa un sourire espiègle.) On m'a confié un secret qui va t'intéresser, j'en suis sûre.

J'avais dans l'idée que la fille de Borgia était au courant d'un bien plus grand nombre de secrets que les jeunes filles de son âge, et à dire vrai, je comptais dessus. Mais je fus tout de même surprise qu'elle me l'offre ainsi pour mon plaisir, telle une friandise à la pâte d'amandes.

— Dites-moi tout, la priai-je.

— César veut venir à Rome alors que Père lui a dit de rester à Pise. Il dit qu'il s'ennuie tellement à l'université, et qu'il a si peur de rater quelque chose ici qu'il pourrait décider de revenir de toute façon.

Eût-elle parlé de quelqu'un d'autre que son frère, j'aurais relégué ces révélations au rang de simple bravade. Mais César possédait cette nature à la fois impulsive et impitoyable prompte à pousser le Cardinal au défi et à s'en sortir indemne quand même. Assurément, Borgia était connu pour passer tous les caprices à un fils qu'il escomptait faire entrer dans la sainte Église, comme lui.

Comme toujours, je souris à l'idée de César en prêtre. Lucrèce sauta sur l'occasion.

— Mon frère te fait sourire ? minauda-t-elle.

César me faisait en réalité beaucoup de choses, et avec le temps j'imagine que j'évoquerai la plupart d'entre elles. Mais oui, dans certaines circonstances, il savait aussi faire cela.

— Pardonnez-moi, Madonna, répondis-je d'un ton des plus convenables. J'étais en train de songer à tout autre chose.

— Oh, tu mens, rétorqua Lucrèce. N'essaie même pas de feindre. Tu es aussi fascinée que tout le monde par César.

Fascinée ? J'imagine que c'était le cas, oui, mais j'étais également sur mes gardes.

— Je lui ai dit pour ton père, continua la jeune fille. Il m'écrit qu'il est tout à fait désolé mais ne doute pas que tu t'acquitteras admirablement de tes nouvelles responsabilités.

Que Dieu me pardonne, je rougis. Voyant cela, Lucrèce partit d'un gloussement ; mais l'instant d'après, elle était redevenue sérieuse.

— En vrai, il n'est pas si horrible que cela, n'est-ce pas, Francesca ? Au bout du compte, César a bon cœur.

Si par là elle voulait dire un cœur qui battait puissamment et sur lequel son propriétaire pouvait compter, elle avait à l'évidence raison. Mais cela mis à part…

— Je suis sûre que c'est le meilleur des frères.

— Tu as raison, mais j'ai également entendu dire qu'il était très bon amant. N'est-ce pas vrai tout autant ?

Ces propos vous choquent-ils ? Peut-être êtes-vous en train de brûler les étapes en songeant aux infâmes rumeurs concernant Lucrèce et César et dont ils ne purent se défaire par la suite ? Des rumeurs qui, permettez-moi de vous le dire ici et maintenant, étaient totalement infondées.

— Comment saurais-je…

Ces protestations parurent bien faibles, même à moi, ce qui était inévitable puisqu'elles ne reflétaient pas la réalité. Supposons par exemple qu'à la suite de ma première rencontre avec César, après qu'il eut reculé devant la mention de mon statut de fille de l'empoisonneur, il m'ait trouvée digne d'intérêt. Cela témoigne bien plus d'un amour du défi chez lui que de mes charmes, assurément.

Supposons ensuite qu'une nuit, peu de temps après que j'eus décliné la demande en mariage de Rocco, alors que je me sentais encore profondément meurtrie, César m'ait trouvée par hasard dans la bibliothèque. J'étais en train de relire mon cher Dante, qui sera ma ruine. Vous pouvez en déduire, si cela vous sied, que je cherchais à calmer mon état de fébrilité par un passe-temps intellectuel familier. Mon père était au-dessus, dans notre appartement. Le Cardinal était absent, en visite chez La Bella. La maison était parfaitement calme.

César était censé être à Pise, où on le croyait en train de jauger son camarade d'études, l'héritier des Médicis, tout en s'illustrant par son érudition. Tous s'accordaient à dire qu'il avait accompli les deux, étant souple d'esprit et doué de la langue. Très doué, même.

Il était venu discrètement à Rome pour quelques jours dans l'idée de convaincre son père de changer les projets qu'il avait pour lui. Ne riez pas, ou si vous ne pouvez vous en empêcher, ne riez pas trop fort, mais Borgia destinait vraiment son fils aîné à l'Église. César n'avait pas encore fêté ses sept ans que son père avait réussi à le faire nommer protonotaire apostolique du pape. Je n'ai aucune idée des tâches qui incombent aux récipiendaires d'une charge aussi auguste, et d'ailleurs César non plus, j'en suis sûre. Car peu après, il avait acquis les droits de l'évêché de Valence et dans le même temps était devenu recteur et archidiacre. Dans les années qui avaient suivi, il avait acquis l'évêché de Pampelune et les généreuses recettes qui allaient de pair. Le fait qu'il ne fût pas encore entré dans les ordres n'était qu'un simple détail, facile à omettre.

Mais son père avait bien l'intention de l'y faire entrer, pourtant, afin qu'il devienne prince de la sainte Église en temps voulu, puis continue sur ses traces en accédant à la papauté. Peu importait au Cardinal que César envisageât son avenir d'une tout autre manière.

C'est ainsi qu'il était venu à Rome pour plaider en faveur de la carrière militaire qu'il appelait de ses vœux, mais d'après ce qu'il se disait en cuisine, père et fils s'étaient disputés. Il était parti en trombe Dieu savait où, en était revenu singulièrement peu sobre, et s'était retrouvé par hasard devant la bibliothèque.

Où je me trouvais. Il vous faut m'imaginer comment j'étais alors, une *virgo intacta* bien à l'abri dans ma tour d'albâtre, où j'étais déterminée (bien qu'à regret) à rester. Et imaginez-le, ce jeune homme sauvage et ténébreux, sentant le vin et le cuir, faisant entrer le souffle du vaste monde dans mon sanctuaire de vierge.

Que devrais-je vous dire ? Tout ? Comment il s'est approché de moi, un sourire dansant dans ses yeux fous ? Comment j'ai songé à m'enfuir, mais pour une raison mystérieuse n'ai même pas réussi à me lever de ma chaise ? Comment il s'est agenouillé devant moi, ses mains chaudes et puissantes soulevant mes jupes, caressant ma peau, trouvant la chaleur enfouie en moi…

Comment je suis morte, là, dans ses bras.

Comment il m'a souri et m'a dit que j'étais belle, son trésor, louant mes charmes alors même qu'il se glissait en moi ? Comment cet acte a contredit toutes les rumeurs de douleur et de déchirure proférées par ces jeunes servantes incapables d'en parler sans rouler des yeux ?

Comment, après, alors qu'il me caressait les cheveux et me fredonnait un air, le monde avait semblé renaître à la lumière de l'étonnante découverte que je venais de faire : contrairement à ce que j'avais craint, les ténèbres qui étaient en moi ne m'interdisaient pas toute intimité. Il me suffisait de limiter mon expérience à des hommes tels que César, un être purement physique qui ne s'intéressait pas plus à ce que j'avais dans le cœur que moi dans le sien. Méprisez-moi si vous le voulez pour cette tendresse généralement attribuée aux femmes et qui fait défaut chez moi, mais ce n'était tout simplement pas une option, pour moi.

— Je vous en prie, dis-je à Lucrèce. Parlons de choses plus importantes.

Cela attira son attention, comme je l'avais prévu. Elle fit signe au domestique qui tournait autour de nous de s'en aller.

— C'est vrai, on peut ? Personne ne veut jamais parler avec moi de quoi que ce soit d'important. Après tout, je ne suis qu'une jeune fille, donc prétendument ignorante.

— Nous savons toutes deux que vous êtes loin d'être cela.

Je n'étais pas en train de verser dans la vile flatterie. L'esprit de Lucrèce était au moins aussi digne d'intérêt que les membres masculins de sa famille.

— Par ailleurs, vous serez bientôt mariée et une épouse se doit de s'intéresser aux questions importantes, que les hommes le reconnaissent ou non.

D'ordinaire, la seule mention du mariage suffisait à la mettre en joie, mais cette fois-ci cela la fit soupirer.

— Si mon père ne devient pas pape, je crains qu'il ne me trouve jamais de mari suffisamment bon pour lui. Mais naturellement, s'il devient pape, le contraire pourrait tout autant être vrai.

La franchise avec laquelle la fille unique de Borgia parlait des ambitions de son père me prit de court. Mais cela convenait bien à l'orientation que je voulais voir prendre notre conversation.

— À la vérité, s'il plaît à Dieu d'appeler Il Cardinale sur le trône de Saint-Pierre, ce sera une bénédiction pour nous tous. (Ayant exprimé le sentiment adéquat, je me jetai à l'eau.) Mais cela doit être décourageant de songer aux lourdes responsabilités qui incombent au Saint-Père.

Lucrèce prit une autre fraise, croqua dedans et avala le morceau avant de répondre.

— J'imagine. C'est peut-être pour cela que mon cher *papà* a l'air si distrait ces temps-ci.

— Vraiment ?

Je posai la question avec ce que j'espérais être ce qu'il fallait d'intérêt poli, rien d'autre.

Elle acquiesça d'un signe de tête.

— Giulia dit qu'il dort mal, voire ne dort pas du tout, parfois. Il n'était pas comme ça, avant. Rien ne semblait jamais le perturber.

— Je suis navrée d'apprendre cela. Avez-vous une idée quelconque de ce qui le tracasse ?

Pendant un instant je craignis qu'elle ait vu clair en mon jeu, mais Lucrèce se contenta de soupirer et de se caler dans son fauteuil, l'air pensif.

— Je sais que la mort de ton père l'a énormément touché. Il était ici quand nous avons appris la nouvelle et j'ai craint… Disons simplement que je l'ai rarement vu aussi en colère.

Vraiment ? Cela de la part de l'homme qui n'avait pas levé le petit doigt pour retrouver les meurtriers de mon père, encore moins les punir ?

— La mort de n'importe quel serviteur conduirait à être bouleversé, non ? avançai-je prudemment.

— Ton père était loin d'être n'importe quel serviteur, me réprimanda Lucrèce. *Papà* comptait sur lui pour qu'il ne nous arrive rien, manifestement, mais aussi pour… garder des secrets, je pense, qui peut-être ne sont pas morts avec lui ?

Ses yeux, dorés dans le jardin ensoleillé, plongèrent droit dans les miens. C'est à ce moment-là que je pris conscience du fait que Lucrèce avait tout autant soif de tirer quelque information de moi que moi d'elle. En outre, cette fille d'Il Cardinale était plus experte dans l'art de l'intrigue que je ne pourrais jamais espérer l'être.

Tentant de gagner du temps pour rassembler mes pensées, je lui lançai :

— Qu'est-ce qui vous fait dire cela ?

— Rien en particulier, m'assura-t-elle. Simplement *Papà* a été si bouleversé lorsque c'est arrivé, et depuis il n'est plus le même.

— Mais a-t-il dit ou fait quelque chose de particulier, à la mort de mon père ?

Je vis Lucrèce hésiter. Un autre serviteur s'était posté non loin, prêt à satisfaire ses moindres désirs. Elle lui fit signe de partir.

— Il a déclaré « *Alea jacta est* ».

Les dés sont jetés. Les mots que Jules César aurait prononcés au bord du Rubicon, juste avant d'envahir Rome et de s'en proclamer le maître.

Étant destinée à devenir une grande dame, Lucrèce recevait une éducation et parlait déjà plusieurs langues, dont le latin. Elle avait donc certainement compris son père, mais il n'était guère probable qu'un autre membre d'*il harem* ait saisi de quoi il retournait. Malgré son état d'agitation, le Cardinal avait cherché instinctivement à dissimuler sa pensée.

Moi aussi j'avais été éduquée et moi aussi je comprenais la phrase, je ne la comprenais que trop. Cela ne m'empêcha pas de demander :

— Quels dés ? Que voulait-il dire ?

Elle lança un petit pain aux bichons maltais et haussa les épaules.

— Peut-être sauras-tu me le dire, toi.

Pour inexpérimentée que je fusse à ce jeu de l'intrigue, je savais qu'il me fallait donner une information en retour, sinon il était inutile d'espérer la voir se montrer disponible à l'avenir.

Lentement, j'énonçai :

— Je pense que cela signifie que mon père était en train d'accomplir quelque chose pour Il Cardinale, et qu'il n'y avait aucune marche arrière possible.

— Mais quelle « chose » ? demanda Lucrèce. (Cette jeune fille qui, si je ne m'abusais, aimait sincèrement son papa, plissa le front d'inquiétude.) C'est bien là la question, n'est-ce pas ?

Comme j'aurais aimé que cela soit vrai, mais s'il me restait jusque-là quelques doutes concernant l'énormité de ce que mon père avait entrepris, ils avaient disparu. Il avait servi un homme qui ne trouverait pas le repos tant que le trône de Saint-Pierre ne serait pas à lui. Mais plus encore, il s'était profondément attaché à un peuple dont le seul espoir de survie reposait sur le fait d'en chasser le présent occupant de la seule manière possible : la mort.

Si mon père n'était plus là, tout le reste demeurait : Borgia et son ambition démesurée ; les juifs, au bord du précipice et tout prêts d'y tomber ; et moi, pauvre de moi, qui avais entrepris de venger un assassinat seulement pour découvrir qu'on tentait de m'en faire commettre un autre, dont les conséquences se répercuteraient dans toute la chrétienté, et pour lequel j'allais damner mon âme pour l'éternité.

En revenant du palazzo Orsini, j'appris que j'avais obtenu un bref sursis. Le Cardinal était parti pour ses bureaux à la curie, non sans avoir auparavant exprimé son mécontentement quand il m'avait fait appeler et qu'on ne m'avait trouvée nulle part. Il revenait dans l'après-midi ; j'étais censée me tenir à disposition. C'est du moins ce dont Vittoro m'informa tout en secouant la tête en signe de remontrance.

— Vous avez profité de Jofre, me tança-t-il à propos du jeune garde que j'avais contraint à m'accompagner. Maintenant je suis obligé de le mettre de corvée de latrines pendant une semaine.

— Je suis désolée, répliquai-je sans une once de contrition. Mais j'ai emmené une escorte avec moi, et c'est bien ce qui importe le plus, n'est-ce pas ?

Le capitaine de la garde poussa un soupir mélancolique.

— Francesca, vous savez parfaitement que c'est ce que le Cardinal décide qui importe, et rien d'autre. Je vous conseille de ne pas vous aviser de le décevoir à nouveau.

Un avis dont je ferais bien de me souvenir, mais l'état d'agitation dans lequel je me trouvais ne facilitait pas la tâche. En pareil cas (à ma décharge, je suis très rarement ainsi), le fait de m'occuper m'est d'une grande aide.

Par conséquent, je me plongeai dans le travail que j'avais à faire ce jour-là, inspectant des provisions, vérifiant l'étanchéité de scellés, observant les domestiques en train de vaquer à leurs tâches. Y en avait-il un ou une, parmi eux, qui semblait particulièrement nerveux ou emprunté ? Y avait-il eu un quelconque changement dans la routine habituelle ? Un quelconque signe, pour anodin qu'il fût, de complot en préparation contre le Cardinal ?

Pendant ce temps-là, des gardes patrouillaient à l'extérieur comme à l'intérieur du palazzo, et leur vigilance était de tous les instants. Derrière les murs d'enceinte, en ville, des espions étaient à l'œuvre dans les marchés, les bordels, les maisons de négoce, jusqu'au Vatican, débusquant tout ce qui pouvait être utile à Borgia. Tout cela dans l'unique but de protéger et de faire avancer La Famiglia.

Mais n'oublions pas qu'il y avait d'autres familles, les grandes et les grandes en puissance, et qu'elles étaient loin de rester inactives. Les alliances se faisaient et se défaisaient comme la brume qui monte du Tibre la nuit pour disparaître au soleil du matin. L'ami de la veille pouvait fort bien être l'ennemi du lendemain. Comme tant de villes de la chrétienté, Rome était en ébullition, tiraillée par deux forces contraires. Certes, elle obéissait à l'injonction séculaire, définie par nos aînés, qui exigeait de se soumettre à Dieu et à la tradition. Mais elle commençait également à percevoir cet élan nouveau, encore à moitié conscient, qui consistait à relever la tête et à s'ouvrir à la lumière du changement, ce que certains appelaient une renaissance du monde quand d'autres le qualifiaient de paganisme. Tout défi à leur autorité étant une chose terrifiante pour nos dirigeants terrestres, ils ripostaient en tentant d'étouffer le mouvement dans l'œuf. Jusqu'ici, tout au moins, ils n'y étaient pas parvenus : le combat continuait.

Or, j'avais un rôle à jouer dans ces événements. À l'heure de la sexte pour les prêtres, je me retirai dans mes quartiers pour affronter la terrifiante question que je savais ne plus pouvoir éviter : si mon père avait décidé de tuer le pape Innocent VIII, comme j'en étais persuadée à présent, comment avait-il eu l'intention de procéder ? Sofia avait dit qu'il cherchait le moyen de provoquer une mort qui semble parfaitement naturelle. Or, à ma connaissance, rien ne permettait d'accomplir cela.

Ce n'est pas que certains poisons ne soient pas plus subtils que d'autres. Les symptômes de l'arsenic, dont le succès ne se dément pas, sont aisément confondus avec ceux de la malaria ; mais notre monde est ainsi fait que l'on soupçonnerait immédiatement d'empoisonnement tout personnage important qui viendrait à se plaindre d'un ou de plusieurs de ces troubles. L'aconit produit une substance intéressante qui, dosée de façon appropriée, arrête le cœur ; il en va de même pour la digitale pourprée, une si jolie fleur, mais de nouveau son utilisation éveillerait tout de suite les soupçons. La ciguë, qui a tué Socrate, est extrêmement efficace mais manque totalement de discrétion, engendrant une paralysie et des douleurs atroces avant de provoquer la mort. La belladone, dont certaines écervelées se servent pour illuminer leur regard, entraîne accélération du rythme cardiaque, désorientation et autres régals de ce genre avant d'achever.

Vous voyez le problème ? Si le but est simplement de tuer, les possibilités sont innombrables. Mais tuer sans éveiller du tout de soupçons, c'est une autre affaire. Je pourrais vous en dire plus, mais je crains déjà d'en avoir trop révélé. Dieu m'est témoin que mon intention n'est pas de vous donner matière à pécher.

En tout état de cause, si la mort du pape faisait naître le moindre doute, la réputation de Borgia était telle qu'on le considérerait immédiatement comme suspect. À cause de son âge, c'était sa dernière chance d'accéder à la papauté, et d'autres que lui (tout aussi puissants) tenteraient de lui ravir la place. Quelle que soit la compensation financière qu'il serait en mesure de leur promettre pour acheter leur soutien, il existait une certaine limite qu'ils se refuseraient à franchir. Et tuer le pape se situait tout près de celle-ci, dans les recoins les plus sombres de l'âme humaine.

Mon imagination refusait de s'aventurer par là. J'avais beau essayer, je n'arrivais même pas à entrevoir ce que mon père avait tenté de faire, en le supposant effectivement responsable de la récente maladie d'Innocent. Car il était impossible d'écarter totalement la possibilité que tout cela ne soit qu'une coïncidence.

Mais cela ne saurait m'exonérer des exigences du Cardinal. Elles vinrent peu de temps après la none – encore ces prêtres, ne faisaient-ils rien d'autre que réciter ? Bien qu'il ne se soit absenté que quelques heures, Son Éminence n'était pas homme à aller et venir sans que cela se sache. Toute la maisonnée accourut dehors au premier cri de l'escorte annonçant son arrivée imminente.

Je me joignis aux autres pour me faire une idée de son humeur : elle n'était pas bonne. Au milieu des sabots résonnant sur les pavés, du cliquetis des harnais, des boucliers qui s'entrechoquèrent quand les gardes se mirent précipitamment au garde-à-vous et du brouhaha des domestiques mêlé à celui des importuns, Il Cardinale lança un regard noir à la ronde. Il jeta ses rênes à un valet d'écurie tremblant et s'éloigna d'un pas lourd vers ses appartements, sans un mot à quiconque.

Quelques instants plus tard, il me faisait appeler. Son valet de chambre était encore en train de le dépouiller de son lourd accoutrement à mon arrivée. Je restai en retrait, portant à dessein mon regard à mi-distance jusqu'à ce qu'il ait revêtu une tenue décente. Il congédia son valet d'un geste, accepta un tissu humide à mettre sur la nuque pour se rafraîchir, puis grogna dans ma direction.

— Tu as vu la juive.

Ce n'était pas une question, et je ne le pris pas comme tel. Hochant la tête, je lui dis :

— Ainsi que vous me l'avez demandé, Éminence.

Borgia avala une longue gorgée de vin frais de la coupe qu'il tenait à la main, et à son tour acquiesça d'un signe de tête.

— Que t'a-t-elle dit ?

Nous n'étions pas seuls. L'un de ses secrétaires était présent, le valet se trouvait encore dans la pièce, Renaldo (l'intendant anxieux) rôdait non loin, et il y en avait probablement d'autres encore, simplement ils étaient hors de vue. Les hommes tels que Borgia étant enclins à prendre les services qu'ils reçoivent comme allant de soi, ils en viennent à oublier les individus qui les leur fournissent. Mon silence (des plus ostensibles) vint lui rappeler que ces derniers restaient des hommes, et à ce titre étaient dotés d'oreilles.

Le Cardinal agita la main, et tel un mage les fit tous disparaître. Ils m'évoquèrent la pluie s'évaporant au contact des roches chaudes, tant ils quittèrent les lieux rapidement.

— Eh bien ? s'enquit-il.

— Il n'existe aucun carnet, aucune note. Je suis certaine que mon père a cessé de consigner quoi que ce soit par écrit il y a plusieurs mois de cela.

Borgia acquiesça d'un signe de tête rapide.

— Qu'a-t-elle dit d'autre ?

J'avais longtemps réfléchi à ce que j'allais lui dire. Ne me demandez pas pour quelle raison j'avais décidé de protéger Sofia Montefiore ; je ne saurais vous le dire. Peut-être simplement parce qu'elle avait été l'amie de mon père.

— Que Sa Sainteté a l'intention de publier un édit ordonnant l'expulsion de tous les juifs de la chrétienté, et en cas de désobéissance, leur mort.

Je ne m'attendais pas à ce qu'il ait une réaction de surprise, et je ne fus pas déçue. Borgia s'en tint à un hochement de tête avant de poursuivre.

— Autre chose ?

— Non, c'est tout.

Devant justifier le temps que j'avais passé seule avec Sofia, j'ajoutai :

— Comme vous pouvez l'imaginer, elle en a parlé très longuement.

— Et elle n'a rien dit sur les récentes activités de ton père ? Sur la nature de ses travaux ?

— Je suis désolée, Éminence, mais elle ne sait rien à ce propos. Elle a été très claire sur ce point.

C'était un mensonge, naturellement. Sofia savait ce que mon père cherchait à découvrir. C'était une femme intelligente. Il ne lui aurait pas été difficile d'en arriver à la même conclusion que moi. Mais si je laissais entendre cela au Cardinal, il la verrait comme un danger, un moyen de l'impliquer, lui, dans l'assassinat d'un pape. Et quoi de plus facile ensuite que de la faire disparaître ?

Borgia avait l'air… Comment dire ? Frustré, manifestement, mais dans une certaine mesure également soulagé, croyant ses secrets toujours en sécurité.

Avant qu'il ne puisse rebondir, je m'exclamai :

— Éminence, je n'arrive pas à comprendre comment mon père a entendu parler de l'édit.

Pour sûr, aucun individu dans la confidence du pape n'aurait évoqué une telle question avec l'empoisonneur du grand rival d'Innocent.

Ici, reconnaissons-lui ce mérite, le Cardinal n'hésita pas une seconde.

— C'est moi qui le lui ai dit.

— Oserais-je demander pourquoi ?

Borgia se laissa aller dans son grand fauteuil, étendit les jambes, et me considéra de façon presque bienveillante. J'ajoute « presque », car rien de ce qui avait trait à cet homme ne l'était jamais véritablement.

— Pourquoi crois-tu que je l'aie fait ? rétorqua-t-il.

Il se jouait de moi, manifestement, mais il y avait autre chose. J'avais beau avoir vécu dix ans sous son toit, je n'en demeurais pas moins une sorte d'étrangère pour lui, tout au moins dans mon rôle le plus récent d'empoisonneuse de la maison. Il devait vouloir me mettre à l'épreuve.

Lentement, je déclarai :

— Je pense que vous saviez pour l'amitié entre mon père et Sofia Montefiore. (Ce qui était déjà assurément plus que moi.) Vous avez estimé qu'il se soucierait du sort des juifs et les avertirait concernant l'édit.

— Et pourquoi aurais-je voulu qu'ils soient avertis ?

En effet, pourquoi ? Borgia ne portait pas les juifs dans son cœur. En quoi se souciait-il de les voir vivants ou morts ?

La réponse me vint instantanément, et dès lors je ne pus que m'étonner de ne pas avoir compris plus vite, tant elle paraissait évidente. Pour survivre, et a fortiori prospérer dans notre monde, le pouvoir est capital. Ne m'étais-je pas donné le plus grand mal pour en obtenir un maximum, afin de venger mon père ? Jusqu'à quelles extrémités un homme tel que Rodrigo Borgia serait-il prêt à aller ?

— Les juifs ne sont pas sans richesses…, tentai-je.

Les conditions de vie dans le ghetto n'étaient pas la conséquence inéluctable de la pauvreté. Elles étaient plutôt dues aux limites strictes imposées sur l'endroit où on les autorisait à vivre et à travailler. Sans cela, les juifs étaient parfaitement capables de gagner leur vie.

Le pouvoir suprême, du genre de celui recherché par Borgia, nécessitait de l'argent. Beaucoup d'argent.

— Vous leur avez offert votre protection.

Je n'arrivais même pas à concevoir quelle quantité de deniers aurait à changer de mains pour que le Cardinal consente à accorder ses bienfaits à un peuple aussi méprisé, mais cela devait être sans commune mesure.

— *Si* je deviens pape, précisa-t-il. Dans le cas contraire, je ne peux rien faire pour eux. Mais avec le financement approprié, je peux acheter la papauté.

— Une fois le pape mort.

Je me sentais en devoir de lui rappeler cette petite condition à remplir impérativement au préalable.

Il Cardinale sourit comme si j'étais une étudiante qu'il avait craint lente au départ, mais au final s'avérait douée.

— Oui, Francesca, une fois Innocent mort.

J'avais les paumes moites, et pour sûr ma voix allait trahir mon trouble. Je pris une profonde inspiration, me forçant à rester calme.

— C'est une chose que mon père avertisse les juifs à propos de cet édit. Mais la mort d'un pape…

Borgia prit une gorgée de vin et me sourit. Sans aucun changement dans son expression, rien qui puisse me mettre en garde, il m'annonça :

— Ton père était un *converso*. Le savais-tu ?

Je le regardai, interdite, pensant d'abord l'avoir mal entendu. Je *connaissais* mon père. Il m'avait élevée moi, sa fille unique orpheline de mère. Il avait modelé ma connaissance du monde, m'avait donné le peu de sagesse que je possédais, et m'avait toujours traitée avec une honnêteté sans faille – de cela je ne doutais point.

À ceci près qu'il n'avait jamais mentionné son amitié avec une juive ou son défunt mari, et encore moins son désir de protéger la tribu honnie d'Israël.

Nonobstant cela, je ne pouvais croire que mon père était véritablement l'un d'*eux*. Un juif converti au christianisme. Un renégat qui s'adonnait sûrement à des rituels impies en cachette tout en feignant d'être l'un des nôtres. Un candidat tout désigné pour les flammes qui consument les hérétiques.

— Je ne vous crois pas, m'écriai-je malgré moi d'une voix stridente.

Je venais de recevoir un coup de poing ; j'étais abasourdie.

Borgia ne prit pas la peine de se froisser, et haussa les épaules.

— D'après ce que je sais, sa conversion pourrait fort bien être la vérité. Il est déjà arrivé des choses plus étranges. Ton père est né juif à Milan. Il est tombé amoureux d'une jeune chrétienne, ta mère, et s'est converti pour elle. Mais après sa mort, il est resté croyant et t'a élevée dans la vraie foi. (Il plissa les yeux.) Du moins m'en a-t-il assuré.

— Je suis chrétienne, confirmai-je promptement.

Certes loin d'être une chrétienne pieuse ou exemplaire, mais pas non plus l'une des *leurs*. L'une des Autres, ces boucs émissaires que l'on rend responsables de tous nos défauts et de tous nos maux.

Ma profession de foi n'eut pas l'air d'importer outre mesure au prince de notre Mère la sainte Église.

— Si tu le dis, lança-t-il d'un air dédaigneux. Quoi qu'il en soit, tu es avant tout la fille de ton père.

Et il comptait sur moi pour que je reprenne les travaux de mon père là où il les avait laissés. Mais à en croire Borgia (et en cet instant je ne le croyais pas une seconde, pas encore), mon père avait une motivation que je n'avais pas. En tant que juif, converti ou pas, il aurait été naturellement enclin à tenter d'empêcher l'extermination de son peuple. Quant à moi, l'idée de leurs souffrances et de leur mort ne me réjouissait pas, certes ; mais je n'étais pas non plus disposée à mettre en péril mon âme immortelle pour eux.

— Je sais ce que vous voulez, dis-je dans un souffle. (En y songeant, il était bien plus probable que le Cardinal m'ait simplement menti au sujet de mon père dans le but d'obtenir ma coopération.) Je comprends parfaitement, mais à votre tour, vous devez comprendre : pour tuer un pape et en réchapper, il faudrait qu'il n'y ait absolument aucun soupçon quant aux causes de sa mort. Or, je n'ai aucune idée de la manière d'accomplir cela. Et même si c'était le cas, en acceptant je m'exposerais à la damnation éternelle.

— Pour avoir tué Innocent ? fit Borgia d'un air amusé. Avoir purifié la terre de cet imbécile de dépravé ? Pour sûr, les anges pleureront quand il passera de vie à trépas.

Il se leva et alla se poster devant les hautes fenêtres qui donnaient sur le fleuve. Des voiles transparents ondulaient dans la brise. Un autre orage couvait, plus gros peut-être que tous ceux qui avaient déjà balayé Rome en cette saison de tourmente.

Lorsqu'il se tourna vers moi, il n'avait pas l'air en colère comme je l'avais craint mais simplement calme, comme s'il avait pris une décision en son for intérieur. Gentiment, presque, il me dit :

— En mémoire de ton père et de sa fidélité envers moi, je te donne un peu de temps pour réfléchir. Fais-en bon usage, Francesca.

Je fus assez sotte pour le croire – pire, je lui en sus tellement gré que je me précipitai dans ma chambre pour réfléchir à l'énormité de ce qu'il venait de me demander.

9

La semonce arriva quelques heures plus tard. Un coup sec frappé à ma porte, celle-ci qui s'ouvre dans un fracas, puis une lumière au-dessus de moi tandis que je me réveille, la tête embrumée et me demandant bien ce qui se passe.

— Vous devez venir tout de suite, signorina, m'annonça une voix familière.

— Vittoro… ?

— Enfilez ça.

Il me tendait ma robe.

— Pourquoi ? m'exclamai-je, le fil de ma pensée paralysé de surprise et d'effroi. J'avais désavoué le Cardinal. À quel châtiment me destinait-t-il ?

Silencieux, Vittoro se borna à me donner la robe et à répéter : « Tout de suite. »

J'obtempérai. À la vérité, avais-je le choix ? Nous traversâmes à la hâte le couloir sombre, descendîmes des escaliers, puis d'autres, la main ferme de Vittoro dans le creux de mes reins pour me forcer à avancer – et moi me débattant pendant tout ce temps avec la terreur qui menaçait de m'engloutir. J'étais vaguement consciente de la présence d'autres gardes, une petite troupe qui nous accompagnait. Se disaient-ils que je pourrais tenter de fuir ? À cette idée, un rire affolé me monta à la gorge. Je l'étouffai d'une main ferme sur ma bouche et me concentrai sur une seule chose, les suivre – toujours plus bas, jusque dans les entrailles du palazzo.

Je m'étais maintes fois rendue au sous-sol, où sont situés les celliers. Mais je savais, à la façon dont on sait certaines choses sans vouloir le reconnaître, qu'il existait d'autres niveaux encore en dessous. Des niveaux où on aurait retrouvé des traces de nos ancêtres romains, et où on envoyait les ennemis du Cardinal pour qu'ils réfléchissent à leurs péchés.

Quand j'eus vraiment pris conscience du lieu où nous nous rendions je tentai de faire demi-tour, mais Vittoro m'en empêcha.

— Je suis désolé, Francesca, dit-il à voix très basse pour que seule je puisse l'entendre. Le Cardinal n'a rien voulu savoir.

J'allais mourir, rapidement si j'avais de la chance, sinon toute seule et de faim dans le noir. Quelle sotte je faisais d'avoir croisé le fer avec Borgia – une pauvre idiote plongée dans les ténèbres de l'ignorance qui supplierait sous peu qu'on l'achève.

L'escalier en pierre se terminait par un couloir au plafond bas qui allait se perdre dans l'obscurité. L'un des gardes passa devant, une torche à la main. Nous le suivîmes. Au bout de l'étroit corridor une immense pièce apparut soudain, son plafond en voûte se devinant bien au-dessus de nous. De l'eau suintait des murs de pierres, venant rappeler notre proximité avec le fleuve. Des rats détalaient dans l'obscurité, mais ce fut à peine si je les remarquai. Les torches fixées le long des murs illuminaient une scène cauchemardesque qui avait chassé toute autre pensée de mon esprit. J'étais paralysée par la peur.

Pourquoi avais-je donc un jour été tentée d'ouvrir un livre de Dante ? Pourquoi le romantisme d'un Boccace ou le lyrisme d'un Pétrarque ne me suffisaient-ils pas ? Pourquoi étais-je incapable de me satisfaire des remarquables poèmes d'un Laurent de Médicis, prince visionnaire mort il n'y avait pas deux mois de cela – empoisonné lui aussi, disait-on en ville ? Pourquoi avait-il fallu que je garde en tête les descriptions tout droit sorties de l'imagination de l'auteur de *La Divina Commedia*, et si frappantes, des terribles supplices subis par les damnés ?

Les tourments du Purgatoire et de l'Enfer réunis étaient en train de prendre vie devant moi, là, dans la chambre de torture de Rodrigo Borgia. Je remarquai d'abord les charbons brûlants qui rougeoyaient dans des braseros placés sur des trépieds, à hauteur d'homme ; et à côté, soigneusement alignés, tout un stock d'instruments conçus pour infliger la plus grande douleur possible à un être humain. Puis j'aperçus chevalets, crochets, chaînes, cercueils en métal hérissés de longues pointes – mais tout cela dans une sorte de brouillard car ce qui venait d'attirer mon attention (et dont je ne pouvais plus détacher le regard), c'était l'homme nu, écartelé sur un chevalet, qui était en train de hurler d'une voix rauque :

— *Marie, mère de Dieu, sauve-moi ! Jésus, sauve-moi ! Marie, mère de Dieu, sauve-moi ! Jésus...*

Il fut obligé de s'interrompre lorsqu'il s'étouffa dans son propre sang. Son visage n'était plus qu'une masse tuméfiée et informe ; son torse, lacéré de coupures si profondes qu'elles laissaient paraître l'os ; ses jambes, bras, épaules, déboîtés de leurs articulations et évoquant une marionnette grotesque. Il avait été écartelé, battu, brûlé, castré – cette dernière mutilation ayant été grossièrement cautérisée pour l'empêcher de se vider de son sang. Rendu fou de douleur et d'effroi, il se débattait désespérément, sa poitrine se soulevant et retombant en spasmes rapides.

L'un des inquisiteurs se pencha, prit la nuque de l'homme entre ses mains et lui releva la tête pour qu'il me voie.

— Dis à la dame, ordonna le tortionnaire. Répète-lui ce que tu nous as dit.

Vittoro me poussa en avant. Je trébuchai, mais il ne me laissa pas tomber.

— Dis-lui, recommença le bourreau avant de tordre le cou de l'homme, obtenant sur l'instant un hurlement.

— Innocent ! C'est lui qui l'a fait ! C'est lui qui a ordonné la mort de ton père !

Poussée par des forces auxquelles j'étais incapable de résister, je m'approchai encore. L'odeur fétide de la transpiration, du sang et des excréments faillit avoir raison de moi. Je plongeai le regard dans ce visage tordu de douleur, et ne ressentis… Quoi, rien du tout ? Non, ce n'est pas exactement vrai. Assurément, je ressentis quelque chose, mais cela n'avait plus rien à voir avec l'horreur et la pitié qui m'avaient envahie un instant seulement auparavant. Ces sentiments humains simples, s'ils constituaient une réaction naturelle à la scène à laquelle j'étais en train d'assister, battirent en retraite derrière le mur qui était toujours là en moi. Ils laissèrent à la place un trou béant et noir qui m'aurait terrifiée, eussé-je encore possédé la capacité d'éprouver quoi que ce fût.

L'éclat de l'or à un coin de mon œil me ramena à la réalité. Vittoro tenait une chaîne en évidence devant moi, pour que je la regarde. Une médaille que je connaissais bien s'y balançait.

Je refermai les doigts dessus, et reportai mon regard sur ce qui autrefois avait été un homme. De très loin me sembla-t-il, je m'entendis parler.

— C'est le pape qui a donné l'ordre de tuer mon père ? C'est bien ce que tu es en train de me dire ?

— Oui, oui ! sanglota-t-il. De grâce, aidez-moi !

Je l'entendis à peine car à cet instant je fus distraite par une silhouette surgie de la pénombre. Vêtu d'écarlate et d'or, ses puissantes épaules bloquant la lumière derrière lui au point de nous plonger dans l'obscurité, Son Éminence le cardinal Rodrigo Borgia, prince de notre Mère la sainte Église, était en train de me sourire.

— Aide-le, répéta-t-il.

Il tira alors un couteau de sous ses robes, et me le tendit.

Je n'ai aucun souvenir d'être remontée. Quand je retrouvai enfin mes esprits, j'étais dans le bureau d'Il Cardinale, assise sur la même chaise que quelques heures plus tôt. La médaille était encore dans ma main, et je la serrais si fort qu'elle avait laissé une empreinte dans ma chair.

Mon autre main était tachée de sang.

Quant au couteau, il avait disparu.

Vittoro me tendit un verre de cognac.

— Buvez, ordonna-t-il, et je lui obéis, avalant d'un trait.

J'avais très froid, ce qui était ridicule au vu de la chaleur de la nuit. Il avait dû pleuvoir, car la terrasse derrière les hautes fenêtres scintillait d'humidité sous le clair de lune. Une partie de moi s'émerveillait de penser que le monde avait prosaïquement continué à tourner quand mon être tout entier était bouleversé.

Borgia était à son bureau. La lumière des chandelles faisait ressortir ses traits graves. Il était en train de jouer avec une petite lame, de celle qu'on prend pour ouvrir les cachets sur les lettres.

— Tu t'en es mieux sortie que je ne l'aurais cru, s'exclama-t-il.

Lorsque je vous dis que je n'ai aucun souvenir d'être revenue dans le monde du dessus, c'est la vérité. Toutefois, je me rappelle très bien de ce qui s'est passé en ces ultimes instants, dans les entrailles du palazzo. Moi qui détestais le sang par-dessus tout, j'avais tranché la gorge du meurtrier de mon père – enfin de l'un d'eux, à n'en pas douter, et un sous-fifre encore.

Une proie bien plus grande m'attendait.

Son flot de vie avait coulé sur le chevalet et le sol en pierre, venant quasiment me toucher les pieds, et cela m'avait évoqué des images que j'avais vues d'anciens sacrifices. Je n'avais eu qu'un bref moment pour considérer le stupéfiant sentiment de satisfaction et de soulagement qui avait explosé en moi avant que Vittoro me tire en arrière d'un coup sec, m'arrache le couteau de la main et le jette au sol. Sans attendre la permission du Cardinal, il m'avait fait sortir précipitamment.

À présent il me tendait un autre verre de cognac, que j'acceptai mais sans le boire. Toute mon attention était tournée vers Borgia. S'il m'avait sous-estimée, j'en avais fait de même à son égard. Jamais je n'aurais imaginé jusqu'à quelles extrémités il était prêt à aller pour obtenir mon concours dans cette affaire.

— Je préfère quand même le poison, avançai-je prudemment pour dissimuler les sombres émotions qui bouillonnaient en moi. Borgia en voyait déjà trop ; je ne le laisserais pas en voir davantage de mon plein gré.

— La vengeance reste la vengeance, déclara-t-il, quelle que soit la forme qu'elle prenne.

Le lévrier à ses pieds leva la tête et le regarda, puis la laissa retomber. C'était l'un de ses chiens de chasse préférés ; le gros de la meute restait dans sa résidence de campagne, mais une poignée d'entre eux, qu'il affectionnait particulièrement, était toujours à ses côtés. Borgia aimait beaucoup les animaux, pour sûr, sauf ceux qu'il se plaisait à voir écartelés.

— « La vengeance est mienne, dit le Seigneur », rétorquai-je en songeant l'espace d'un instant que Rocco aurait été content de m'entendre parler ainsi. Et pourtant je ne pouvais adhérer à ce précepte, pas tant que l'homme qui avait donné l'ordre de tuer mon père respirait encore.

Le Cardinal leva un sourcil interrogateur.

— Il y a quelques minutes, pourtant, tu n'as pas hésité à prendre les choses en main.

— La justice de Dieu concerne l'au-delà. Ici-bas, nous ne pouvons nous en remettre qu'à nous-mêmes.

Je me tournai vers Vittoro qui m'observait d'un air soucieux.

— Vaudrait-il mieux parler en privé, Éminence ?

Je pensais à moi, naturellement : moins l'on comptait de personnes au courant de ce que j'étais sur le point d'accepter, mieux cela valait. Mais je songeais également à Vittoro. Je ne pouvais croire qu'il voudrait prendre part d'aucune manière que ce soit à ce que le Cardinal et moi avions l'intention de faire.

De nouveau, Borgia me surprit.

— Le capitaine a toute ma confiance, dit-il en faisant signe à Vittoro de prendre place à côté de moi. C'était un geste magistral, nous mettant tous trois sur un pied d'égalité, pour ainsi dire. Nous étions pourtant loin de l'être, car derrière son vaste bureau tout en dorures et en marbre, dans la demeure somptueuse qu'il dirigeait sans le moindre effort, il ne pouvait y avoir aucun doute sur le fait que le Cardinal nous dominait tous.

Nous discutâmes jusque tard dans la nuit. Borgia insista sur ce que je savais déjà, à savoir que la mort d'Innocent devait paraître totalement naturelle. De nouveau, j'expliquai que je n'avais aucune idée de la façon dont mon père avait envisagé de s'y prendre, mais promis de faire tout mon possible pour le découvrir.

— Ne tarde pas, dit le Cardinal. Je peux soulever suffisamment de points de litige à la curie pour repousser la publication de l'édit pendant quelque temps, mais le sursis sera de courte durée.

— Avez-vous une quelconque idée du temps qu'il nous reste ? demanda Vittoro.

Jusqu'à présent, il était resté silencieux.

— La récente maladie d'Innocent a engendré une certaine urgence, répliqua Borgia. Nous avons au mieux quelques jours.

Quelques jours pour trouver le moyen de provoquer une mort qui ne soulève absolument aucune question chez les individus les plus vigilants de la chrétienté, mais aussi les plus prompts à imaginer qu'un complot se cache derrière le moindre événement, terme que l'on ne saurait appliquer à la mort d'un pape.

— Cette maladie, demandai-je, savez-vous si c'est mon père qui l'a véritablement causée ?

Borgia secoua la tête.

— Je n'en ai aucune idée, mais les soupçons d'Innocent ont dû être éveillés, sinon il n'aurait pas ordonné la mort de Giovanni.

S'il l'avait bien ordonnée. Ne me croyez pas stupide. Je sais parfaitement qu'un homme sous la torture dira tout ce que l'on veut de lui. C'est la raison pour laquelle la torture est absurde, à mon avis. Mais manifestement nous sommes une minorité à le penser, car elle est loin de se démoder.

Si je ne saurais jamais la vérité sur les raisons qui avaient poussé cet homme à dire ce qu'il avait dit, j'avais l'intime conviction que c'était bien l'un des meurtriers de mon père et l'un de mes agresseurs. Il semblait être le chaînon manquant entre ces deux événements et le pape, même si de nouveau je n'avais pas encore démêlé le vrai du faux sur ce point. Toutefois, si on y ajoutait ce que j'avais appris concernant l'édit, tout convergeait sans l'ombre d'un doute vers le Vatican. Si je voulais me lancer à la poursuite des meurtriers de mon père à un niveau aussi élevé, il me fallait l'aide de Borgia.

— Qu'il ait découvert ou non le moyen de rendre le pape malade, repris-je, mon père avait forcément réfléchi à un plan pour entrer en contact avec Innocent. Il ne pouvait croire qu'on le laisserait ainsi approcher du pape.

— C'est aussi ce que je pense, renchérit le Cardinal. Il est possible que ton père connût quelqu'un à même de l'aider – un autre *converso*, peut-être.

Je laissai de côté la référence au soi-disant statut de mon père pour me concentrer sur les bénéfices éventuels à tirer de ce que venait de dire Borgia. Je ne pouvais faire mine d'être surprise. Tout le monde savait (du moins, le bruit courait) que les hommes les plus résolus à passer pour des chrétiens avaient tendance à entrer dans les ordres. En d'autres termes, un prêtre incapable de prouver sa filiation sur plusieurs générations pourrait fort bien s'avérer juif en secret.

— En êtes-vous certain ? demandai-je.

Borgia secoua la tête.

— Non. Tu comprendras aisément, j'en suis sûr, que ce genre d'individu ferait tout pour garder son secret.

Certes, mais il me fallait le trouver et sans plus attendre, tout en m'efforçant dans le même temps de découvrir comment mon père avait compté s'y prendre. Et je devais réussir à faire tout cela avant que le dernier grain de sable ne soit tombé dans le sablier – pour les juifs comme pour moi.

Je me sentis tout à coup très lasse.

— Il fera bientôt jour. Je dois réfléchir à la meilleure façon de procéder.

Avec la permission du Cardinal, je me retirai. Avant que la porte ne se referme derrière moi, je le vis prendre un document et commencer à lire. On disait que Borgia n'avait de cesse d'assouvir ses ambitions, et je le croyais volontiers.

Vittoro me raccompagna à ma porte. En chemin, je m'armai de courage pour lui demander ce que j'avais besoin de savoir.

— Êtes-vous certain de vouloir faire partie de tout cela ?

— Je suis un fidèle serviteur de Son Éminence.

— Tout cela est bien beau, mais que faites-vous de votre âme ?

Il s'arrêta net. Le jeune garde qui éclairait notre chemin avec une torche faillit lui rentrer dedans. Vittoro me prit par le coude et m'entraîna un peu à l'écart.

— Mon âme ? reprit-il d'un air amusé. Avez-vous une quelconque idée du nombre d'hommes que j'ai tués, Francesca ?

Lorsque j'admis que non, il me dit :

— Eh bien moi non plus. Jeune homme, j'ai combattu dans la guerre papale contre Florence, puis cela a été contre le duc de Ferrare, le jour où lui aussi a offensé le pape. Ensuite, j'ai combattu le royaume de Naples pour la même raison. Je me serais tout autant battu contre les Turcs, s'ils n'avaient pas acheté Innocent à l'époque et ne leur appartenait pas aujourd'hui encore. Je l'ai vu monnayer son pardon pour toutes sortes de péchés, y compris les pires perversions. Mais il faut dire que lui-même est un expert sur ce point-là. Il a couru la gueuse, il a pillé, il a menti et il a blasphémé sa vie durant. Plus vite il devra affronter le jugement divin, mieux cela vaudra.

Je regardai par-dessus mon épaule. Le jeune garde se tenait suffisamment à distance pour ne pas entendre.

— Et vous croyez que Borgia est différent de lui ?

Vittoro répondit d'un air pensif.

— Disons que c'est un homme… pratique. C'est le terme qui lui convient. Certes, il aime ses plaisirs, mais quel homme ne goûte pas cela ? Pourtant vous l'avez vu comme moi, quand on l'a laissé il allait se remettre au travail. C'est comme ça qu'il est. Secoues-toi et finis-en avec ton travail, voilà sa vision des choses. Et voilà ce dont nous avons besoin. Rome, la chrétienté, nous tous. Il prendra soin de nous.

— Il a déjà tenté d'obtenir la papauté et a échoué, lui rappelai-je.

Vittoro acquiesça d'un signe de tête.

— Et il échouera de nouveau si l'on n'agit pas rapidement. Une fois cet édit publié, il sera trop tard. Il a besoin de cet argent des juifs.

Et il avait besoin qu'Innocent meure.

Innocent, que Borgia voulait manifestement à tout prix me voir traquer comme le chien de chasse le lièvre.

Vittoro me laissa devant ma porte. Une fois à l'intérieur, je restai debout quelques instants, à regarder le lit et ses draps rejetés à la hâte. Lorsque je l'avais quitté, j'étais quelqu'un d'autre. Ce n'était pas seulement le fait de supprimer une vie sans la distance que le poison permettait de garder ; c'était également ce que cela m'avait appris sur moi-même.

Tant que mon père était vivant, j'avais été une fille aimante, partageant ses intérêts, apprenant de lui, au final le surpassant de loin dans son savoir-faire mais ne manquant jamais de le protéger de sa solitude comme lui me protégeait de la rudesse du monde. Depuis sa mort je n'avais vécu que pour la vengeance, car assurément c'était mon devoir. Mais quelque chose d'autre était en train de s'éveiller en moi à présent, nourri du sang que j'avais versé cette nuit même.

J'avais tué l'Espagnol par besoin, pour accéder à la position qui devait être mienne.

Mais j'avais pris plaisir à tuer l'homme sur le chevalet. Et si j'avais pu je l'aurais tué encore, et encore. Il y avait un je-ne-sais-quoi dans le coup que je lui avais porté, et le jaillissement du sang qui s'en était suivi… Un je-ne-sais-quoi qui me procurait un sentiment de puissance et, étrangement, une paix que je n'avais jamais connue jusqu'alors. Si j'avais pu dormir à cet instant, j'eus tout à coup la certitude que le cauchemar ne serait pas venu.

Cette pensée m'entraîna jusqu'à la bassine qui se trouvait sur la petite table, à côté du lit. L'eau qu'elle contenait avait depuis longtemps refroidi, mais c'est à peine si je le remarquai en frottant le sang sur ma main pour l'enlever ; je m'arrêtai seulement lorsque ma peau fut à vif. C'était sans importance. Les doigts qui s'étaient refermés sur le couteau avec un tel empressement ne seraient plus jamais véritablement propres. Et ni l'absolution ni la prière, peu importait combien de fois je m'y astreignais, ne réussirait à effacer ce que j'envisageais de faire en toute liberté et en connaissance de cause.

« Les dés sont jetés », avait déclaré le Cardinal.

Je craignais qu'il n'en aille de même de mon âme dans la fosse des damnés.

C'est une chose curieuse que de se savoir condamnée. La peur s'estompe, le doute s'évapore. On ressent un sentiment étrange et grisant de libération. À l'aube d'un jour nouveau, je décidai de sortir dans le matin rouge sang qui se levait sur Rome.

10

Sofia était en train de bander une plaie purulente à la jambe d'un vieil homme à mon arrivée. Rien ne semblait avoir changé depuis la veille – toujours autant de malades et de mourants faisant la queue pour demander de l'aide, toujours autant de cadavres s'entassant dehors.

Elle leva les yeux et, me voyant, désigna d'un geste la porte à l'arrière de l'échoppe.

— Attendez-moi devant, je vous prie, dis-je à Vittoro car je savais que Sofia ne parlerait pas en sa présence. Il hocha la tête, me décocha un regard que j'interprétai comme un appel à la prudence, et alla prendre son poste.

Non sans m'avoir auparavant mis dans les bras les diverses choses que Sofia nous avait demandées. Je les portai à l'arrière, et trouvai une petite place sur la table encombrée où poser le tout. Je pris ensuite le temps d'observer les lieux plus attentivement que je n'avais eu l'occasion de le faire lors de mes précédentes visites.

Malgré sa situation désespérée, je constatai que Sofia avait réussi à maintenir un certain sens de l'ordre et de la propreté. Tout était soigneusement étiqueté : baumes, onguents, pommades sur une étagère, pilules et suppositoires sur une autre, ingrédients sur plusieurs autres encore. Elle disposait des instruments chirurgicaux de base (scalpels, tenailles, cautères et autres), ainsi que d'une balance à plateaux plus que correcte. Globalement, j'étais surprise de voir une simple échoppe d'apothicaire si bien équipée.

J'étais en train de songer à cela lorsque la porte de derrière s'ouvrit, et que Benjamin passa la tête.

— Signorina, dit-il en me faisant signe, un sourire aux lèvres. *Vieni prego.*

— Qu'y a-t-il, Benjamin ?

Mais il était déjà en train de partir, me faisant toujours signe de le suivre. Je le suivis mais non sans une certaine exaspération, en me demandant ce qu'il voulait et ce qui lui faisait croire que j'avais le loisir de l'accompagner justement à ce moment-là. Tout de même, il était suffisamment grand pour comprendre que je n'avais pas de temps à perdre en enfantillages ?

A priori il le savait parfaitement, car à peine eus-je mis un pied dans la ruelle que quelqu'un m'empoigna par derrière. On me mit une cagoule sur la tête, ce qui me plongea instantanément dans le noir. Le souvenir de mon agression était encore bien trop vivace : je me débattis comme une forcenée et tentai de crier, mais en vain. Avant d'avoir pu reprendre mon souffle, je fus jetée sommairement dans un espace étroit, une sorte de lourde trappe en bois fut violemment rabattue au-dessus de moi et je sentis que je commençais à rouler.

Pendant plusieurs minutes je n'eus de cesse de tenter de me stabiliser contre les parois de ce que je devinai rapidement comme étant un grand baril de cornichons. Il avait été vidé au préalable, mais le bois était littéralement saturé de l'odeur de saumure. J'arrivais à peine à respirer, même par la bouche, et je devais rassembler toutes mes forces pour éviter d'être projetée violemment de côté à tout instant. Je tentai bien d'enlever la cagoule malgré ma position délicate, mais dus me rendre à l'évidence : on l'avait serrée et nouée autour de mon cou.

Je parcourus ainsi une distance qui, bien que courte, me parut durer une éternité. Plusieurs contusions vinrent s'ajouter à la collection que je possédais déjà quand on me fit descendre sans ménagement des escaliers ; enfin, le baril s'immobilisa dans ce que je devinai être une cave.

Me demandant vaguement si dans Sa miséricorde Dieu avait choisi de me faire mourir avant d'avoir pu commettre un péché impardonnable, je tentai de m'armer de courage pour ce qui allait suivre, quoi que ce fût. Le couvercle du baril fut arraché et on me sortit de là sans plus de cérémonie qu'on m'y avait jetée. D'une poigne ferme, on me posa sur un tabouret. Pendant un instant, il ne se passa rien, puis j'entendis la voix d'un homme.

— Qu'est-ce que tu veux ? lança-t-il.

Ce que *je* voulais ? N'avais-je pas été amenée ici contre mon gré ? Pour quelle raison s'imaginait-il que je voulais quoi que ce soit ?

Pourtant, il y avait bien une chose, que j'avais suffisamment envie d'obtenir pour accepter d'en payer le prix, la damnation éternelle. Ainsi que je l'ai dit, ce que je venais de vivre avait été étrangement libérateur.

— Je veux venger mon père.

Le son de ma voix me parut sourd, mais les mots passablement clairs. Je me demandais ce que l'homme allait en faire.

Un instant s'écoula. La cagoule fut desserrée et retirée d'un coup sec. Je clignai des yeux dans la faible lumière qui filtrait par un soupirail près du plafond de la cave.

— Au moins, elle est honnête, lança un autre.

C'est ainsi que je me rendis compte qu'ils étaient plusieurs, la semi-pénombre les réduisant à de simples silhouettes. Je ne distinguais aucun visage.

— Ou bien, elle ne nous estime pas suffisamment pour mentir, proposa le premier. (Il éclata d'un rire qui manquait singulièrement d'humour.) Est-ce que c'est ça, l'empoisonneuse ? Est-on si humbles à tes yeux que cela ne vaut pas la peine de nous mentir ?

— Je ne saurais vous le dire, rétorquai-je. Vu que je ne sais pas qui vous êtes.

— On est des juifs, s'exclama le second homme. N'est-ce pas tout ce que tu as besoin de savoir pour nous juger ?

Ce n'était pas faux. Toute ma vie, j'avais entendu « Les juifs ceci… Les juifs cela… » On parlait toujours d'eux comme d'une entité unique, comme s'ils possédaient tous la même tare, étaient mêlés aux mêmes intrigues et méritaient le même sort. Était-ce de savoir que mon père avait peut-être été l'un d'eux qui me les faisait voir sous un nouveau jour, à présent ?

— Et *vous*, que voulez-vous ? demandai-je en espérant dissimuler ma confusion.

— La même chose que toi, dit le premier homme en s'avançant dans la lumière.

Il était jeune, à peine quelques années de plus que moi, grand et large d'épaules. Ses cheveux bruns et bouclés, ses traits puissants et ses yeux noirs et vifs m'évoquaient un Espagnol. Mais c'était un juif, beau de surcroît – une notion si nouvelle pour moi que je ne pus m'empêcher de le dévisager.

— Qui es-tu ? insistai-je.

Il s'assit en face de moi sur un tabouret. De près, il me rappelait encore davantage une création de Botticelli, tout en regard limpide et grâce farouche. La fascination que je voue à ce peintre n'a d'égale que celle que j'éprouve pour Dante depuis qu'il a scandalisé ses pairs en illustrant la première édition imprimée de *La Divina Commedia*, il y a quelques années de cela. À ce propos, personne ne peut sérieusement songer que l'imprimerie mécanique viendra remplacer un jour l'art du manuscrit, bien que cela donne des nouveautés attrayantes. Mais je digresse. Cela m'arrive lorsque je suis troublée, et le beau juif m'avait mise dans cet état.

— Je m'appelle David ben Eliezer, dit-il. Je m'excuse pour la façon dont vous avez été amenée ici, Signorina Giordano, mais nous devons être prudents.

— Et pourtant, tu as demandé à un enfant de m'attirer dans ce guet-apens. En quoi est-ce faire preuve de prudence envers lui ?

Ma peur s'évanouissant rapidement, je trouvai refuge dans l'humeur acerbe à laquelle, je l'admets, je suis souvent encline.

Ben Eliezer parut décontenancé un instant mais se reprit promptement.

— Quelle sollicitude envers un enfant juif ! Vous me surprenez, signorina.

À peine quelques jours plus tôt Borgia avait eu la même réaction à mon encontre, ou du moins c'est ce qu'il avait déclaré juste avant de décider de me laisser la vie sauve – peut-être aurais-je autant de chance cette fois-ci.

— C'est bien beau tout cela, m'exclamai-je alors, mais vous ne m'avez toujours pas dit ce que je faisais ici.

Toutefois, je commençais à en avoir une idée assez précise. Même en supposant que mon père ait bien été juif, ce que j'avais encore toutes les peines du monde à envisager, je ne pouvais croire que ces hommes partageaient mon désir de vengeance ; pas dans les circonstances désespérées qui étaient les leurs, et au vu de ce qui était en jeu. Il ne restait donc plus que l'autre possibilité. J'attendis, osant à peine respirer, dans l'espoir que le destin fasse que l'on poursuive un but commun.

Ben Eliezer avança son tabouret plus près et baissa la voix.

— Vous savez pour l'édit, et ce qu'Innocent a l'intention de faire. Ne rien tenter serait impensable. (Son visage se durcit.) Il y a suffisamment de juifs qui sont morts, qui meurent en ce moment même, et qui mourront. Pendant que rabbins et négociants tergiversent, ce fou va tous nous tuer.

Je réalisais ce que Ben Eliezer était en train de me dire : les dirigeants du ghetto n'étaient pas disposés à agir directement contre Innocent. Ils iraient jusqu'à conclure un marché avec Borgia, mais c'était tout. Et qui pouvait le leur reprocher, sincèrement ? Si on venait à les soupçonner ne serait-ce que d'envisager un crime aussi odieux que le meurtre d'un pape, on lâcherait toutes les meutes de l'Enfer contre eux. Il n'y aurait plus un seul juif vivant à Rome, homme, femme ou enfant. Et cela ne s'arrêterait pas là. La chrétienté tout entière se soulèverait, et l'effusion de sang qui s'ensuivrait n'aurait rien à envier à celles qui ont émaillé l'histoire du monde jusqu'ici.

Mais l'édit qu'Innocent était en train de préparer aboutirait essentiellement au même résultat. Ben Eliezer et les autres hommes réunis dans la pénombre étaient conscients de ne plus rien avoir à perdre.

— Il n'y a qu'un moyen de l'arrêter, fis-je.

Nous nous regardâmes dans les yeux. Je mesurais combien l'acte que nous projetions, chacun pour des raisons différentes, était fou – et j'étais d'avis qu'il faisait de même. Mais si ce que je croyais était vrai, on nous avait précédés sur cette voie-là.

— Connais-tu la nature des travaux de mon père ?

Ben Eliezer se tourna et fit signe à quelqu'un derrière lui. Sofia émergea de l'obscurité. Je ne fus que modérément surprise. Manifestement, quelqu'un avait mis Ben Eliezer au courant pour moi.

— J'espère que tu pourras nous pardonner, dit-elle. Nous avions besoin d'être sûrs de ta sincérité avant de prendre le risque de nous adresser à toi.

Elle tira un tabouret à côté de nous de manière à former un cercle : étrange comité que celui-ci, conversant dans une flaque de lumière au milieu de l'obscurité d'une cave. Je songeai à manifester quelque mécontentement pour les mensonges qu'elle m'avait servis, mais ne pus m'y résoudre. Tout allait bien trop vite pour faire preuve de mesquinerie.

— Je t'ai expliqué que ton père cherchait le moyen de provoquer une mort qui semblerait totalement naturelle. (À mon hochement de tête, elle continua.) Tu sais sûrement que personne ne connaît la cause de la maladie. Quand la peste frappe, les gens qui se cloîtrent chez eux ont autant de chances de tomber malades et de mourir que les autres. Ceux qui fuient à la campagne y réchapperont peut-être, ou peut-être pas. Quand survient la fièvre en été, certains en souffrent, d'autres pas. La vérole en tue certains, en laisse d'autres aveugles et terriblement marqués, et en épargne totalement d'autres encore. Tout cela se fait sans rime ni raison.

— La volonté de Dieu…, commençai-je, mais Sofia secoua la tête.

— Si tu dis que c'est la volonté de Dieu, reprit-elle, à quoi cela nous sert-il ? Toute investigation devient vaine. Ton père pensait (et je le pense aussi) qu'il faut se servir de la raison que Dieu nous a donnée pour trouver le moyen de s'aider soi-même. La voilà, la volonté de Dieu.

C'était une pensée pour le moins surprenante. Le grand saint Augustin disait que l'homme reçoit de Dieu le don du libre arbitre.

Mais il disait également que Dieu connaît notre destin depuis la naissance. Comment ce qui est connu de Dieu pourrait-il être soumis au choix de l'homme ? Et au contraire, s'il n'y a point de choix, comment être légitimement tenu pour responsable de ses péchés ?

Vous voyez les circonvolutions dans lesquelles nous, chrétiens, nous empêtrons, pour tenter de connaître l'inconnaissable ?

Mieux valait se concentrer sur la question qui nous préoccupait immédiatement.

— Et où la raison de mon père l'avait-elle mené ? repris-je.

— Il était arrivé à la conclusion que certaines personnes ont plus de chance d'attraper certaines maladies lorsqu'elles sont en contact étroit avec des individus déjà affectés.

Cela, tout au moins, me paraissait évident. La plupart des médecins et prêtres refusent de s'approcher de quiconque soupçonné d'être contagieux à moins d'être grassement rétribués, et même ainsi, ils font leur devoir en poltrons. Sofia était vraiment une exception, à cet égard.

— Aucune personne soupçonnée d'être malade ne serait autorisée dans l'environnement immédiat du pape, poursuivit-elle. Par conséquent, il fallait que ton père trouve un autre moyen d'amener la contagion à Innocent.

— Et y est-il parvenu ?

Elle hésita si longtemps que je commençais à me demander si elle finirait par répondre, quand finalement elle annonça :

— Il pensait qu'il était peut-être possible de se servir du sang pour transmettre la maladie.

— Pourquoi le sang ? rétorquai-je. Les quatre humeurs ne sont-elles pas d'égale importance ?

En tout état de cause c'était ce que l'on m'avait appris, l'idée remontant aux Grecs et à Hippocrate et ayant été reprise par tous les médecins depuis.

— C'est effectivement ce que l'on pense généralement, reconnut Sofia. Le sang, la bile jaune, la bile noire et le flegme ont tous un rôle à jouer dans l'humeur et le bien-être. Un excès de bile jaune prédisposera aux accès de colère tandis que trop de bile noire sera cause d'insomnies et d'irritabilité. Chacune des quatre humeurs a un effet différent mais égal sur le corps.

— Dans ce cas, pourquoi mon père avait-il spécifiquement distingué le sang ?

— Parce que, interrompit Ben Eliezer, c'était notre meilleur espoir d'atteindre Innocent.

À son regard (et à son grand plaisir, c'était évident), je compris que je n'allais pas aimer ce que j'étais sur le point d'entendre.

— Depuis plusieurs années maintenant, expliqua-t-il, votre pape cherche à se maintenir en bonne santé et à retarder l'heure de sa mort en tétant au sein des jeunes mères.

J'avais entendu parler de cela, bien entendu. Qui à Rome n'était pas au courant ? La ville se vautre dans la rumeur ; c'est notre gymnastique, notre divertissement, notre outil, notre arme. Parfois, cela semble même être notre raison de vivre.

Mais Ben Eliezer n'en avait pas terminé.

— Depuis peu, Innocent est persuadé que le lait maternel ne suffit plus. Il a besoin de sang, et en particulier du sang de jeunes garçons.

J'aimerais pouvoir vous dire que je fus choquée d'entendre cela, mais ce serait mentir. Les gens sont prêts à beaucoup de choses s'ils pensent que cela peut les aider à tromper la mort. Et plus ils sont puissants, plus les moyens auxquels ils ont recours sont bizarres. Moi-même j'en ai connu qui dînaient du placenta d'un nouveau-né, ingéraient de l'or et se lançaient dans toutes sortes d'entreprises extravagantes, dont certaines, je suis sûre, ne faisaient au final qu'avancer l'heure de leur mort.

— Connais-tu l'école des *cantoretti*, au Vatican ? demanda Sofia.

J'avais entendu dire des choses sur ce lieu, comme tout le monde. On racontait que les chefs de chœur du Vatican avaient adopté la pratique byzantine de castrer les garçons les plus prometteurs. La voix de ces castrats restait ainsi extraordinairement pure et souple, et l'on qualifiait leur chant de musique des anges.

Cette pratique était sujette à controverse, étant à la fois étrangère (puisque en vogue chez les musulmans) et en violation de la volonté de Dieu, qui souhaitait nous voir nous multiplier. En outre, cette idée à elle seule remplit d'une terreur viscérale la plupart des hommes.

— Eh bien ? renchéris-je sans révéler l'étendue de mes connaissances à ce sujet.

— Certains de ces garçons auraient un autre rôle à jouer au sein de l'école, expliqua Sofia, un rôle qu'Innocent a décrété comme plus important.

— Le garder en vie ? subodorai-je.

Ben Eliezer acquiesça d'un signe de tête.

— Apparemment on leur permet de rester intacts car le pape craint que sa propre virilité, ou ce qu'il en reste, pâtisse s'il reçoit le sang de castrats. Mais ils sont bien peu à survivre à cette méthode par laquelle on le… fournit.

— Pour quelle raison ?

— Peut-être parce qu'ils sont saignés trop fréquemment, précisa Sofia. Quoi qu'il en soit, ton père avait dans l'idée qu'il serait possible de remplacer le sang prélevé sur ces garçons par le sang de quelqu'un en train de mourir de maladie. Son espoir était que le pape, lui aussi, tombe malade et meure.

— Une tentative a-t-elle été déjà faite ? m'enquis-je.

— Nous ne le savons pas. Giovanni avait rompu tout contact avec nous pour notre protection, comme je te l'ai déjà dit. Mais la maladie n'est jamais bien loin, à Rome. Il est possible qu'il ait réussi à obtenir du sang contaminé ailleurs. Peut-être a-t-il même trouvé le moyen de le transfuser à Innocent.

— L'état du pape a réellement empiré à peu près à ce moment-là, me rappela Ben Eliezer. Malheureusement, nous ne savons pas avec certitude s'il faut rendre grâce à ton père pour cela. Et de toute façon, Innocent n'est pas mort.

Pour sûr, il ne l'était pas. Il était même encore bien en vie, et à en croire ce qui se murmurait dans les rues de Rome, il jouissait même présentement d'une rémission.

— Comment reçoit-il le sang ?

Mon esprit cherchait déjà une solution au problème. Comment avait-on procédé ? Et comment procéder maintenant, de manière à ce que nos efforts soient couronnés de succès ?

— Il le boit, répondit Ben Eliezer. Peut-être croit-il que Dieu le transmue en vin pour lui.

Il éclata de rire à cet instant, tout comme plusieurs des autres restés dans l'obscurité. L'idée du guide suprême de la chrétienté embarqué dans une telle parodie de la messe sacrée aurait également pu m'amuser, si je n'avais songé au même moment aux jeunes garçons.

— Qui le prépare pour lui ?

— Nous pensons que ce sont ses médecins, dit Sofia. Et non, si tu te poses la question, aucun d'entre eux n'est juif. Innocent n'en laisserait jamais un l'approcher, juif ou musulman d'ailleurs.

— Qu'en est-il des *conversi* ? demandai-je alors en me rappelant de ce que Borgia m'avait dit.

— C'est une autre histoire, admit Ben Eliezer. Pour sûr, il y a des rumeurs, mais nous n'avons aucune certitude de trouver de tels individus au Vatican.

— Vous seriez les derniers à l'apprendre.

Un *converso* éviterait tout contact avec les juifs par crainte d'être découvert. Si mon père avait bien été l'un d'eux (et je dis bien si), il faisait figure d'exception. Mais pour autant que je fusse réticente à cette idée, elle pourrait expliquer ce qui lui était arrivé.

Nous restâmes tous silencieux un moment. J'étais en train de songer à ce que je venais d'apprendre et à la façon dont le tourner à mon avantage lorsque Sofia me demanda doucement :

— Entends-tu nous aider ?

Je n'hésitai pas une seconde. Ma réponse fut claire et sans équivoque :

— Non. Jamais de la vie.

11

Ces mots étaient soit les plus osés, soit les plus sots à être un jour sortis de ma bouche. Je n'étais jamais allée aussi loin, même lorsque j'avais défié Borgia de faire de moi son empoisonneuse.

Ben Eliezer, Sofia et les autres juifs étaient catastrophés, suspendus comme ils l'étaient en équilibre au bord du précipice. Au vu de ce que je savais à présent, ils étaient tout à fait en droit de me considérer comme un intolérable danger. En clair, s'il ne leur était pas encore venu à l'idée qu'ils ne sauraient me laisser partir vivante de la cave, cela n'allait pas tarder.

Pourtant, je n'avais pas le choix ; je le sentais.

— Je ne vous aiderai pas, expliquai-je. Cette affaire est bien trop délicate pour rester entre vos seules mains.

Sans leur laisser le temps de soulever d'objection, j'ajoutai :

— Toutefois, j'accepte que vous m'aidiez.

Dans d'autres circonstances, l'air que prit le beau visage de Ben Eliezer aurait pu être comique. Il avait manifestement un point en commun avec César : il n'était pas habitué à ce qu'une femme lui dise non.

Sofia, au contraire, semblait amusée.

— Tu penses que tu devrais mener l'opération ? me demanda-t-elle.

— Je pense que nous n'avons pas le choix, répliquai-je en toute sincérité. Vous n'avez aucun contact à l'intérieur du Vatican, et aucun espoir de vous en faire un rapidement. C'est la clé de notre succès. Et d'autre part, vous n'avez même pas le soutien de votre propre camp. (J'indiquai d'un geste le lieu où nous nous trouvions.) Si c'était le cas, nous ne serions pas là.

— Les rabbins pensent pouvoir nous sauver avec des prières, et les négociants avec de l'argent, commença Ben Eliezer.

Sofia l'interrompit :

— Elle dit seulement la vérité, David. Tu devrais lui en être reconnaissant. Cela nous fera gagner un temps précieux. (Elle se tourna alors vers moi.) Es-tu prête à faire une tentative ?

— Non, répondis-je, pas encore. Je ne sais même pas si mon père avait un contact à l'intérieur du Vatican. Il me faut d'abord m'en assurer, et ensuite le convaincre de coopérer de nouveau.

J'omis de leur dire qu'en cet instant, je n'avais qu'une très vague idée de la façon dont j'allais procéder.

— Nous avons très peu de temps, souligna David. L'édit pourrait être publié à tout moment.

— Nous avons au mieux quelques jours, lui confirmai-je. Borgia a été très clair sur ce point.

Ben Eliezer et Sofia se regardèrent, et je vis le désarroi s'abattre sur eux.

— À ce qu'on dit, le Cardinal sait tout sur tout, s'écria le premier. Assurément, il est capable de savoir avec qui votre père travaillait ?

— Borgia a fait tout ce qui était en son pouvoir dans cette affaire en me mettant dans la course, répliquai-je.

Tout ce que je savais de la personnalité d'Il Cardinale me le disait. Sa cruauté n'avait d'égale que sa prudence, et c'est grâce à ces deux traits de caractère qu'il était parvenu à s'élever si haut, à portée du pouvoir suprême.

— Il n'ira pas plus loin, poursuivis-je. Si on se fait prendre, il nous jettera dans la fosse aux lions. Vous devez absolument comprendre cela.

— Je n'en attendais pas moins d'un prince de la sainte Église, lança David d'un ton acerbe.

C'était tout aussi bien, car une fois embarqués dans une mission aussi périlleuse que celle-ci, nous ne pourrions compter que sur nous-mêmes pour nous en sortir. Dans l'état actuel des choses, nous aurions beaucoup de chance si même l'un d'entre nous y survivait.

J'étais sur le point de leur préciser ma pensée, mais quelque chose me retint. Si Sofia, Ben Eliezer et les autres juifs faisaient preuve d'un grand courage, ils n'en vivaient pas moins un cauchemar éveillé ; la mort et le désespoir les cernaient de toutes parts, et tout portait à croire que c'était loin d'être fini. Je n'avais nul besoin de leur rappeler la gravité de la situation.

— Sofia, l'interpellai-je, dans le peu de temps qu'il nous reste, pouvez-vous tenter de déterminer comment améliorer nos chances de succès ? De trouver quel type de sang correspondrait le mieux ?

— Je peux essayer, mais pour être honnête je ne sais pas vraiment comment m'y prendre.

— Faites de votre mieux, et j'en ferai autant de mon côté.

Si quelqu'un m'avait dit que je prendrais un jour pareil engagement envers une juive, je l'aurais pris pour un fou… Et pourtant.

— Il est temps de vous ramener à l'échoppe, déclara Ben Eliezer.

Il se leva et alla ouvrir la porte qui menait à la rue ; je le suivis.

Vittoro m'attendait devant l'entrée à mon arrivée ; aucun signe de Benjamin nulle part.

— Je commençais à m'inquiéter, lança le capitaine. Vous avez discuté pendant tout ce temps ?

Il fronça légèrement le nez, venant me rappeler l'odeur de saumure imprégnée sur mes vêtements.

— Nous avions beaucoup de choses à nous dire, résumai-je sans entrer dans les détails. (Je me tournai vers Sofia.) Je reviens dès que j'ai quelque chose.

Elle acquiesça d'un signe de tête et prit ma main dans la sienne. D'une voix douce, elle me dit :

— Que Dieu te protège, Francesca. Il a fait de toi une Juste, et tu es bénie.

Je ne savais ce que ses paroles signifiaient mais elles me ramenèrent de nouveau à saint Augustin, pour qui l'endurance de ce peuple élu par Dieu est la preuve de la véracité de la prophétie biblique. Et que si les juifs sont là par la volonté de Dieu, nous serions bien malavisés de les martyriser – mais, bien entendu, je ne suis point théologienne.

À mon retour au palazzo, je me sentais lasse et crasseuse. Je pris un bain et fis un repas léger, mais j'avais toujours désespérément besoin de me reposer. Mes côtes m'élançaient toujours et les bleus que je venais d'acquérir rendaient mes moindres faits et gestes douloureux. Pourtant, la simple idée de dormir me terrifiait, car dormir est une invitation au rêve – ou, dans mon cas, au cauchemar.

L'instinct m'entraîna plutôt dehors, au soleil, et de là dans la ville elle-même. Vittoro ordonna à un jeune garde de m'accompagner (autre que le malheureux Jofre, toujours de corvée de latrines) quand je lui certifiai que je désirais seulement marcher un peu pour m'éclaircir les idées.

—Vous feriez mieux de vous reposer, lança-t-il, mais il n'insista pas.

Je sortis donc par cette belle journée, le garde me suivant à la trace. C'était un très bel après-midi, et les rues étaient encore plus bondées que d'habitude. Chariots et charrettes essayaient de se frayer un chemin sur le Pons Ælius, qui enjambe depuis des siècles le fleuve au pied du château Saint-Ange. Je tentai bien d'éviter de regarder dans la direction de la vaste forteresse aux murs de pierre incurvés qui se dresse fièrement au-dessus de Rome depuis le temps de l'empereur Hadrien, mais en vain. À en croire la rumeur c'était là qu'Innocent vivait maintenant, ayant quitté son coquet palazzetto près de Saint-Pierre pour le refuge bien plus sûr que constituait le *castel*. La vue de ses fenêtres devait à n'en pas douter être plus agréable que de celles donnant sur la cour intérieure, où on procédait aux exécutions des prisonniers. D'aucuns disaient qu'il y en avait chaque jour davantage, et je ne voyais pas pourquoi je remettrais cela en cause.

À mi-chemin sur le pont, je m'arrêtai et regardai par-dessus mon épaule. J'avais l'impression d'être épiée. Me voyant faire, le jeune garde m'imita et regarda alentour. Il ne vit rien d'alarmant dans la foule qui se pressait autour de nous, et du reste moi non plus. Convaincue que cette pointe d'anxiété était due à mon état de fatigue, je repris mon chemin.

Dès le pont traversé, j'arrivai en vue de la basilique Saint-Pierre, qui avait bien perdu de sa magnificence. De nos jours, elle est dans un tel état de délabrement qu'on ne saurait en vouloir aux visiteurs qui détalent d'un point à un autre en regardant au ciel d'un air inquiet, de crainte de se recevoir sur la tête un morceau de pierre détaché du toit à pignons. En dépit de cela, mon père et moi avions toujours aimé y venir. Nous avions tous deux une certaine fascination pour l'histoire ancienne, et cette basilique vieille de mille ans en est le parfait témoin.

Comme toujours, la cour fourmillait de prêtres, de commerçants, d'avocats et de promeneurs en tout genre. Beaucoup s'attardaient dans l'atrium pour admirer la superbe mosaïque de *La Navicella*, qui représente saint Pierre marchant sur les eaux. Je me faufilai entre eux et gagnai l'intérieur de la basilique, m'arrêtant un instant pour embrasser du regard la nef centrale, jusqu'au maître-autel. J'ai déjà confessé mon manque de piété, mais même une créature telle que moi ne peut s'empêcher d'être émue par la somptueuse table de marbre et d'or prête à recevoir le sacrifice de l'agneau, et entourée de colonnes que le grand Constantin lui-même aurait prises dans le temple de Salomon.

Mais de tels joyaux n'étaient pas pour moi. Je me dirigeai vers l'une des allées latérales et les nombreux autels mineurs qui ornaient la nef des deux côtés. Je cherchais celui consacré à sainte Catherine de Sienne, qui, au-delà de son expérience de mariage mystique avec le Christ, avait consacré sa vie entière aux indigents et aux malades. Mon père m'avait offert une médaille d'elle, fondue à l'occasion de sa canonisation une vingtaine d'années plus tôt. Selon lui, elle avait appartenu à ma mère. Je l'ai encore.

Là, dans le calme relatif de la basilique, je tentai de prier. Le jeune garde resta à l'écart pour me donner un peu d'intimité. Comme toujours, l'exercice n'eut rien de facile. Plus je tentai de me concentrer sur l'image de la sainte et la lumière tremblotante des cierges allumés pour elle, plus mes pensées vagabondaient. Je songeai à l'Espagnol et à l'homme à la médaille, à Borgia et à Innocent, aux juifs en général et à Sofia et David en particulier, sans oublier César, qui laissa ensuite place à Rocco. Vraiment, j'ai hérité d'un esprit des plus fantasques. J'étais une fois de plus en train de m'évertuer à l'orienter vers des pensées plus convenables lorsque revint la sensation d'être observée.

Je restai un moment mains jointes et yeux levés vers la sainte, aux aguets. Je perçus le frôlement du tissu contre un banc derrière moi, sur la gauche. Une vague odeur de camphre et d'agrumes flottait dans l'air. En me concentrant plus encore, j'entendis quelqu'un en train de respirer.

Alors je me relevai et me retournai d'un bond. Ce mouvement brusque faillit m'arracher un cri de douleur tant mes côtes protestèrent, mais je le ravalai, pour découvrir, face à moi, un ange.

Je n'exagère pas. Ses traits étaient l'expression parfaite des canons de beauté masculins, nez droit, menton carré, haut front et pommettes saillantes. Ses grands yeux étaient d'un bleu azur ; sa chevelure, un halo de boucles dorées encadrant une tête aux proportions parfaites. En d'autres termes, il aurait séduit même la plus pure des vierges.

Fort heureusement, je n'étais ni l'une ni l'autre – ce qui ne veut pas dire que je ne fus pas tentée.

L'ange aux boucles dorées regarda de tous côtés avant de s'approcher de moi pour murmurer :

— Signorina Giordano ?

En me voyant hocher la tête (car je craignais de me trahir en parlant), il sourit. Cela me fit rater le début de sa phrase suivante, et je repris seulement mes esprits en l'entendant dire : « … dois vous parler mais pas ici, l'endroit n'est pas sûr. »

— Mais alors où, père…

Ai-je omis de vous dire que c'était un prêtre ? Car seuls eux portent la soutane noire, même s'ils sont rarement aussi virils que lui dedans. Et ils sont encore plus rares à honorer les vœux qu'ils prononcent au moment d'endosser leurs habits d'ecclésiastiques.

— Morozzi, Bernando Morozzi. J'étais un ami de votre père. Sa mort… Que dire ? (Ses yeux s'embuèrent de larmes.) Je prie tous les jours pour lui.

J'en eus le cœur serré. Je me faisais tant de souci pour l'âme de mon père qu'une profonde gratitude m'envahit.

— Merci, mon père. C'est très gentil à vous.

Je serais volontiers restée à parler avec lui indéfiniment, mais son état d'agitation (il jetait constamment des coups d'œil furtifs autour de lui) vint me rappeler la précarité de la situation.

— Nous avons un ami en commun, annonça plein d'espoir le père Morozzi. Le verrier, le connaissez-vous ?

— Oui, bien sûr… L'excitation s'empara soudain de moi. Si le prêtre considérait Rocco comme un ami, était-il possible qu'il fasse partie de ces hommes en quête de savoir, ces hommes prêts, disait-on, à risquer le châtiment de la sainte Église en agissant depuis l'intérieur même de sa plus grande forteresse ? Et s'il considérait également mon père comme un ami, était-ce faire preuve de vraiment trop d'imagination que d'espérer être en face de la personne que je cherchais ?

— Retrouvez-moi à son échoppe demain, dans l'heure suivant les tierces, me signifia-t-il vivement. (Il fit un geste en direction de la nef, où mon escorte attendait patiemment sans se douter de ce qui se déroulait à quelques mètres de là.) Le Cardinal Borgia ne doit pas savoir que nous nous sommes parlé. M'en donnez-vous votre parole ?

Sa prudence me paraissant à la fois raisonnable et nécessaire, j'y consentis.

— Naturellement.

Un bruit derrière moi me fit tourner la tête. Lorsque je me retournai, le prêtre avait disparu.

Je restai agenouillée devant sainte Catherine quelques instants de plus, pour tenter de me calmer. Morozzi était venu me chercher – j'avais la certitude à présent que c'était lui qui m'avait suivie depuis le palazzo. Il n'aurait manifestement pas agi ainsi sans une très bonne raison. S'il était le contact de mon père à l'intérieur du Vatican, peut-être ne serait-il pas si difficile que cela de le convaincre de continuer.

Ce qui signifiait potentiellement que très bientôt, le point de non-retour serait atteint. C'était ce que je souhaitais, bien sûr, ce vers quoi je tendais ; mais en mon for intérieur cela me terrifiait. À la vérité, si je ne m'imaginais pas continuer à vivre sans avoir vengé mon père, je n'avais pas non plus envie de mourir.

Plus précisément, je n'avais pas envie de mourir selon les méthodes en usage au château Saint-Ange, dont les sinistres murs avaient étouffé tant de cris déchirants et dénués de tout espoir.

Ayant cela à l'esprit, je m'en retournai au palazzo et m'attelai à une tâche qu'il ne m'était plus possible de remettre à plus tard. Dans le silence du petit laboratoire que j'avais partagé avec mon père, je puisai dans ses réserves (toujours cachées dans le coffre) et entrepris de concasser aconits, pois rouges et dames-d'onze-heures au mortier et au pilon. Prise seule, chacune de ces trois plantes est mortelle ; lorsqu'elles sont mélangées, la mort qu'elles provoquent est foudroyante. Une fois la mixture prête, j'y ajoutai une petite quantité de lie, le dépôt que l'on trouve au fond des cuves à vin, et qui a pour effet de lier quasiment tout ce qui est à son contact.

Le résultat obtenu était un petit losange marron logeant parfaitement dans un médaillon en or dont mon père m'avait fait cadeau, et que je mis présentement à mon cou. Il aurait souhaité qu'il me soit d'une utilité plus gaie, mais j'étais contente qu'il réponde à mon besoin présent. Placé dans ma bouche ou dissous dans n'importe quel liquide ingéré, ce losange me tuerait en quelques minutes. Ce serait une mort désagréable, certes, mais au moins elle serait rapide.

Ma tâche accomplie, je m'allongeai. Le cauchemar vint quasiment tout de suite, et fut aussi atroce que d'habitude. Je me réveillai au son de mes propres cris. Instinctivement, je tendis la main pour prendre le talisman doré qui reposait entre mes seins. Le serrant entre mes doigts, je dormis enfin d'un sommeil réparateur.

12

J'étais debout et prête à partir pour l'échoppe de Rocco bien avant l'heure du rendez-vous, mais d'abord je devais m'occuper de Vittoro. Morozzi m'avait bien fait comprendre qu'il ne souhaitait pas qu'Il Cardinale connaisse son identité, ce qui était plus sage, au vu des circonstances. Mais si Vittoro ne semblait guère avoir de scrupules à envoyer Innocent au plus vite dans l'autre monde, je doutais fort qu'il accepte de cacher quoi que ce soit à Borgia. Il me fallait donc trouver le moyen d'échapper à la vigilance du capitaine.

J'envisageai d'aller le trouver mais décidai au final de n'en rien faire, par crainte d'éveiller les soupçons. À la place, j'attendis patiemment qu'il vienne me demander quels étaient mes projets pour la journée.

— Eh bien, j'ai beaucoup à faire ici. (Je tournai la tête en direction du laboratoire.) Mais si je décide de sortir, je vous le ferai savoir.

Si Vittoro se demandait à quoi pouvait bien s'occuper un empoisonneur toute la journée, il avait trop de bon sens pour poser la question. Après avoir jeté un coup d'œil à la table sur laquelle j'avais posé un certain nombre de flacons, de coffrets et de tonnelets, il se retira prestement.

J'entrai alors en action. Je sortis du fond de mon coffre les vêtements masculins (tunique courte, chemise et chausses) que j'avais dû porter plus d'une fois, même si je ne l'avais pas fait suffisamment souvent pour être à l'aise dedans : à vrai dire, je me sentais nue et empruntée. Pour autant, cette tenue transformait mon identité et me donnait la liberté d'aller à ma guise, sans craindre de me faire harceler.

Pour finir, je dissimulai mes cheveux sous un chapeau de feutre à large bord, exploit que je parvins à accomplir à l'aide de plusieurs épingles. Un œil jeté au miroir me rassura sur le fait qu'à moins d'être le plus minutieux des observateurs, personne ne me prendrait pour autre chose qu'un garçon au corps fluet, un apprenti ou bien un domestique peut-être, pressé d'aller remplir quelque mission pour son maître.

Ayant vérifié que la voie était libre, je me glissai furtivement hors de ma chambre et empruntai les escaliers dérobés. De là, je rejoignis en quelques minutes la porte par laquelle j'étais revenue au palazzo après mon agression. Une fois de plus, personne ne me vit.

Pour rester dans le ton de mon déguisement, je pris garde de me mouvoir avec ce mélange de suffisance et de maladresse presque touchante qui semble caractériser le passage de l'homme jeune en ce bas monde. Fort heureusement, cela ne m'était point trop difficile. Mon père n'avait fait que le plus vague des efforts pour m'inculquer la grâce que l'on associe généralement à une dame, ce dont je lui suis profondément reconnaissante. À plusieurs reprises je regardai par-dessus mon épaule, mais n'eus jamais la sensation d'être suivie. Le temps que j'atteigne le Campo dei Fiori, mes côtes avaient recommencé à m'élancer et j'étais heureuse de pouvoir ralentir la cadence.

J'étais également complètement affamée. Réticente à l'idée d'arriver chez Rocco dans un tel état, je m'arrêtai en chemin pour acheter du pain frais et du raisin, et fus récompensée en constatant que les marchandes regardèrent à peine dans ma direction avant de me rendre la monnaie et de me faire passer les paquets avec la rudesse dont elles auraient fait preuve pour un garçon. À mon arrivée dans la rue des verriers, j'avais déjà englouti un gros morceau de pain, et étais en train d'épousseter les miettes de ma tunique.

Il était encore tôt et les échoppes ouvraient à peine. Rocco était en train de tendre la banne qui protégeait du soleil les tables sur lesquelles il exposait une petite sélection d'objets d'usage courant fabriqués de ses mains. Nando était en train de l'aider. Je passai la main dans les cheveux de l'enfant et tous deux me dirent bonjour.

— Tu es devenue un garçon, Donna Francesca ? demanda Nando en pouffant.

Je m'agenouillai pour être à sa hauteur et lui souris.

— Je suis déguisée. C'est excitant, non ?

Il fronça les sourcils d'un air indécis.

— Comme pour une mascarade ?

— En quelque sorte. Qu'en penses-tu, est-ce que j'ai l'air d'un garçon ?

Nando hésita. D'après mon expérience, les enfants sont largement plus honnêtes que le plus intègre des adultes : c'est seulement parce qu'on les blâme trop souvent pour cela qu'ils apprennent à mentir.

— Tu as l'air de... Donna Francesca, dit-il enfin.

Je le gratifiai d'un soupir exagéré et me relevai. Se tenant à côté de moi, Rocco ne semblait pas surpris car ce n'était pas la première fois qu'il me voyait dans cet accoutrement. Il accepta les raisins et le pain que je lui tendis, souriant à la vue du morceau disparu, et me pressa d'entrer.

— Voudras-tu du cidre ? demanda-t-il.

L'heure étant un peu matinale pour le vin, j'acceptai. Bientôt nous fûmes réunis autour de la table, d'où l'on voyait le four rougeoyant. Rocco venait de commencer à attiser le feu en préparation de sa journée de travail. Ses cheveux noirs étaient ramenés en arrière et retenus par un bandeau sur le front. Je ne pus m'empêcher de regarder les muscles de ses bras que sa tunique en cuir laissait dénudés pendant qu'il s'affairait, versant à boire et disposant la nourriture sur la table.

Il se tourna, vit que je l'observais et rougit.

Lorsque Nando eut fini de boire, son père l'envoya jouer dehors en lui mettant quelques grains de raisin dans la main et en lui recommandant bien de ne pas s'éloigner. Il attendit que l'enfant referme la porte derrière lui pour demander :

— Es-tu retournée au ghetto ?

J'acquiesçai d'un signe de tête.

— Je pense avoir trouvé ce à quoi mon père travaillait et pour quelle raison. Le Vatican projette de publier un édit papal expulsant tous les juifs de la chrétienté. Innocent ne l'a pas encore signé, mais cela ne saurait tarder.

Le regard de Rocco s'assombrit. Il m'observa un long moment, tentant d'absorber ce que je lui apprenais. Le bannissement décidé par les souverains espagnols avait été suffisamment terrible comme cela, engendrant des dizaines de milliers de réfugiés dont beaucoup mouraient en ce moment même de famine et de maladie. Mais par combien allait être multipliée cette horreur, si le même sort était réservé à tous les juifs d'Europe ?

— Où iraient-ils ? demanda-t-il.

Je haussai les épaules.

— Les Turcs en ont accueilli certains, mais je ne sais s'ils seraient prêts à en accepter davantage, et si oui, combien. De toute façon, cela n'aurait probablement plus d'importance. Les juifs avec qui j'en ai discuté pensent que le véritable but est d'annihiler leur peuple.

— Et Giovanni était au courant ?

— Oui.

Le ton hésitant, je lui demandai :

— As-tu jamais entendu dire qu'il pourrait être un *converso* ?

D'un geste qui me prit de court, Rocco tendit la main par-dessus la table et vint la poser sur la mienne. Elle était chaude et puissante. Me détourner de lui en cet instant aurait été malvenu. Par ailleurs, à dire vrai, je n'en avais aucune envie.

— Ton père t'aimait profondément et a toujours agi dans le seul but de protéger. C'est pour cela, et aucune autre raison, qu'il ne t'a pas tout dit sur lui.

Par la Sainte Vierge et tous les saints, est-ce que tout le monde savait pour mon père sauf moi ? Depuis que Borgia l'avait affirmé devant moi, la possibilité que ce soit la vérité commençait à faire son chemin. Mais j'avais toujours du mal à l'accepter.

— Il ne me l'a pas dit… mais te l'a dit, à toi ?

Rocco retira sa main et se pencha en arrière. Il semblait peser ses mots.

— Quand j'ai rencontré ton père, j'étais en pleine crise spirituelle. Il a su le sentir, et m'a aidé. C'est ainsi que nous avons appris à nous connaître.

— Alors, c'était un vrai chrétien... ?

J'avais désespérément envie de le croire, car si mon père n'appartenait pas à la seule et véritable Foi, son âme était perdue à jamais : tout ce qu'on m'avait inculqué depuis ma naissance tendait vers cette même conclusion. Et pourtant, à bien y réfléchir, j'avais du mal à comprendre pourquoi Dieu voudrait qu'il en soit ainsi.

C'est le genre de question que nous ne sommes pas censés nous poser. Mais je soupçonne qu'un certain nombre d'entre nous le fassent quand même, en particulier lorsqu'on aspire à un Dieu prodiguant Son amour à tous Ses enfants sans exception.

Rocco reprit calmement :

— Ton père avait vu dans les enseignements de notre Seigneur la preuve que le Messie était véritablement venu. Mais cela ne l'empêchait pas de toujours respecter les croyances de son peuple et de vouloir les aider.

Et à cause de cela (j'en étais certaine à présent), il avait été tué.

Plus tard j'aurais le temps de réfléchir à tout cela, mais présentement je n'avais d'autre choix que de poursuivre.

— Je pense que mon père cherchait un moyen d'empêcher la publication de cet édit.

— Mais si Innocent est sur le point de le signer...

J'attendis, assurée de le voir reconstituer le reste mais étant moins certaine de sa réaction. Après tout, nous étions en train de parler du pape, sacré par Dieu Lui-même pour régner sur nous, Ses ouailles. Ce que mon père avait envisagé de faire n'était pas un simple assassinat, c'était un sacrilège de la pire sorte. Je n'aurais pas été surprise de voir Rocco s'en indigner, peut-être même me demander de sortir. Mais j'aurais dû avoir davantage foi en lui. Il pâlit, assurément, mais ne vacilla pas.

— Lorsque Giovanni m'a prodigué ses conseils spirituels, il s'est appuyé sur les enseignements de saint Augustin, dont les écrits l'avaient grandement impressionné. Il pensait comme lui que le mal n'a pas d'existence indépendante : c'est simplement une absence de bien. Il vient à la vie lorsque l'on rejette le bien.

Je ne me souciais guère de théologie, mais même moi je comprenais que l'existence avérée du mal dans notre monde rendrait impossible toute croyance en un Dieu infiniment bon, si Augustin n'avait démontré aussi brillamment que ce n'est pas Dieu qui crée le mal mais l'Homme lui-même, à travers son rejet de la bonté divine.

— Comment Innocent peut-il embrasser le mal et servir encore Dieu ? avançai-je prudemment.

Sans hésitation, Rocco répliqua :

— Ce n'est pas possible. Aucun homme ne le peut, ni roi, ni prince… ni pape.

Grandement soulagée de voir que nous étions d'accord sur ce point, mais ne présumant toujours de rien, je changeai de tactique en annonçant :

— J'ai rencontré un prêtre nommé Bernando Morozzi. Il dit qu'il connaissait mon père, et toi aussi. Il est également au courant de ce que mon père tramait et prétend avoir voulu l'aider.

— Je le connais, en effet, dit Rocco. J'ai fabriqué des instruments pour lui.

— C'est un alchimiste ?

Je mourais d'envie de lui demander si Morozzi était membre de Lux, la société secrète à l'existence de laquelle j'avais désespérément besoin de croire. Mais je ne pus me résoudre à franchir le pas.

— Peut-être aspire-t-il à en devenir un. Il est venu ici pour la première fois à l'automne dernier. Il s'est montré amical, a posé beaucoup de questions ; il s'est même lié d'amitié avec Nando. Au départ, je n'arrivais pas à cerner ses intentions, mais il a fini par admettre ce qu'il était venu chercher.

— Il devait être sur ses gardes.

— J'imagine, répliqua Rocco. Dans tous les cas, il m'a acheté quelques objets et paraît plutôt sincère. Il m'a demandé si je pouvais le présenter à d'autres individus ayant les mêmes centres d'intérêt.

— Et tu l'as fait ?

Il réfléchit un instant.

— Ton père est passé un jour où il était ici. Je les ai présentés, et ils ont discuté. Il a rencontré une ou deux autres personnes de la même manière, mais cela s'arrête là.

Je hochai la tête pour signifier que je comprenais ce qu'il me disait. L'une des pires entraves à l'avancement de la connaissance est la nécessité d'agir en secret. Ces hommes ont peur de partager leur savoir par crainte d'être frappés d'anathème, ou bien n'y sont pas disposés par rivalité professionnelle. L'un comme l'autre rendent les avancées très difficiles. Si Lux existait bel et bien, elle aurait en grande partie pour but de surmonter cet obstacle.

— Le père Morozzi a proposé que l'on se retrouve ici, repris-je. Mais si tu préfères, je m'en vais.

De crainte que vous n'ayez une trop mauvaise opinion de ma personne, sachez que même alors, une partie de moi regrettait d'être obligée d'impliquer Rocco d'une quelconque manière dans cette affaire. Je ne le savais que trop bien : j'abusais de sa bonté en agissant ainsi. Mais l'autre partie, celle qui me poussait à l'action, ne voyait pas d'autre issue. Telle était ma nature, à cette époque. Je me suis amendée depuis, quoique pas autant que je l'aurais souhaité.

Je le vis hésiter, moi-même songeant au calcul que je le forçais à faire : d'un côté, la vie qu'il avait réussi à se construire pour lui-même et son fils, gravement mise en péril s'il m'aidait ; de l'autre, les vies de milliers de gens dans la balance et, au-delà, la possibilité que les forces du mal anéantissent la sainte Église elle-même et nous privent de la lumière de Dieu à jamais.

— Reste, dit Rocco. (Il plongea son regard dans le mien.) Fais ce que tu dois.

Nous finîmes de manger et je l'aidai à débarrasser. Quelques minutes après, la porte de l'échoppe s'ouvrit et le prêtre entra. En lieu et place de sa soutane, il avait revêtu la modeste tunique d'un commerçant. Sage précaution, songeai-je. Je ne savais pas exactement jusqu'à quel point les autres verriers étaient au courant des activités de Rocco, mais l'apparition d'un prêtre ici aurait pu faire sourciller. D'autant que la seule apparence physique de Morozzi le faisait remarquer partout.

— Mon père, dit Rocco d'un ton courtois. Je suis heureux de vous revoir.

— Moi de même, mon fils, répondit Morozzi. (Son sourire paraissait chaleureux et sincère, mais laissa place à un froncement de sourcils quand il me remarqua.) Et vous êtes… ?

— C'est moi, mon père, Francesca Giordano. Je suis venue sans escorte comme vous me l'avez demandé ; j'ai donc pris la précaution de me travestir.

Nonobstant cette bonne raison, le prêtre n'approuvait manifestement pas mon accoutrement. Il me dévisagea, l'air choqué. Puis, brusquement, il se détourna.

— Ce n'est pas décent, protesta-t-il.

Rocco haussa le sourcil, mais eut la sagesse de me laisser faire.

— Nous vivons des temps difficiles, mon père. Je suis sûre que nous comprenons tous ici la nécessité d'agir avec précaution ?

Quand je vis que je ne provoquais rien de plus qu'un autre regard accablant, ma patience s'évanouit. J'insistai d'un ton un peu sec :

— Je vous en prie, corrigez-moi si je me trompe, mon père, mais notre Mère la sainte Église n'autorise-t-elle pas une femme à s'habiller en homme sans pour autant que cela soit un péché, si elle agit dans le but de se protéger des importuns ?

Je savais parfaitement que c'était le cas, l'Église ayant été obligée de le déclarer publiquement afin d'annuler la condamnation de Jeanne d'Arc pour hérésie et ainsi la mettre sur la voie de la canonisation.

Rocco émit un son qui n'était pas sans évoquer le gloussement.

— Je dois aller m'occuper du four, bredouilla-t-il en m'adressant ce qui me sembla être un regard bien appuyé. Le feu n'attend personne.

Il était déjà dans la cour que je continuais à me demander s'il fallait chercher un avertissement caché dans ses paroles. Morozzi semblait mal à l'aise, mais également peu enclin à débattre du dogme avec moi. Ou peut-être avait-il simplement hâte d'en finir avec ce qu'il était venu faire ici.

Il prit une profonde inspiration, et sembla se détendre quelque peu. Tout au moins, mon apparence physique ne l'indisposait plus.

— Que savez-vous exactement des activités de votre père, signorina ? demanda-t-il dans un souffle.

Étant donné que je me posais la même question à son propos, je lui répondis avec circonspection.

— J'en sais suffisamment. Pourquoi souhaitiez-vous me voir ?

— Sa mort a été une grande perte.

— Vous me l'avez déjà dit. (Pour anxieux que Morozzi semblât, je n'étais guère disposée à le ménager plus longtemps.) Dites-moi ce que vous savez à propos du meurtre de mon père.

Ma demande impérieuse – car on ne pouvait s'y tromper – le surprit. Manifestement, il avait supposé un peu vite qu'il mènerait la conversation. Mon instinct, affûté par tant d'années passées sous le toit d'Il Cardinale, me poussait à l'en empêcher.

— C'est un événement tout à fait tragique…, bafouilla-t-il en guise de réponse.

— Je sais tout cela. Dites-moi qui l'a ordonné.

Le prêtre parut pris de court. Sa beauté, au même titre que sa charge sacrée, lui assurait d'être traité avec le plus grand respect par toute femme ou presque qui venait à croiser sa route. Il n'était visiblement pas habitué à recevoir pareil accueil, mais (et c'est tout à son honneur) il se reprit rapidement.

— Vous ne le savez donc pas ?

— Peut-être que oui, peut-être que non. Que savez-vous, vous ?

Ainsi que je l'ai déjà évoqué, un homme soumis à la torture dirait n'importe quoi pour faire cesser les horreurs qu'on lui inflige, mais cela ne signifie pas que ses aveux soient nécessairement faux pour autant. Toutefois, toute personne sensée chercherait à corroborer ses dires.

— Le pape craignait que dans son empressement à obtenir la papauté, Borgia ait l'intention d'avoir recours aux services de son empoisonneur. En tuant votre père, il a envoyé le message au Cardinal que ce n'est pas ainsi qu'il y arriverait.

L'explication de Morozzi venait simplement confirmer mes soupçons, mais cela me fut tout de même pénible à entendre. Je dus me forcer à poursuivre :

— Pourquoi Innocent n'a-t-il pas ordonné de me tuer, puisque j'ai repris la charge de mon père ?

— Il ne vous craint pas, répliqua le prêtre. Pas autant que votre père. Vous n'êtes qu'une femme.

Que Dieu me vienne en aide, je souris. Innocent aurait toute l'éternité pour méditer sur son erreur.

— Lorsque j'ai compris que votre père et moi avions peut-être un but en commun, reprit Morozzi, je lui ai proposé mon aide. Il a accepté. Malheureusement, son entreprise a échoué. Le… hum… problème demeure.

— Alors, il y a bien eu tentative ?

J'attendis, osant à peine respirer, de savoir enfin si mon père avait véritablement tenté de tuer le pape.

Mais Morozzi secoua la tête.

— Je sais seulement qu'il était prêt à agir. Quelle tragédie qu'il se soit fait tuer avant.

Curieusement, je me sentais soulagée. L'âme de mon père n'était pas entachée par ce péché, tout au moins. Mais dans le même temps, j'étais à présent encore moins certaine que la méthode dont il avait eu l'intention de se servir, selon les dires de Sofia, pouvait réellement fonctionner.

— Que voulez-vous dire par « but en commun » ? demandai-je à Morozzi.

Le prêtre eut l'air surpris.

— Assurément, vous devez savoir ?

— Il est possible que oui, mais j'aimerais quand même vous l'entendre dire.

Voyant que je continuais à le tester, il rougit. Je sentais bien qu'il commençait à perdre patience.

— L'édit… Vous êtes au courant ?

J'acquiesçai d'un signe de tête.

— Et pourquoi vous soucieriez-vous du sort des juifs ?

J'avais dans l'idée que je connaissais la réponse, mais je voulais l'entendre de sa bouche.

Il s'exécuta, mais ce ne fut loin d'être facile : je crus même qu'il allait s'étrangler.

— Je suis un *converso*.

Promptement, comme pour purifier la langue qui venait de prononcer ces mots, il ajouta :

— Je crois de tout mon cœur et de toute mon âme en un seul Dieu, le Père Tout-Puissant, en Jésus-Christ, le Fils unique engendré par Lui, et dans le Saint-Esprit. J'agis dans l'unique but de prévenir un grand mal.

Je n'avais pas oublié combien il était nécessaire de faire preuve de prudence, et pourtant je ne pus m'empêcher d'être émue par ce qu'il venait de dire. À la vérité, j'espérais qu'il parlait en même temps au nom de mon père.

— Je comprends, lui dis-je. Innocent est un homme vieux et malade. En suivant le cours naturel des choses, il ne vivra pas beaucoup plus longtemps. Toutefois, il pourrait fort bien avoir encore le temps de faire beaucoup de mal.

— Votre père était déterminé à l'empêcher.

— Il a échoué.

Morozzi hocha la tête. Il semblait tout à la fois profondément malheureux et plein d'espoir.

— Une tentative pourrait encore fonctionner… si vous y êtes disposée ?

La voilà enfin, l'offre que j'avais tant attendue. Le moyen de venger mon père et de mener à bien le projet pour lequel il était mort, la survie du peuple juif. Si j'avais beaucoup de chance, je vivrais peut-être moi-même suffisamment longtemps pour pouvoir racheter mon âme – mais je n'y comptais pas trop.

— Vous avez la possibilité de me mettre en contact avec Innocent ? demandai-je.

Morozzi était très pâle, mais il acquiesça sans l'ombre d'une hésitation.

— En contact aussi étroit que nécessaire.

— Mais comment est-ce possible ?

Il y avait des centaines de prêtres au Vatican. Ils étaient très peu à avoir un accès direct au pape, et encore moins à être autorisés à rester auprès de lui, maintenant qu'il avait pris ses quartiers dans le *castel*.

— Depuis ma venue à Rome, expliqua Morozzi, j'ai eu la grande chance d'attirer l'attention du Saint-Père.

Cela ne me surprit pas. Pour autant que je le sache, Innocent n'était pas un sodomite, mais il avait cet amour de la beauté que tant de Romains ont en commun. La beauté angélique de Morozzi ne lui avait pas échappé.

— Le pape est un vieil homme terrifié par la mort, continua le prêtre. Il est entouré d'individus qui tiennent beaucoup à ce qu'on en finisse avec lui, pour passer à une nouvelle papauté et asseoir dans le même temps leur position. Je l'encourage à croire que Dieu Tout-Puissant, dans Sa clémence, le rédimera.

— Vous en êtes réellement convaincu ?

— En tant que chrétien, dit Morozzi, je me dois de croire que le pardon est à la portée de tous. Dans tous les cas, les gardes du Vatican sont habitués à ma présence dans les appartements de Sa Sainteté. Personne ne nous arrêtera.

Je pris une inspiration et soufflai lentement. À partir de là, il n'y aurait plus de retour en arrière possible. Les dés seraient véritablement jetés. Mais ma décision était de toute façon prise depuis quelque temps déjà – depuis le jour où je m'étais agenouillée au-dessus du corps ensanglanté de mon père en jurant de venger sa mort. Chaque pas fait depuis lors me rapprochait un peu plus de ce moment précis.

— Quand je serai prête, je vous le ferai savoir par Rocco, l'assurai-je.

Je regrettais d'avoir à me servir de mon ami à une telle fin, mais je n'avais pas le choix.

Le prêtre hocha la tête. Il était visiblement en sueur, mais je ne sentis aucune faiblesse en lui.

— Comment comptez-vous procéder ? demanda-t-il.

La question était surprenante. J'aurais pensé qu'il était au courant de la méthode que mon père avait eu l'intention d'employer.

— Comme la dernière fois, dis-je, l'air circonspect.

Un nouveau signe de tête.

— Avec du poison, alors. Quelque chose de rapide et de sûr ?

Il n'était pas possible que mon père ait songé à se servir d'un poison contre Innocent, pas s'il souhaitait que sa mort paraisse naturelle ; or, manifestement, Morozzi ne le savait pas. C'était un détail plutôt troublant, mais je décidai de le garder pour moi.

— Oui, fis-je, bien sûr.

— Bien, alors j'attends de vos nouvelles.

— Cela ne devrait pas être long.

— J'espère que non. Nous avons très peu de temps.

Je l'assurai du fait que je comprenais l'urgence de la situation, puis le raccompagnai à la porte. Avant qu'il n'ait eu le temps de l'ouvrir, je demandai comme cela, en passant :

— Dites-moi, est-ce vrai ce que l'on entend, le pape boit du sang à présent ?

Je pensai qu'il tenterait peut-être de nier la rumeur, mais je réussis plutôt à l'agacer.

— Innocent est convaincu que cela contribue à le maintenir en vie, mais il s'affaiblit chaque jour davantage.

— Alors peut-être notre Dieu Tout-Puissant, dans Sa miséricorde, l'emportera-t-Il avant qu'il ne puisse commettre d'autres péchés.

Morozzi me jeta un regard perçant.

— Ne comptez pas là-dessus. Comme je l'ai dit, nous devons agir promptement.

Une fois le prêtre parti et la porte refermée derrière lui, je me laissai aller en arrière contre celle-ci et pris plusieurs inspirations. Je me sentais faible sur mes jambes, et mis un long moment à retrouver mon calme. À tous égards, l'entrevue avait été une réussite. J'avais à présent le moyen d'atteindre le pape. Mais j'avais également davantage de questions qu'auparavant.

Pourquoi mon père n'avait-il pas dit à Morozzi comment il comptait tuer Innocent ? Avait-il une quelconque raison de ne pas faire confiance au prêtre ?

Rocco arriva sur ces entrefaites, en ayant terminé avec son feu. Je me sentis démunie face à l'envie subite qui me prit de chercher le réconfort entre ses bras. À défaut, je ramenai les miens contre ma poitrine dans un vain effort pour m'apaiser.

Il n'hésita pas à une seconde, comblant prestement la distance entre nous. Il se tenait à présent devant moi, si près que je voyais son torse puissant se soulever et retomber calmement à chaque respiration. La situation était catastrophique mais pour autant il conservait une force tranquille, et je ne pouvais que l'envier.

— Qu'a dit Morozzi ? m'interrogea-t-il.

J'étais en train de livrer bataille à ma conscience. La solution de facilité était d'en dire le moins possible à Rocco. Ainsi descendons-nous par petits pas plaisants l'escalier qui nous mène à la damnation. Mais je lui devais davantage que cela.

— Qu'il va m'aider.

Ma réponse le fit pâlir et pendant un instant je crus qu'il allait me crier son indignation. Il aurait eu raison, manifestement. Ce que j'envisageais de faire était scandaleux. Certes, à travers les époques des papes étaient morts de toutes sortes de manières douteuses, et même probablement davantage qu'on ne le soupçonnait. Mais cela, c'était le passé ; en revanche, *ceci*, c'était le présent.

Et c'était moi, Francesca Giordano. La fille de l'empoisonneur. Une femme seule qui s'était mis en tête de bouleverser la chrétienté.

— Tu n'as qu'un mot à dire, proposai-je, et je ne reviendrai jamais ici.

L'espace d'un instant, je craignis que Rocco ne me prenne précisément au mot. Pour sûr, il n'avait aucune raison de continuer à aider la femme qui l'avait rejeté. Mais c'était sous-estimer le courage d'un homme bon, qui croyait encore en l'Église et au pouvoir qu'elle avait de nous sauver tous, pour peu qu'on réussisse à la sauver d'abord.

Ses larges mains, si puissantes et pourtant capables du contact le plus délicat, se refermèrent sur mes épaules. Avec le plus grand sérieux, il me déclara :

— Ne dis plus jamais une chose pareille. J'étais l'ami de ton père, et je suis le tien. Ce qu'Innocent a l'intention de faire est diabolique. Aie foi, Francesca. Dieu t'a choisie pour l'arrêter.

J'étais convaincue que Rocco n'aurait jamais dit pareille chose s'il n'avait ne serait-ce que soupçonné ma véritable nature – cette noirceur en moi, qui hurlait au sang et à la mort. Mais, faible créature que j'étais, je lui étais simplement reconnaissante de me voir sous ce jour, quand bien même fallacieux.

Alors il me laissa aller, moi lui murmurant des adieux, lui me répétant que sa porte serait toujours ouverte.

Soulagée de voir combien les choses avaient avancé, de même que sensiblement effrayée à l'idée du cap vers lequel je me dirigeais à présent irrévocablement, je rentrai furtivement au palazzo. À peine avais-je regagné mes quartiers que Vittoro se présenta à ma porte pour me dire que Madonna Lucrezia requérait ma présence.

13

Y a-t-il quelqu'un à Rome qui n'aime pas la *campagna* ? Tout citadins que l'on soit (et fiers de l'être), jamais on ne raterait l'occasion d'aller passer une journée à la campagne pour s'extasier devant le spectacle des paysans labourant impassiblement la terre, courir après des bestiaux courroucés dans les champs et, d'une manière générale, nous ridiculiser devant tout le monde. Et quel meilleur moment pour y aller qu'en été, lorsque la ville étouffe littéralement de chaleur et (en toute honnêteté) de puanteur.

Giulia la Bella avait ainsi imaginé une excursion pour distraire son amant de ses tracas, et Lucrèce m'avait invitée. J'étais réticente à l'idée de me joindre à eux, sentant que mon devoir était de rester sur place pour agir, mais un refus de ma part aurait éveillé les soupçons. D'autre part, Il Cardinale avait pris la tête du cortège, et où qu'il aille, je devais également aller.

Nous remontâmes le Tibre sur plusieurs péniches chargées de ce qui semblait être deux maisonnées entières, incluant gardes, serviteurs, domestiques, musiciens, chefs cuisiniers et prêtres, sans mentionner des chiens, plusieurs chevaux, le perroquet de La Bella (qui jasa pendant tout le voyage) et pour finir, un cochon. La présence de ce dernier avait de quoi interpeller mais, en voyant qu'il faisait aussi partie du voyage au retour, j'en déduisis qu'il devait être l'animal de compagnie de quelqu'un.

À quelques kilomètres au nord de la ville, nous jetâmes l'ancre près de la jolie maison de campagne dont La Bella disposait à sa guise en l'absence de son mari. L'endroit était parfait pour y passer la journée, suffisamment loin des limites de la cité pour nous offrir un cadre enchanteur, fait de forêts luxuriantes et de ruisseaux à l'agréable fraîcheur, tout en restant proche. Les domestiques s'étaient mis en rang sur les rives pour nous accueillir et aider à décharger la multitude de caisses, paniers et paquets nécessaires à pareil périple, aussi court fût-il.

D'un geste empreint d'une tendre attention, le Cardinal aida La Bella à descendre de la péniche. Son état commençait tout juste à se voir, mais elle en exagérait l'effet en poussant son ventre vers l'avant dans un grand sourire. Borgia était loin d'être un vieux gâteux, mais il savait en endosser le rôle lorsque l'occasion s'y prêtait.

Lucrèce partit devant, en me criant de la suivre. J'obtempérai, non sans avoir au préalable dit quelques mots à l'intendant de la maison, qui était en train d'inspecter attentivement le déchargement et s'interrompit pour moi. Il savait qui j'étais, la nouvelle s'étant répandue par les canaux habituels jusqu'ici. Je sentais que ma présence le rendait nerveux, mais c'est une chose à laquelle il faut s'attendre dans ma profession. En toute honnêteté, c'est bien souvent un avantage. Il se soumit à mes instructions sans ciller (n'utiliser aucun aliment, liquide, plat, ustensile, ou linge mis à part ce que nous avions amené avec nous, à moins qu'il ne soit d'abord contrôlé par moi), et me confirma n'avoir engagé aucun nouveau domestique récemment. Vittoro avait envoyé l'un de ses lieutenants, et je savais qu'il vérifierait les quartiers du Cardinal en quête de pièges et d'armes dissimulées avant que ce dernier n'y entre.

Ayant fait tout mon possible, je partis à la recherche de Lucrèce et la trouvai dans la petite cour intérieure. Elle était en train de tournoyer sur elle-même encore et encore, bras tendus et tête levée vers le ciel. Soudain des colombes s'envolèrent de l'avant-toit, pour aller se poser dans les branches d'un arbre. La scène était charmante.

— C'est splendide ici, n'est-ce pas, Francesca ? s'exclama-t-elle. Ne serait-ce pas merveilleux de vivre à la campagne tout le temps ?

— Ne croyez-vous pas que vous finiriez par vous ennuyer ? demandai-je en lui souriant.

Elle s'arrêta net et reprit son sérieux.

— Bien sûr que non. Après tout, j'aurais un mari et des enfants dont je devrais m'occuper.

Peut-être trouvez-vous quelque peu ironique que cette jeune femme désirant par-dessus tout devenir une mère et une épouse dévouée ait depuis été condamnée par le monde pour actes licencieux, voire pire ? Eh bien, je vous assure que moi aussi.

Tout aussi brusquement, son humeur redevint légère. Elle me lança un regard taquin, dont je savais par expérience qu'il signifiait « j'ai un secret que je brûle de te confier ».

— La Bella a une surprise pour *Papà*, annonça-t-elle.

J'aurais songé qu'apprendre à son amant de soixante et un ans qu'il allait de nouveau être père était suffisamment renversant comme cela, mais apparemment Giulia avait d'autres idées en réserve.

— Une mascarade ! s'écria Lucrèce en tapant des mains. On a apporté des costumes, et depuis quelques jours on répète des scènes d'un *romanzo*. Les musiciens ont composé un morceau pour l'occasion, et on a même des décors. L'ensemble va être du plus bel effet !

Je l'en assurai, tout en redoutant en mon for intérieur ce genre d'événement. J'avais hérité cette aversion de mon père, qui désapprouvait les soirées costumées car plus rien ne garantissait l'identité des personnes une fois déguisées et ne permettait de parer aux menaces potentielles. Par ailleurs, l'intérieur d'un masque est particulièrement indiqué pour y badigeonner du poison, qui pénétrera rapidement les membranes des yeux, du nez ou de la bouche, et…

Toutes mes excuses. Mon intention n'est certainement pas de vous donner ce genre d'information. Grands dieux non ! De toute façon, mes sombres pensées ne pouvaient tempérer l'enthousiasme de Lucrèce. Me saisissant la main, elle m'entraîna pour aller aider à ceci et cela, lui faire répéter son texte, revoir ses pas de danse, ou encore inspecter le matériel qu'ils avaient l'intention d'utiliser. Je mis quelques heures à comprendre qu'elle détournait mon attention à dessein.

— Tu es si triste ces derniers temps, expliqua-t-elle lorsque je lui demandai des explications. Je voulais seulement te changer les idées.

— C'est très aimable à vous, répliquai-je, même si je ne la croyais pas tout à fait.

Ce n'était pas que Lucrèce avait tendance à mentir ; elle était bien plus honnête que la plupart des individus dont j'ai croisé la route dans ma vie. Mais comme nous tous, il y avait parfois plus d'une raison à ses actes.

Présentement, elle s'était mis en tête de me persuader de porter le costume qu'elle avait apporté pour moi.

— Tu n'as pas le choix, insista-t-elle en me voyant protester. Tout le monde sera quelqu'un d'autre ce soir. *Papà* sera Jupiter, Giulia Vénus, bien sûr, et moi Diane. J'ai fait fabriquer un arc argenté des plus élégants. Toi, tu seras Minerve. J'ai même pensé à la chouette, mais ne t'inquiète pas, elle est en cage.

Avoir été choisie pour représenter la déesse de la sagesse était suffisamment flatteur pour faire taire mes objections. Mais tout de même, je ne me sentais pas très à l'aise dans le chiton de lin fin relevé aux manches et ceinturé à la taille qu'elle me fit revêtir. Pour sûr, cette tenue était autrement plus confortable par cette chaleur que mes vêtements habituels, mais elle me laissait l'impression d'être quasiment nue.

Toutefois, je ne vis aucun signe de gêne chez les autres lorsque nous nous rassemblâmes pour le dîner et les divertissements. Au contraire Borgia était l'incarnation même de l'aisance, dans sa toge ourlée de violet – qui semblait lui convenir bien mieux que la robe ecclésiastique. Il était en train de rire avec La Bella, qui, je dois le dire, faisait une Vénus tout à fait exquise. Son chiton était considérablement plus fin que le mien, à tel point que l'on voyait à travers les aréoles sombres de ses seins. Cela ne l'empêchait pas de le porter avec beaucoup d'assurance.

Le spectacle se passa à merveille, et à la fin tout le monde applaudit chaleureusement les acteurs devant les efforts déployés, avant de les féliciter de vive voix. Même les domestiques (eux aussi déguisés) avaient l'air de passer du bon temps. Je dois avouer que je craignais de voir la fête se transformer en une orgie comme, à en croire la rumeur, le Cardinal les affectionnait. Mais eu égard à la présence de sa fille encore vierge, peut-être, nous n'eûmes pas droit aux danseuses nues et autres distractions de la sorte.

J'étais même en train de commencer à me détendre et à m'amuser lorsque, du coin de l'œil, je remarquai un homme que je n'avais pas vu jusqu'alors. Son visage était dissimulé derrière un masque en argent martelé mais on voyait bien qu'il avait les cheveux noirs, et plus généralement était grand et bien fait, dans sa toge courte. Épée à la hanche et bouclier dans le dos m'indiquèrent qu'il s'était déguisé en Mars, le dieu de la guerre.

Nous étions dans la cour en train de dîner allongés, avec une certaine indolence, comme au temps de Jules César. L'homme avait surgi de l'obscurité, que des torches allumées à intervalles réguliers autour de nous accentuaient. Au moment où je le repérai, le Cardinal se leva, glissa quelque chose à l'oreille de Giulia et rentra à l'intérieur. « Mars » dut en faire de même car lorsque je regardai de nouveau dans sa direction, il n'était plus là.

D'instinct, je me levai. Je tentai de me raisonner : j'étais sotte, la maison était sous surveillance et personne n'aurait pu y entrer sans être vu. Il n'y avait aucun danger. Je ne ralentis pas mon allure pour autant, espérant trouver le lieutenant de Vittoro, qui saurait mieux que moi comment procéder.

Seulement je ne le trouvai nulle part. Devant moi, au bout d'un long couloir lambrissé, je vis une porte se refermer. Je m'en approchai à pas de loup, osant à peine respirer, et pressai mon oreille contre le bois sculpté.

Étais-je en train d'espionner ? Oui, bien sûr, mais ce n'était pas par curiosité puérile, du moins pas seulement. Je ne m'attendais pas à ce que Borgia me tienne informée de tous ses faits et gestes, mais je ne pouvais pas non plus espérer le protéger correctement si des inconnus allaient et venaient à leur guise sous son propre toit. Au palazzo, un régiment entier de gardes se trouvait sous les ordres du très capable Vittoro précisément pour éviter ce genre de situation. Mais à la campagne, c'était une tout autre affaire.

Je cherchais simplement à détecter un signe indiquant que Borgia connaissait l'homme, et qu'il était inoffensif. Une fois cela fait, je pourrais m'éclipser la conscience tranquille et les laisser parler (plus probablement comploter) tout leur soûl.

La porte étant en bois massif, j'avais bien du mal à entendre ce qu'il se passait de l'autre côté. Pourtant, je sus tout de suite que j'étais en train d'assister à une dispute.

Deux voix masculines, furieuses toutes deux.

Puis un fracas.

Sans hésiter une seconde, j'ouvris la porte à la volée et entrai. Ne me demandez pas ce que j'avais l'intention de faire, je ne saurais vous le dire. Je n'avais pas d'arme – mais quand bien même j'en aurais eu une, en quoi m'aurait-elle été utile contre le dieu de la guerre ? Néanmoins, je m'étais engagée à protéger Borgia, et je n'allais pas le laisser se faire attaquer sans au moins tenter de m'interposer.

— Signore ! m'écriai-je, pour m'interrompre brutalement en me retrouvant nez à nez avec Jupiter et Mars – ou bien devrais-je dire le Cardinal et César ?

Père et fils détournèrent le regard du vase cassé que l'un des deux venait de renverser (probablement d'un coup d'épée malencontreux) et me regardèrent, incrédules. Borgia réagit le premier :

— Par le diable, mais…

César, vif d'esprit comme toujours, me scruta de la tête aux pieds et sourit.

— Signorina, quel plaisir. Je vous en prie, entrez.

À cet instant-là je me rendis compte qu'au contraire des deux hommes, je portais toujours mon masque.

Vite, je tentai de battre en retraite.

— *Scusa*, fis-je, réussissant même à ponctuer ma dérobade d'un gloussement. Je me suis trompée de porte, *scusa*.

Cela aurait pu fonctionner. Borgia était distrait, surpris par la présence de son fils qui était censé être à Pise pour veiller aux intérêts familiaux, et César était… eh bien, César. Je n'avais aucune raison de croire qu'il me reconnaîtrait, avec ou sans masque. Notre rencontre impromptue dans la bibliothèque ne lui avait tout de même pas fait impression au point que je sois encore dans ses pensées, tous ces mois plus tard.

— Francesca ?

Sì, Dio mio ! Je devins livide, puis tout à coup j'eus très chaud et sentis mes joues s'empourprer, tandis que je cherchais à tâtons la poignée de porte.

Mais l'homme qui avait défloré ma virginité ne voulut rien savoir. Dans un éclat de rire il s'approcha de moi, prit mes deux mains dans une seule des siennes et de l'autre arracha mon masque.

— Francesca ! s'exclama-t-il d'un air de triomphe. Je savais que c'était toi.

— Je me suis trompée, répliquai-je promptement. Je pensais…

— Que mon père était en danger, termina César. N'ai-je pas raison ?

Je ne réussis qu'à hocher la tête, mais cela parut lui convenir. Me tenant toujours les mains, il se tourna vers son père.

— Et moi qui me demandais si c'était une bonne chose de lui confier ta sécurité. J'aurais dû mieux la juger.

Borgia émit un grognement. Il ne paraissait ni content de me voir, ni particulièrement mécontent. Toute son intention était tournée vers son fils.

— Tu n'as rien à faire ici, César, lança-t-il. Je croyais avoir été clair. Nous devons faire preuve de discrétion, tout au moins pour l'instant.

— Je sais, *Papà*, je sais, soupira-t-il sans une once de remords. Mais certaines choses ne peuvent être dites par courrier, et tu le sais très bien.

— Tes griefs devront attendre, rétorqua le Cardinal. (Il agita une main avec lassitude.) Je ne peux croire que Giulia ait manigancé tout cela derrière mon dos…

— Ce n'est pas Giulia, rétorqua César, c'est Lucrèce. Quelle gentille sœur elle fait.

— Elle est trop indulgente avec toi, répliqua Borgia brusquement. Et moi aussi. Va-t'en, César, et que je ne te revoie pas tant que je ne t'aurai pas fait appeler. *Capisci* ?

Les mains de César se refermèrent comme un étau sur mes poignets, et j'étouffai un cri. Oublieux de moi, il poursuivit :

— Je comprends, Père. Mais vous devez comprendre, vous aussi. Je ne serai…

— Va-t'en ! rugit Il Cardinale.

Alors nous le quittâmes, moi grimaçant et tentant de me dégager, César le regard sombre et trop préoccupé pour remarquer que j'étais toujours sa captive. Tout au moins, jusqu'à ce que la porte nous séparant de Borgia se soit refermée et que l'on se retrouve dans le couloir : là il s'arrêta, baissa les yeux sur sa main et me poussa contre le mur.

— Il n'y a rien à faire, il ne veut pas m'écouter ! Mais pourquoi ? Je suis son fils ! J'ai le droit…

Je sentais tout le corps de César s'affermir contre moi, ce garçon pour qui fierté, ambition, jalousie et désir étaient autant de composants de la rage qui l'anima sa vie durant. En devenant homme il parvint à avoir un meilleur contrôle de lui-même mais ce ne fut jamais suffisant, et surtout en cet instant ce n'était pas encore le cas.

De fait, je ne voyais qu'une seule issue à cette rencontre, et elle était loin de me plaire. Moi aussi, j'avais ma fierté.

Je me penchai en avant, approchai ma bouche de son oreille et, tel le serpent, sifflai « Lâche-moi ». Au même moment, je pressai mon genou contre ses parties.

À ce jour, je ne peux me rappeler la tête qu'il fit sans pouffer de rire, même si à l'époque je n'avais guère envie de m'amuser. Il était abasourdi. J'appuyai davantage.

— N'oublie pas qui je suis, fis-je.

Bravo, Francesca ! Ma réaction faisait honneur au sexe que l'on disait faible.

César desserra sa poigne de fer. Il fit promptement un pas en arrière et me dévisagea comme s'il me voyait pour la première fois.

— Je n'allais pas…, commença-t-il.

J'écartai cela d'un geste de la main. Ayant obtenu ce que je voulais, je devais me hâter de lui redonner sa fierté.

— Pour l'amour du ciel, César, mais à quoi songeais-tu ? Cela ne te suffit-il pas de venir ici sans la permission de ton père ? Tu voudrais, par-dessus le marché, être pris en flagrant délit avec son empoisonneuse ? Mais il faudrait déclarer un jour férié à Rome, tant tout le monde n'aurait plus qu'une idée en tête, aller colporter la nouvelle !

Il m'observa un instant encore, avant de rejeter sa belle tête en arrière et d'éclater de rire. Persuadée que le Cardinal allait l'entendre, je tentai de le faire taire, mais il m'empoigna de nouveau la main, gentiment cette fois-ci, et ensemble nous descendîmes le couloir en courant. L'énergie débridée de César, sa soif de vie et son mépris des règles qui nous freinent dans nos actes, nous autres mortels, ne cessèrent jamais de m'enchanter. Il entra dans ma vie (et en sortit) comme une grande bourrasque soufflant à travers une maison, en chassant les toiles d'araignée et en réagençant le mobilier à sa guise. Après coup, il y avait toujours beaucoup d'ordre à remettre, mais sur le moment c'était merveilleux.

Le temps que nous arrivions dans un coin du jardin dissimulé aux regards, sa bonne humeur m'avait gagnée. Un serviteur qui passait par là tressaillit lorsque César tendit une main à travers les buissons pour attraper une fiasque de vin frais. Deux coupes et un plateau de viandes froides suivirent.

— Je meurs de faim, déclara-t-il en s'écroulant dans l'herbe. J'ai chevauché toute la journée, ensuite j'ai dû enfiler cet accoutrement (il tira sur sa toge), et tout ça pour quoi ? Je te le dis, je commence à perdre patience.

Il était toujours aussi versatile, mais son humeur s'était bel et bien adoucie. Il tapota le sol à côté de lui.

— Tu ne dois pas t'enfuir tout de suite, n'est-ce pas ? Tiens-moi compagnie.

Au-delà de l'étrange sentiment de libération qui m'habitait depuis que je me savais damnée, vivre à Rome m'a appris qu'il faut savoir prendre les plaisirs de la vie quand ils viennent, et d'où qu'ils viennent. Ainsi je m'assis et acceptai la coupe qu'il me proposa, l'observant par-dessus mon verre tandis qu'il dévorait la viande. Il était véritablement bel homme.

Entre deux bouchées, il me déclara :

— Je suis sincèrement désolé pour ton père. Ça m'a fait un choc, quand j'ai lu la nouvelle dans l'une des lettres de Lucrèce. Sans elle, je ne serais pas au courant de la moitié des choses qui se passent ici.

Comme toujours avec les Borgia, les besoins personnels prenaient toujours le pas sur la compassion pour autrui. Mais je le comprenais, comme je pensais comprendre César.

— Ton père cherche seulement à te protéger, dis-je. Nous vivons des temps difficiles.

— Les temps ont-ils jamais été autre chose que difficiles ? demanda-t-il, moqueur. Mais voici venu *notre* temps, celui des Borgia. Mon père doit obtenir la papauté maintenant. C'est sa dernière chance.

— Innocent…, commençai-je, mais César n'en avait que faire.

— Cet eunuque en état de putréfaction ! (Il eut une moue de dégoût.) Mais pourquoi donc n'a-t-il pas la décence de mourir ?

— Le bruit court qu'il a peur d'affronter le jugement divin.

— Et il fait bien ! Vu les choses qu'il a faites… (Il remplit nos deux coupes, et me regarda d'un air sérieux.) Il ne tiendra pas beaucoup plus longtemps, tu ne crois pas ?

J'hésitai, n'étant pas certaine de ce que César savait ou tout au moins soupçonnait. Préférant pécher par excès de prudence, je répondis :

— Il faut s'en remettre à Dieu.

César fronça les sourcils puis se pencha, suffisamment pour que je sente son souffle me chatouiller la joue.

— Mais quel genre d'empoisonneuse es-tu ? murmura-t-il.

Je m'écartai un peu, pour être arrêtée par sa main chaude contre mes reins. Je ne me souvenais pas l'avoir vu la mettre là, mais je ne tentai pas non plus de me dérober. Pendant le plus bref des instants je vis dans mon esprit non pas César mais Rocco, l'homme capable de transformer le feu en une lumière cristalline. Une voie s'ouvrit alors devant moi, tentante par sa douceur, et pourtant une voie que je ne me sentais pas en droit d'emprunter. J'étais qui j'étais, exactement ce que César avait dit de moi : une empoisonneuse. En outre, mes péchés ne s'arrêtaient pas là. Mes mains avaient littéralement trempé dans le sang. Je me réveillais régulièrement en criant, d'un cauchemar que je ne pouvais pas plus contrôler que comprendre. J'étais, quand bien même j'aurais souhaité que ce ne soit pas le cas, une créature des ténèbres.

Tout comme César.

Lui embrassait sa nature. Je ne pouvais complètement en faire de même, pas plus que je ne pouvais me priver du seul réconfort qu'il m'était donné de connaître.

Nos lèvres étaient sur le point de se toucher lorsque je lui dis dans un souffle :

— Le genre le plus dangereux qu'il soit... audacieuse, imprévisible... (Je glissai ma main sous sa courte tunique.) Pleine d'imagination...

Il éclata de rire en m'allongeant sur l'herbe parfumée. De l'autre côté, les musiciens étaient en train de jouer. Des lucioles virevoltaient au-dessus de ma tête. Je les vis un moment ; puis je ne vis plus rien du tout.

14

Nous retournâmes en ville le lendemain, tous à l'exception de César qui avait disparu lorsque je me réveillai au petit matin. Reparti à Pise, espérai-je, en ayant suffisamment de bon sens pour y rester jusqu'à ce que son père en décide autrement.

La troupe avait quelque peu perdu de son entrain par rapport à la veille, mais il en va ainsi de tous les voyages. L'anticipation est toujours un plaisir plus grisant que l'expérience par elle-même.

Quoique « toujours » soit peut-être un terme un peu fort. Parfois l'expérience est à la hauteur des plus grandes attentes.

Lorsque je vins petit-déjeuner dans la cour, Lucrèce me jeta un rapide coup d'œil et gloussa. En retour, je tentai de la foudroyer du regard mais je doute d'y être parvenue. Elle eut au moins la gentillesse de ne rien dire. Si d'autres avaient remarqué la présence de César, ou avec qui il avait passé la nuit, ils étaient bien trop occupés par leurs propres intrigues pour commenter la nouvelle.

La seule exception était le Cardinal lui-même. Alors que nous montions à bord de la péniche, il se tourna vers moi et lança :

— Essaye de voir si tu ne peux pas le raisonner, veux-tu ?

Je n'étais guère surprise que Borgia soit au courant de ma relation avec César, même si j'aurais grandement préféré qu'elle reste du domaine privé. Il avait des yeux partout. Toutefois, cela ne signifiait pas que j'acceptais d'être tenue pour responsable du comportement rétif de son aîné, qui ne se gênait pas pour dévorer à belles dents le peu de pouvoir qu'il était persuadé d'avoir acquis à la naissance. Il faudrait être fou pour se mettre entre César et son père d'une quelconque manière que ce soit.

— Je doute fort d'avoir de ses nouvelles, signore, répondis-je de façon plutôt appropriée, selon moi.

Borgia fronça les sourcils mais ne fit pas de commentaire. Plus tard, je le vis assis auprès de La Bella sous une tente, non loin de la proue. Elle était en train de lui donner des baies à manger, et il semblait de meilleure humeur.

Je n'aurais su en dire autant de ma personne. J'avais succombé comme une sotte, quoique avec le plus grand plaisir. Mais à présent, je me souvenais très nettement de la désagréable semaine que j'avais dû endurer à la suite de ce premier tête-à-tête avec César, dans la bibliothèque, avant de découvrir à mon grand soulagement qu'il serait sans conséquence. Cette fois-ci, je n'arrivais pas à décider si je devais m'inquiéter ou pas. Dans le cas où ce que j'avais l'intention de faire réussirait, il y avait toutes les chances pour que je n'y survive pas, rendant de fait ce genre de considération caduque.

Malgré tout, dès que je le pus après coup, j'appliquai la méthode de la douche vaginale au vinaigre et à l'anisette, un mélange censé être efficace selon certaines, mais sur lequel j'avais des doutes. Assurément je connaissais d'autres méthodes, plus drastiques, mais en tant qu'empoisonneuse je savais combien elles étaient difficiles à mettre en pratique sans prendre le risque de s'abîmer la santé de façon permanente. À l'avenir (s'il s'avérait que j'en aie un), je décidai d'avoir toujours à disposition un pessaire en cire d'abeille de ma fabrication, la solution de choix des femmes sensées.

Vous pourriez arguer, à m'entendre parler ainsi, qu'à mon arrivée à Rome j'étais déchirée entre ma détermination à continuer sur le chemin que j'avais emprunté et un désir tout naturel de rester en vie. Vous n'auriez pas tort, mais sachez, également, que j'étais fermement résolue à ne pas renoncer.

Avec Vittoro comme escorte, je retournai au ghetto et retrouvai en un rien de temps le chemin menant à l'échoppe de Sofia. Bien qu'à peine deux jours se soient écoulés depuis ma dernière visite, la situation avait encore empiré, manifestement. Ce n'était pas que tous les juifs espagnols venaient se réfugier ici. D'autres villes acceptaient de les recevoir (en tout premier lieu Amsterdam), et les plus chanceux faisaient voile vers la Turquie pour se mettre sous la protection du sultan Bayezid ii. Toutefois, au vu de leur nombre toujours grandissant à Rome, l'évidence ne pouvait plus être niée : si les choses ne changeaient pas rapidement, le risque d'une éruption de la peste allait devenir on ne peut plus réel. Cette horrible maladie n'est jamais bien loin, semble-t-il, lorsque misère et désespoir obligent les gens à vivre dans la promiscuité – bien que personne ne comprenne pourquoi.

Et si la peste faisait son apparition, je frémissais à l'idée de ce qui arriverait à coup sûr : les juifs seraient tenus pour responsables, et les représailles contre eux seraient terribles. Il n'était pas inconcevable de penser que le ghetto deviendrait leur bûcher funéraire s'il n'y avait pas de pape disposé à les protéger.

Voilà les sombres pensées qui défilaient dans ma tête en passant la file d'attente qui semblait devoir toujours plus s'allonger devant l'échoppe de l'apothicaire. Sofia était à l'intérieur, en train de s'occuper d'un enfant malade. Elle me rejoignit dès qu'elle le put. Je lui avais apporté tout ce qu'elle m'avait demandé, comme promis, et davantage encore. Elle me remercia, puis alla droit au but.

— Nous avons plusieurs cas de dysenterie, d'hydropisie, de fièvre, et au moins un d'influenza, j'en ai bien peur.

Cette dernière mention m'interpella. La maladie qui déclenche des frissons, une forte fièvre et un épanchement dans les poumons a fait son apparition à Florence il y a quelques années, pour ensuite gagner Milan et Rome. Mais si sa propagation est rapide, sa disparition l'est tout autant ; et si elle fait beaucoup de victimes, la majorité des malades y survit. Les médecins attribuent cette affection aux influences astrologiques nocives, d'où son nom. À mon avis, cela veut tout bonnement dire qu'ils ne savent pas davantage ce qui la provoque que s'agissant des autres maladies.

— L'agonie observée dans les cas d'hydropisie est trop longue, déclarai-je.

L'œdème des tissus, en particulier autour du cœur, a bien tendance à être fatal mais peut mettre des années à faire son œuvre, d'après ce que je comprends des rares dissections à avoir eu lieu à l'université de Bologne, de Padoue et de Salerne. (Il y en a eu d'autres, non autorisées, mais de celles-ci je ne parlerai point.)

— Fièvre et dysenterie ont toutes deux des symptômes trop comparables à ceux d'un empoisonnement, poursuivis-je. Si Innocent meurt de l'une ou l'autre de ces maladies, l'implication de Borgia sera soupçonnée d'emblée. Quant à l'influenza…

Ses manifestations n'évoquaient pas un empoisonnement, mais malheureusement elle semblait davantage être une maladie du flegme que du sang.

— Je ne pense pas que cela puisse fonctionner, conclus-je en lui expliquant pourquoi.

Sofia était d'accord avec moi. Elle m'emmena un peu à l'écart pour être sûre que Vittoro ne nous entende pas.

— Es-tu certaine de vouloir aller jusqu'au bout ? me demanda-t-elle.

Je hochai la tête prestement.

— Le temps presse, nous devons agir maintenant. Je crois avoir trouvé le moyen d'atteindre Innocent, mais cela ne sert à rien si nous n'avons pas trouvé l'arme qui portera le coup fatal.

Elle hésita un moment de plus avant d'acquiescer brusquement d'un signe de tête. Me prenant par le bras, elle me mena à un grabat que l'on avait mis dans un coin et entouré d'un rideau, à l'écart des autres patients.

— Vois donc par toi-même, dit-elle simplement.

Face à moi se trouvait un homme qui avait peut-être dans les vingt-cinq ans. Comment déterminer son âge avec plus de précision ? Il avait l'air si malade. Mais dans tous les cas il était jeune. Il avait la peau toute rouge et de lui émanait une odeur rance, douceâtre. Je m'agenouillai auprès de sa couche, mis ma main sur son front où s'était collée une mèche de cheveux – et la retirai précipitamment. Il était brûlant.

— Qu'est-ce qu'il a ? demandai-je.

— Je ne sais pas, répliqua Sofia.

Parmi les nombreux aspects de sa personnalité que je viendrais à respecter, la facilité qu'avait Sofia d'admettre son ignorance est à n'en pas douter d'une grande rareté en ce bas monde.

Elle s'agenouilla à son tour auprès de l'homme et le plus délicatement possible souleva la fine couverture pour découvrir son bras. Ce que je vis me fit grimacer.

On devinait qu'il avait été un grand et solide gaillard par les muscles qui saillaient encore, mais présentement son bras était en train de pourrir ; et la décomposition semblait vouloir s'étendre, au vu des stries rouges qui envahissaient le membre tout entier.

— Que lui est-il arrivé ? la questionnai-je.

— Il s'appelle Joseph. Hier, devant l'insistance de sa femme, il est venu ici. Il avait une coupure au bras, vieille d'une semaine à peu près. On ne la voit même plus maintenant, mais elle était bien là. Tout autour, la peau était dure et chaude au toucher. Il avait de la fièvre et paraissait désorienté. Je l'ai persuadé de s'allonger et il ne s'est pas relevé depuis. Sa femme est repartie chez eux s'occuper de leurs jeunes enfants, mais j'ai envoyé quelqu'un lui dire de revenir le plus vite possible, du moins si elle souhaite le voir en vie une dernière fois.

— A-t-on une quelconque idée de ce qui est en train de le tuer ?

— Non, confessa Sofia. Son pouls s'est subitement accéléré – mais maintenant il est faible. Le mal s'étend par ces lignes rouges qui suivent le chemin que prend le sang dans le membre. J'ai écouté son cœur et il s'affaiblit, lui aussi. Ses poumons sont congestionnés et il ne peut plus uriner. Il sera mort dans quelques heures.

Elle s'assit sur ses talons et soupira, regardant d'un air mélancolique ce qui avait été un jeune et vigoureux mari, père de plusieurs enfants.

— Je ne peux rien pour lui.

— Et ce mal étrange qui est en train de le tuer aurait empoisonné son sang ?

— Je ne vois pas d'où cela viendrait, à part du sang. (Elle me regarda.) Quoi que ce soit, c'est très rapide, et cela ne ressemble en rien aux poisons que nous connaissons, n'est-ce pas ?

Effectivement. Je n'avais jamais vu aucun poison occasionnant ce genre de symptômes. Par ailleurs j'étais d'accord avec elle pour dire que la maladie était dans son sang.

Mais ce n'était qu'un avis, non une certitude.

Ce qui m'amena à penser au détail que j'avais préféré laisser de côté jusqu'alors, mais ne pouvais ignorer plus longtemps.

— Nous n'aurons probablement qu'une seule chance.

Sofia serra les lèvres jusqu'à les vider de toute couleur. Par ce simple geste je compris qu'elle y avait songé, elle aussi.

— Il sera déjà suffisamment difficile d'approcher d'Innocent une première fois, continuai-je.

Manifestement, j'avais autant besoin de me convaincre qu'elle. Regardant de nouveau ce jeune homme en train de souffrir, je dis dans un souffle :

— Nous devons être sûres.

Et pour cela, il n'y avait qu'un seul moyen.

— Vous voulez faire quoi ? s'alarma David ben Eliezer peu après, lorsque Sofia l'eut fait venir.

À juste titre, elle ne pensait pas être en droit de prendre cette décision seule. Il nous avait rejointes à l'échoppe et nous parlions à voix très basse pour éviter qu'on ne surprenne notre conversation.

— Nous devons le tester, dis-je.

Cette idée me rendait malade, mais je ne voyais pas d'autre issue.

— Nous devons être certains que le sang de cet homme est porteur d'une maladie suffisamment virulente pour tuer. Si ce n'est pas le cas, cela ne sert à rien de poursuivre, le risque est trop grand.

— Le tester sur un animal ? C'est ce que vous voulez dire ?

Je secouai la tête.

— Nous savons que certaines maladies touchent les humains mais pas les animaux, et le contraire est tout aussi vrai. Il doit être testé sur une personne.

— Vous porteriez-vous volontaire, signorina ? demanda-t-il d'un ton acerbe.

Sa réaction d'horreur devant ma proposition semblait légitime, mais je n'avais d'autre choix que de passer outre.

— C'est moi qui vais amener le sang au château Saint-Ange et trouver le moyen de le substituer à celui que boit le pape. Je ne pourrai rien faire de tout cela si je suis déjà morte.

Sofia posa une main sur son bras. Calmement, elle lui dit :

— Ce n'est facile pour aucun d'entre nous d'évoquer cette question. Je supporte à peine d'y penser. Mais nous avons toujours su que le prix à payer pour ce que nous avions à faire serait élevé.

— Mais pas ça, rétorqua David. Jamais on n'aurait songé avoir à faire quelque chose comme ça.

Il avait raison, manifestement. Si de mon côté je craignais pour mon âme, les juifs, eux, cherchaient seulement à rester en vie. Assurément, Dieu comprendrait leur acte et leur pardonnerait.

Mais voilà que je leur demandais de tuer quelqu'un qui n'avait fait aucun mal, un véritable innocent.

— C'est moi qui vais le tester, lança David. (Le noir de ses yeux ressortait intensément tant il était devenu pâle.) C'était mon idée, au départ. Je ne peux demander à personne d'autre de prendre un tel risque.

— Et nous ne pouvons nous permettre de te perdre, rétorqua Sofia. (Elle le dévisagea du regard tendre d'une mère.) Qui sera notre lion si tu n'es plus là, David ? Qui d'autre nous protégera ?

Ses yeux se mirent à briller, et à ma grande surprise, les miens aussi. Pour couper court au débat, je précisai :

— Cela ne servirait à rien de l'expérimenter sur quelqu'un de jeune et en bonne santé, étant donné que le pape n'est ni l'un ni l'autre. C'est un homme vieux et frêle. Le test devrait être pratiqué sur quelqu'un qui se trouve dans le même état physique.

— Cela n'en fait pas pour autant un acte bon, rétorqua David. Les vieilles personnes aussi doivent être protégées.

Un sombre désespoir s'abattit alors sur moi. Je comprenais ce qu'il ressentait, je l'approuvais même de tout cœur. Mais je savais également que dans ce monde, tel qu'il est vraiment (et non tel que nous voudrions qu'il soit), il est parfois nécessaire de commettre des actes terribles. Il arrive tout simplement qu'il faille choisir entre le pire et le moins pire.

Or, comment ne pas m'interroger sur le genre de personne que j'étais devenue, si j'étais capable d'enfouir mes élans de bonté sous un sens pratique aussi glacial ?

— On ne peut demander à quiconque de faire cela, dit Sofia, sans lui expliquer pleinement de quoi il retourne.

À l'évidence, ce n'était pas sans risque. Le seul fait de mentionner pareille chose déclencherait peut-être un tollé. Si les rabbins et les négociants découvraient ce que nous étions en train de faire, ils chercheraient certainement à nous arrêter.

— As-tu… quelqu'un en tête ? demandai-je timidement.

David tressaillit et détourna le regard, mais Sofia me fixa droit dans les yeux. Lentement, elle hocha la tête.

15

La vieille femme était allongée sur un grabat dans la pièce à l'arrière, où on l'avait transportée pour l'isoler des autres. En dépit de la chaleur de la journée elle était emmitouflée dans une couverture qui, sous une couche de crasse, semblait avoir été filée avec la laine d'agneau la plus fine. Ses cheveux gris étaient étalés sous elle. Malgré ses joues creusées, ses yeux enfoncés et sa peau parcheminée, on voyait bien qu'elle avait été belle, autrefois.

— Rébecca, l'appela doucement Sofia en s'agenouillant auprès d'elle et en lui prenant la main.

Les paupières de la femme frémirent et s'ouvrirent lentement.

— Te souviens-tu de ce dont nous avons parlé ? demanda Sofia.

Elle parlait en catalan, langue que je comprenais car c'était celle que les Borgia employaient en privé, eux qui s'étaient appelé « Los Boryas » avant leur arrivée ici. Les Romains ne leur avaient jamais permis d'oublier leurs origines espagnoles, et par crânerie ils s'y étaient accrochés.

Lorsque la vieille femme hocha la tête, Sofia se tourna vers moi :

— Voici Francesca. Elle va nous aider.

— Alors, je ne l'ai pas rêvé ? demanda Rébecca. (Sa voix était si faible que je dus m'approcher, mais elle sembla s'affirmer au fur et à mesure de la conversation.) Ce que tu m'as dit… c'est bien réel ?

Sofia avait déjà parlé seule à seule avec elle. Je ne sais ce qui s'était dit entre les deux femmes, mais j'étais heureuse de ne pas avoir à expliquer la raison pour laquelle nous faisions appel à elle.

— La menace qui pèse sur nous ne l'est que trop, répliqua Sofia. J'aimerais qu'il en soit autrement, mais c'est ainsi. Ce qu'on te demande de faire est effroyable, je le sais…

Rébecca leva faiblement une main veinée.

— Toute ma famille… mon mari, mes enfants, mes si beaux petits-enfants… tous partis…

Des larmes coulèrent le long de ses joues fripées. Sofia me prit à part pour me raconter son histoire.

— Elle a été amenée ici il y a une semaine, par des gens qui l'avaient trouvée dans la rue. Elle vient de Lisbonne. Sa famille a été arrêtée au moment où ils quittaient la ville. On les a accusés d'avoir tenté d'emporter de l'argent avec eux. Je ne sais pas exactement ce qu'il s'est passé ensuite, mais selon les témoins, elle est la seule à avoir survécu.

Cela ne me surprenait guère. Certes, Leurs Majestés très catholiques, le roi Ferdinand et la reine Isabelle, avaient décrété que les juifs pourraient quitter leur royaume en vie – s'ils s'exécutaient dans un délai de trois mois, délai qui expirait dans quelques semaines maintenant. Mais ils n'avaient le droit d'emporter aucun objet de valeur avec eux : pas d'argent, pas de bijoux, rien qui puisse les aider à refaire leur vie ailleurs. Ils devaient partir comme des miséreux avec les vêtements qu'ils avaient sur le dos, pour ainsi dire.

Visiblement, beaucoup réussissaient à faire sortir des biens clandestinement, mais ceux qui avaient le malheur de croiser la route de ces rapaces de *mercenarios* (qui sévissaient dans les ports et les villes frontalières) y survivaient rarement.

Volontairement, je chassai de mes pensées les malheurs qu'avait dû endurer la vieille femme pour me concentrer sur ce qui devait être fait.

— De quoi souffre-t-elle ? demandai-je à Sofia.

— De malnutrition et de problèmes cardiaques.

Je m'attendais à plus grave, et ne pus cacher ma surprise.

— Mais si elle était correctement soignée, elle vivrait, n'est-ce pas ?

— Non ! s'écria Rébecca tout à coup. Non, s'il vous plaît mon Dieu, non ! Je ne peux pas… je ne veux pas… (Dans son agitation, elle m'agrippa le bras.) Le Dieu d'Abraham et d'Isaac est juste. Il connaît mes souffrances. Il ne m'en voudra pas d'avoir cherché à être libérée.

— Elle refuse tout aliment et toute boisson, expliqua Sofia à voix basse. J'ai déjà vu cela. Beaucoup de vieilles gens le font. Rien ne peut les arrêter.

— Certes, mais quand même…

Confrontée à la réalité de l'acte que je m'obstinais à vouloir pratiquer avant d'aller plus loin, je fus submergée d'un doute. L'Espagnol, l'homme à la médaille, Innocent – c'était différent. Mais il y avait un gouffre entre l'idée d'inoculer du sang potentiellement mortel à un anonyme et la mettre en application sur cette vieille femme frêle qui avait déjà tant souffert.

La pression de la main de Rébecca sur mon bras se fit plus forte. Distinctement, afin que je ne me méprenne pas sur ses paroles, elle me dit :

— Ne me privez pas de la chance d'éviter aux autres le sort qui a frappé ceux que j'aime.

À ce moment-là je dus me lever et partir, sortir dans la ruelle où je restai plusieurs minutes, le temps de retrouver mon calme. En revenant, j'allai directement voir Vittoro.

— Retournez au palazzo, lui intimai-je. Si le Cardinal demande où je suis, dites-lui simplement que je veille à ses intérêts. Il ne voudra pas en savoir davantage.

Loin de s'offusquer de mon outrecuidance, le capitaine se contenta de hausser les épaules.

— Le Cardinal aime bien tout savoir.

— Dans ce cas précis, je ne pense pas. Si jamais on venait à le questionner, il voudra être en mesure de dire qu'il n'était au courant de rien.

J'en étais arrivée à la conclusion que Borgia avait agi avec une habileté consommée en me dressant contre Innocent. Si j'attentais à la vie du pape et que j'échoue, le Cardinal aurait toujours la possibilité de dire que la mort de mon père m'avait fait perdre la raison et que j'avais agi de mon propre chef. Il pourrait même aller jusqu'à prétendre que j'étais secrètement juive et que je cherchais à l'atteindre lui, tout autant qu'Innocent. Si ses chances d'obtenir la papauté s'éloignaient, il sèmerait tout de même suffisamment de confusion pour parvenir à sauver sa position de pouvoir et son prestige, sans parler de sa vie. La mienne, en revanche, n'avait pas la moindre importance.

— Y a-t-il autre chose à dire au Cardinal ? demanda Vittoro.

J'allais lui dire non, lorsque je me ravisai :

— Dites-lui « *Alea jacta est* ».

Vittoro n'avait pas eu la chance de bénéficier d'une éducation classique : il dut répéter les mots par trois fois pour être sûr de ne pas faire d'erreur. Puis il partit, me laissant seule face à l'abomination qui m'attendait.

J'ai toujours eu une aversion pour le sang, ne me demandez pas pourquoi. Les saignées sont censées être le remède à tous les maux, mais je me suis toujours arrangée pour les éviter. Et mon dégoût ne s'arrête pas là : depuis toute petite, il m'est difficile d'aller à la messe. J'arrive à supporter l'idée du pain qui devient chair, mais s'agissant du vin qui se transmue en sang… Je suis incapable de le boire, et souffre à peine qu'il touche mes lèvres.

Le jour où je me suis agenouillée près du cadavre de mon père pour m'imprégner les mains de son sang, quelque chose a changé en moi à jamais – ou peut-être devrais-je dire que quelque chose s'est éveillé. Il m'a fallu tuer par deux fois, l'Espagnol et plus important l'homme dont j'ai tranché la gorge, avant de reconnaître ce qui était en train de se passer en moi. Pourtant, il ne me fut pas plus facile de regarder Sofia saigner ce pauvre Joseph.

David le porta à l'arrière de l'échoppe et le posa sur un grabat, près de Rébecca. Dieu merci, il était inconscient et n'eut aucune réaction lorsque Sofia entailla son bras sain, pratiquant une incision large et profonde pour que le sang goutte rapidement dans une jatte qu'elle avait placée directement en dessous. L'odeur caractéristique de cuivre me donna la nausée.

— Quelle quantité, à ton avis ? demanda-t-elle en s'affairant.

J'avais détourné le visage et mis une main sur ma bouche. À travers mes doigts, je lui répondis :

— Je doute qu'Innocent soit capable d'en boire beaucoup à chaque fois.

Remarquant ma posture, David s'enquit :

— Vous vous sentez bien ?

J'acquiesçai en silence et me concentrai sur ma respiration. Si je ne pensais qu'à cela et rien d'autre, peut-être ne me couvrirais-je pas de honte.

Enfin tout fut fini, et le bol recouvert d'un linge propre. Sofia mit un bandage sur le bras de Joseph, et presque aussitôt une tache rouge pointa à travers le tissu. Elle prit ensuite le bol et alla s'agenouiller auprès de Rébecca.

Nous avions évoqué ensemble les étapes suivantes. David avait suggéré de mélanger le sang à du vin pour le rendre plus agréable au goût, ce qui m'avait semblé être plutôt sensé. Mais quand bien même, j'aurais juré sentir encore cette odeur de cuivre en préparant la mixture.

Sofia leva la tête de Rébecca pour qu'elle puisse avaler. Elle commença par avoir un haut-le-cœur (le goût ne s'était pas totalement estompé, apparemment), mais le vin fit rapidement son effet et elle but tout.

Ensuite, nous attendîmes. La journée s'écoula lentement. Sofia alla soigner d'autres malades à l'avant de l'échoppe, mais David resta avec moi. La femme de Joseph arriva à midi, et passa environ une heure avec lui. Elle partit en larmes, soutenue par sa sœur qui l'avait accompagnée. Je n'étais pas présente lorsqu'elle lui fit ses adieux ; nous eûmes la décence de leur laisser ce peu d'intimité. D'après ce que j'en voyais, Joseph n'était plus là non plus, tant il était accablé de fièvre.

Benjamin apporta de quoi nous restaurer, et me força à avaler quelque chose. Je bus une gorgée de vin et grignotai quelques miettes de pain, mais mon estomac me fit vite comprendre qu'il avait atteint ses limites. Dans l'après-midi, je pris la main de Joseph et la serrai. David était en train de prier dans une langue que je ne comprenais pas. J'entonnai une prière à ma façon, à la Madone, lui rappelant que Joseph avait lui aussi eu une mère, qui était probablement déjà morte, et que lui aussi avait été un enfant au berceau, comme le sien. Je lui demandai de le protéger.

Il mourut peu après. J'imagine que ce fut une mort paisible, pour autant que ce genre de chose puisse l'être, mais cela restait un bien piètre réconfort. Le temps qu'on lui ferme les yeux, Rébecca avait perdu connaissance. Son état s'était détérioré très rapidement après avoir reçu le sang de Joseph. Une heure après, elle ne nous reconnaissait plus ; deux heures après, elle était brûlante de fièvre. Une fois Joseph parti, je m'installai auprès d'elle et lui baignai le visage et le corps d'eau froide.

— Elle est au-delà de ça, maintenant, dit David dans un souffle.

Il était très pâle, tout comme moi je suppose. Il me tenait la bassine d'une main tremblante.

— Tu n'en sais rien, rétorquai-je. Ni toi ni moi n'avons été assez proches de la mort pour savoir comment c'est.

— Qu'est-ce qui vous autorise à dire ça ? s'échauffa-t-il. Peut-être que je l'ai été.

Je regardai Rébecca et secouai la tête.

— Elle est très loin d'ici, trop loin pour revenir.

Sofia arriva sur ces entrefaites et s'assit avec nous jusqu'à ce que Rébecca s'éteigne. À la fin, les yeux de la vieille femme s'ouvrirent brusquement, nous faisant tous trois sursauter. Mais quoi qu'elle ait vu, ce n'était ni nous, ni le monde dans lequel nous existions. Cependant, elle s'en est allée paisiblement, soyez-en assuré. Je me mis alors à genoux et priai pour qu'elle retrouve ceux qu'elle avait aimés et perdus.

Sofia avait à peine masqué son visage avec la couverture usée que j'appelai Benjamin auprès de moi. Je lui tendis le mot que j'avais écrit à la hâte et lui donnai les instructions qui allaient avec :

— Rends-toi à la Via dei Vertrarari. Trouve le verrier qui s'appelle Rocco et donne-lui ça. Il saura quoi faire.

Une fois Benjamin parti, j'attendis que Sofia pratique une saignée sur Rébecca. Nous avions décidé de prendre son sang à elle, pour qu'il soit le plus frais possible à notre arrivée au château Saint-Ange.

À ce stade, une bienheureuse torpeur s'était emparée de moi.

— Je dois être partie avant que l'entrée du ghetto ne soit barricadée pour la nuit, rappelai-je à Sofia qui continuait à s'affairer avec la plus grande douceur, versant le sang dans une grande fiole, puis la refermant.

Tout au long de cette pénible journée, je n'avais jamais perdu de vue la course inexorable du soleil vers le couchant. Si j'attendais trop longtemps, moi aussi je serais confinée ici. Le sang de Rébecca commencerait à se gâter et mes chances de le substituer, déjà maigres au départ, se réduiraient bien trop vite à néant.

— Je viens avec vous, déclara David.

J'émis quelques protestations peu convaincantes, qu'en toute logique il ignora. Nous sortîmes du ghetto quelques minutes à peine avant que les issues soient fermées – et les juifs piégés jusqu'au prochain lever du soleil. Si l'on échouait et que notre complot soit mis au jour, que leur réserverait cette aube nouvelle ? La fureur d'une foule déchaînée ? Le feu et la mort ? Tout cela, et bien davantage, était par trop plausible.

Je regardai par-dessus mon épaule, songeant à Benjamin et Sofia, aux mourants dans son échoppe d'apothicaire, à tous ceux quc j'avais vu souffrir, depuis ma première visite.

Véritablement, les voies du Seigneur sont impénétrables, songeai-je alors.

David me prit la main. Ensemble, nous nous enfonçâmes dans la nuit qui descendait sur Rome.

16

Nous étions à mi-chemin de l'échoppe de Rocco lorsque nous tombâmes sur la première patrouille à pied. Jusqu'alors, nous avions seulement croisé les traditionnels joyeux lurons, catins désenchantées et petites bêtes qui s'approprient les rues de Rome la nuit. Les humains s'agglutinent autour des tavernes et des bordels ; les rats, eux, sortent en masse des anciens égouts et des catacombes. Peu importe le nombre de tas fumants que les chasseurs de rats peuvent faire de leurs carcasses sur la place publique, il y en a toujours bien plus qui survivent sans qu'on les voie, attendant patiemment la nuit pour sortir.

J'exècre ces rongeurs, ce qui m'interpelle car en général j'aime les animaux. Sauf les serpents, mais à choisir je les préfère aux rats. Et je préfère encore les deux réunis aux patrouilles à pied, payées par les riches négociants pour se pavaner, gourdins à la main, et extorquer de l'argent (ou pire) aux simples mortels qui ont le malheur de croiser leur route.

En voyant celle-ci, David et moi plongeâmes prestement dans l'obscurité d'une ruelle bordant une taverne du Campo dei Fiori. Une fois passée, nous attendîmes plusieurs minutes avant de reprendre notre marche. La lune était noire, et pas un rayon de lumière ne filtrait. Mais un fort vent d'ouest avait dispersé en grande partie le voile de fumée et de brume qui stagne au-dessus de la ville la plupart du temps. À la lumière des étoiles, et de mémoire, nous retrouvâmes le chemin menant à la rue des maîtres verriers.

Devant son échoppe, Rocco avait laissé brûler une lampe qui, avec un peu de chance, serait suffisamment discrète pour ne pas attirer l'attention des voisins ; de toute façon, ils seraient en train de dîner ou de se préparer à aller dormir, à cette heure-là. Lorsque je frappai doucement, il ouvrit et nous fit entrer d'un geste impérieux avant de refermer promptement la porte derrière nous.

Au début, il parut seulement me voir et mes joues s'empourprèrent en réponse à la chaleur de son regard. Mais bientôt, son champ de vision s'élargit.

— Qui est-ce ? demanda-t-il en dévisageant David.

— Un ami, dis-je simplement. Tu as eu mon message ?

Rocco hocha la tête.

— Je l'ai fait passer au père Morozzi. Il devrait être ici d'une minute à l'autre.

— Et Nando… ?

L'idée du danger que je faisais peser sur la maison de Rocco me rongeait, bien que je n'eus pas d'autre choix.

— Je l'ai envoyé à la campagne, chez sa grand-mère.

Je hochai la tête de soulagement. Nous attendîmes, assis à table, en silence ou presque jusqu'à l'arrivée du prêtre. Il entra discrètement, visiblement en proie à la nervosité, et fronça les sourcils dès qu'il vit David.

— Qu'est-ce que c'est que ça ?

Ce n'était qu'un détail, et mesquin de ma part de le relever, mais pourtant il se logea dans mon esprit : lorsqu'il avait posé la même question, Rocco, lui, avait dit « qui ».

Je mis cela sur le compte de l'état de frayeur du prêtre, qui n'avait rien de déraisonnable au vu des circonstances. Il semblait interloqué au point de fuir séance tenante – et je n'aurais su l'en blâmer. En tant que *converso*, songeai-je, il devait vivre chaque jour dans la crainte d'être découvert.

— C'est un ami, rétorquai-je. On peut lui faire confiance.

— Vous n'auriez pas dû…, commença Morozzi, mais il s'arrêta net en voyant David faire un pas en avant.

— Je ne représente aucun danger pour vous, Curé. Il me reste à espérer que vous n'en représentez pas pour moi non plus.

Le silence s'installa entre les deux hommes, jusqu'à être brisé par Rocco.

— Allons, au travail.

— Très bien, fit Morozzi malgré une réticence patente. (Il se tourna vers moi.) Êtes-vous prête ? Avez-vous le nécessaire ?

Je lui assurai que c'était le cas, et étais sur le point de lui demander comment il comptait nous faire entrer dans le *castel* lorsqu'il m'interrompit.

— Faites-moi voir.

— Voir quoi ?

Étant prise au dépourvu, je fis ce que je fais toujours en pareil cas : tenter de gagner du temps pour remettre de l'ordre dans mes idées.

— Ce que vous avez l'intention d'utiliser. Je veux le voir. (Voyant que je continuais à le fixer sans rien faire, il s'impatienta.) Vous n'escomptez tout de même pas que je prenne tous les risques pour vous amener auprès du pape sans avoir la certitude que vous êtes réellement capable de le faire.

— Sa parole ne vous suffit-elle pas ? lança David impérieusement en fronçant les sourcils.

Rocco semblait également mal à l'aise.

— Francesca ne serait pas là si elle n'était pas prête.

Je posai la main sur le bras de David pour lui donner un avertissement silencieux, adressai un sourire rassurant à Rocco et glissai l'autre main sous ma robe. Lentement, je tirai le médaillon doré, encore tout chaud d'avoir reposé sur ma poitrine.

L'objet attira toute l'attention du prêtre.

— Vous voulez le voir ? m'exclamai-je. Très bien.

J'ouvris le médaillon, révélant le losange que j'avais fabriqué pour ma propre consommation.

— Mais ne vous approchez pas trop. C'est le poison le plus mortel que je connaisse, capable de tuer en quelques minutes. Avec ça, il est impossible d'échouer.

Morozzi l'observa un long moment, ses yeux avides me mettant mal à l'aise. Son comportement était pour le moins incongru, au vu de l'importance et de la dangerosité de notre entreprise. Finalement, il dit :

— Bien, nous pouvons y aller.

Alors que je fermais le médaillon et le glissais sous mes vêtements, David me décocha un regard intrigué. Si nous avions été seuls, je lui aurais expliqué qu'il valait mieux, selon moi, que le prêtre en sache le moins possible. Mais vu les circonstances je me contentai de faire un geste discret de la main, destiné à lui seul, et priai pour qu'il comprenne la raison pour laquelle je ne faisais pas confiance à Morozzi s'agissant de la façon dont Innocent allait mourir, alors que l'homme avait nos vies entre ses mains, pour ainsi dire. Mais David sembla accepter ma décision, car au bout d'un moment il hocha la tête en silence.

Entre-temps Morozzi avait sorti une tenue, et me la tendait.

— Je ne savais pas que vous seriez deux, expliqua-t-il. Je n'en ai amené qu'une.

Je pris l'ample robe de moine en laine marron qui dissimulerait à merveille mes courbes féminines, et la revêtis.

— Et David ? Nous devons trouver le moyen de le déguiser, insistai-je.

Un prêtre et un moine arrivant ensemble au *castel* attireraient peut-être l'attention, mais personne ne viendrait leur demander d'explications. Mais un homme qui ne serait pas en livrée ou ne porterait pas l'insigne d'une grande maison serait en revanche traité très différemment.

— Attendez, intervint Rocco, et il se rendit à l'arrière de son échoppe, où une petite échelle menait au grenier. Il revint peu après, une robe blanche et une grande cape noire à la main.

— Cela devrait vous aller, dit-il à David en lui tendant le tout.

— C'est la tenue que portent les frères dominicains, s'exclama Morozzi. Comment vous l'êtes-vous procurée ?

Manifestement, il ne connaissait pas l'histoire de Rocco.

— Je l'ai trouvée ici à mon arrivée, répliqua sans attendre l'intéressé.

David hésita un instant. Je comprenais sa réticence à revêtir un habit associé aux dominicains, eux qui comptaient dans leurs rangs l'ignoble Tomás de Torquemada, Grand Inquisiteur d'Espagne, l'un des principaux auteurs de l'édit expulsant les juifs de son pays. Mais il n'avait pas vraiment le choix, et le savait.

Les vêtements le recouvraient de la tête aux pieds. Une fois son capuchon relevé, il ne fut plus qu'un ecclésiastique parmi tant d'autres qui allaient et venaient entre le château Saint-Ange et le Vatican, sans se faire remarquer ni questionner.

— Merci, dis-je en serrant la main de Rocco. Malgré la chaleur de la soirée, elle était froide. Regardant furtivement les deux hommes, il me prit à part pour me parler.

— Quelle que soit la volonté de Dieu, tu en as assez fait, Francesca. Laisse-moi aller à ta place. Tu n'aurais qu'à me donner tes instructions.

Ne voulant pas m'entendre protester, il poursuivit :

— Morozzi n'y verra pas d'objection ; il ne se sent pas à l'aise avec les femmes, de toute façon. Et assurément, si tu dis à David qu'il peut me faire confiance, il n'aura d'autre choix que de te croire.

La générosité de son offre faillit bien m'anéantir. Comment même envisager que non seulement il me remplace dans une entreprise aussi périlleuse, mais également endure le fardeau de l'acte que j'avais l'intention de commettre, le meurtre d'un pape ? Tout autant que Rocco, je voulais croire que c'était la volonté de Dieu de voir Innocent mourir avant d'avoir le temps de commettre un acte qui engendrerait des centaines de milliers de morts. Mais si nous avions tort ? J'étais prête à risquer mon âme, mais certainement pas celle de Rocco.

Par ailleurs, il n'y avait pas que cela qui entrait en ligne de compte.

Je souris faiblement et lui touchai de la main une joue rendue rugueuse par la barbe d'un jour.

— Du fond de mon cœur, je te remercie. Vraiment, tu es le plus valeureux des amis. Mais tu es également père, et jamais je ne pourrais accepter quoi que ce soit qui puisse potentiellement faire de Nando un orphelin.

Je laissai retomber ma main et fis un pas en arrière.

— C'est mon combat. Je dois le mener.

Et sans lui laisser le temps de répondre, je me détournai de lui.

Morozzi, David et moi sortîmes dans l'obscurité. Rocco nous regarda partir depuis le pas de sa porte. L'espace d'un instant, alors que je passais devant lui, je vis sa main se lever et songeai qu'il allait tenter de me stopper. Mais il se ravisa, la tristesse dans son regard me disant qu'il se résignait à accepter ce qui ne pouvait être changé.

Morozzi allait d'un bon pas, confiant et alerte. Il semblait ne pas se soucier des patrouilles à pied et effectivement, lorsque notre chemin en croisa une, les hommes s'écartèrent précipitamment pour le laisser passer. Sa robe d'ecclésiastique tout autant que ses manières (il possédait l'arrogance naturelle de ceux qui ont reçu les dons de la nature à l'excès) agissaient comme un avertissement à quiconque aurait été tenté de nous importuner.

Nous traversâmes le Pons Ælius, et nous dirigeâmes directement vers la porte principale du *castel*. La masse sombre s'élevant au-dessus de la ville était illuminée par une centaine de torches, dont la lumière créait des reflets argentés et miroitants dans le fleuve qui coulait lentement en contrebas. J'avais pensé que Morozzi connaîtrait peut-être quelque entrée secrète, comme cela doit assurément exister dans un édifice vieux de plus de mille ans. Mais si c'était le cas, il ne prit pas la peine de l'utiliser. Il nous fit passer au contraire devant les gardes qui, comme je l'avais espéré, ne firent même pas mine de nous empêcher d'entrer.

L'imposante forteresse se détachant au-dessus de nous n'aurait pu être mieux conçue pour faire naître la peur chez tous ceux qui y entraient, même pour la plus innocente des raisons. Construite à l'origine pour être le mausolée de l'empereur Hadrien et de sa famille, elle conservait certaines traces de charme classique, mais la majeure partie en avait disparu il y avait des siècles de cela, lorsqu'elle avait été transformée en fort et en prison. Dès que nous entrâmes dans la petite cour, juste après l'entrée (la cour du Sauveur comme on l'appelait, par ironie pour ceux qui ne quittaient jamais le *castel* vivants), je sentis les murs se refermer sur nous et le désespoir s'instiller en moi. De là, nous gagnâmes le hall d'entrée. La température chuta et je me mis à trembler, bien que ce ne fût pas entièrement à cause du froid. De nouveau, des gardes étaient stationnés ; de nouveau, ils nous laissèrent passer.

— Vous êtes connu, dis-je à Morozzi de la voix la plus basse possible.

Il hocha la tête.

— Je me suis donné beaucoup de mal pour y parvenir. Ce qui est familier et habituel n'éveille pas les soupçons.

Nous poursuivîmes notre chemin, passant devant l'énorme statue d'Hadrien, qui n'était plus que l'ombre d'elle-même depuis le sac de Rome par Alaric i[er], roi des Wisigoths. Depuis son socle, l'empereur semblait nous lancer un regard furieux à nous, les descendants de ceux qui avaient laissé son héritage être dilapidé. Plus loin se dressait la large rampe en colimaçon, construite plus récemment sur toute la hauteur de la forteresse pour faciliter l'accès aux étages supérieurs. Nous entreprîmes de la monter à la lueur des torches fixées le long des murs, qui révélèrent un un pavement de mosaïque noire et blanche en piteux état et des colonnes en marbre qui s'effritaient. Tout ici nous parlait de la grandeur d'une autre époque.

Je savais, comme tous les Romains, qu'au premier étage de la forteresse se trouvaient les cellules. Je ne vis aucune entrée y menant, ce qui semblait ajouter foi à la rumeur selon laquelle les prisonniers étaient descendus à l'aide d'une corde dans ces tombeaux où on les enterrait vivants. Cette seule vision m'aurait remplie d'horreur si les événements de la journée ne m'avaient pas laissée dans un état de stupeur. Tout de même, j'étais très heureuse de sentir la force tranquille de David à mes côtés.

À l'étage suivant se situaient les quartiers des militaires et l'arsenal. Ici, tout au moins, on avait accès à l'air libre sous la forme de grandes cours, mais avant de pouvoir les atteindre il fallait traverser la crypte où les restes de l'empereur avaient été enterrés. Tout avait disparu bien entendu, de nouveau à cause du pillage de la ville, jadis, mais l'oppressante sensation de mort persistait.

Je commençai à respirer avec un peu plus d'aisance lorsque nous entrâmes dans la cour d'honneur. Le *castel* étant une forteresse militaire autant qu'une prison, on trouvait ici plusieurs canons à la taille impressionnante, que l'on pouvait pointer vers la ville pour repousser les éventuels attaquants. Les quartiers des officiers et des troupes donnaient sur cette cour intérieure. Je priai pour qu'aucun d'entre eux, regardant justement par sa fenêtre à ce moment-là, ne se demande pourquoi diable ces trois individus passaient par là, à cette heure avancée et au pas de course qui plus est.

Juste avant de quitter la cour, je levai les yeux vers la statue qui s'élevait au-dessus de la forteresse : l'archange Michel dans toute sa gloire, remettant son épée au fourreau pour proclamer la fin de la peste qui avait dévasté Rome neuf siècles auparavant. Le *castel* avait été renommé en son honneur et depuis, son incarnation en pierre dominait les cieux romains. Je le voyais à présent se découper contre le ciel étoilé, et l'implorai en silence pour que, dans sa puissance et sa fureur, il nous protège.

Après la cour nous accédâmes au réfectoire des officiers, où l'on avait disposé de grandes tables et des bancs. Les murs étaient recouverts des scènes martiales idoines en ce lieu, et ornés de bannières. Plusieurs capitaines et lieutenants se trouvaient là, buvant joyeusement. Ils nous regardèrent passer mais de nouveau, personne ne nous demanda d'explication.

J'eus le temps de songer que le *castel* avait été conçu pour obliger les envahisseurs réussissant à ouvrir une brèche à se rendre au cœur même de sa force militaire, où il était ensuite facile de les éliminer un par un. La cour d'honneur était le guet-apens idéal pour les ennemis malchanceux.

Une fois le mess des officiers passé, Morozzi accéléra l'allure. Il devait avoir tout autant hâte que moi d'arriver et je lui emboîtai le pas, ainsi que David. Mais je ne pus m'empêcher de demander :

— Est-ce encore loin ?

Je vis ses joues s'empourprer et ses yeux se durcir. Il secoua la tête.

— Nous y sommes presque.

J'acquiesçai en silence, tentant de me concentrer sur ce qui allait suivre. Sous peu, il me faudrait avouer au prêtre la vérité : que je devais trouver les garçons que l'on saignait et, plus précisément, localiser leur sang afin de pouvoir substituer celui que j'avais apporté au leur. Si un médecin ou toute autre personne était présent sur les lieux, il faudrait s'en charger. Cette pensée ne me réjouissait guère mais je savais que nous n'avions pas le choix, car si quelqu'un sonnait l'alarme, la garnison entière nous tomberait dessus.

Nous traversâmes une pièce, puis une autre. Avant d'entrer dans la troisième, Morozzi s'arrêta et leva la main. Prudemment, il avança de quelques pas et regarda à l'intérieur. Ce qu'il vit dut le satisfaire car il nous fit signe de le rejoindre.

David passa en premier ; je le suivis. Au moment où je passais devant Morozzi, il tendit la main et m'arracha le médaillon du cou. Au même instant, il me poussa violemment à l'intérieur.

— Qu'est-ce que... ? m'écriai-je d'une voix entrecoupée.

Mais d'une certaine façon, je savais déjà. Notre expédition avait été trop aisée, notre parcours étonnamment sans embûches. Ce que j'avais voulu voir comme le signe que Dieu approuvait notre projet, ou simplement comme de la bonne fortune, était en fait une trahison.

Morozzi s'empara d'un levier dissimulé dans le mur et l'abaissa d'un coup sec. Instantanément, une herse de fer descendit, nous piégeant à l'intérieur.

— *Deus vult* ! hurla alors le prêtre, son si beau visage transformé par la ferveur religieuse.

Dieu le veut ! Le cri de ralliement des croisés. L'incantation des inquisiteurs. L'excuse dont on se servait pour commettre toutes sortes d'atrocités au nom du Rédempteur.

David fonça tête baissée pour tenter de se glisser sous la herse avant qu'il ne soit trop tard. Il faillit y parvenir et pendant le plus bref des instants, Morozzi eut l'air terrifié. Mais la lourde grille en métal tomba finalement en place dans un bruit sourd et David alla s'effondrer au sol, aux pieds du prêtre quasiment.

Voyant cela, Morozzi exulta.

— D'abord Giordano, et maintenant sa sorcière de fille et un juif, par-dessus le marché ! Je vais faire tomber votre maître, l'anéantir, et dans le même temps je vais déclencher la fureur de toute la chrétienté contre les traîtres à notre Seigneur ! Vous…

J'agrippai alors les barreaux de la herse et défiai du regard le prêtre fou, tout s'évanouissant autour de moi si ce n'était l'évidence que j'entendais hurler dans mon esprit, et l'écœurement qui l'accompagnait. Depuis le moment où j'avais entendu la confession arrachée sous la torture de l'homme à la médaille, j'avais nourri des doutes. Mais j'étais loin d'imaginer la vérité.

— Que voulez-vous dire, d'abord Giordano ? Est-ce Innocent qui a ordonné la mort de mon père… Ou vous ?

— Innocent ? (Morozzi cracha presque son nom.) Ce vieux dégoûtant ne sait plus rien faire que pleurer sur ses péchés et m'implorer de lui dire comment échapper à une damnation qu'il mérite pourtant amplement.

Un frisson me parcourut de la tête aux pieds. Même déformé par la haine, le visage du prêtre restait celui d'un ange – mais un ange aux noirs desseins, comprenais-je à présent.

— Que lui avez-vous dit ? insistai-je. Qu'il pouvait être sauvé en condamnant le peuple juif à une mort certaine ?

— La volonté de Dieu s'est révélée en moi ! s'écria Morozzi. Je suis Son messager. Les assassins du Christ doivent mourir pour ce qu'ils ont fait à notre Seigneur !

David en avait entendu assez. Il se rua sur le prêtre qui recula d'un bond, juste à temps pour éviter d'être agrippé à travers la herse.

— Dieu me protège ! cria Morozzi. J'accomplis Sa mission divine ! Ah ! ah ! ah !

Avez-vous remarqué comment ceux qui tuent par milliers ne manquent jamais de se réclamer de la faveur divine, tandis que ceux qui tuent à une échelle bien plus modeste (comme moi, par exemple) savent dans leur cœur que Dieu pleure pour leurs péchés ?

Mais ce genre de fardeau n'était pas pour Morozzi. Il s'enfuit précipitamment, sans doute pour prévenir la garde, nous abandonnant aux supplices que nous n'allions pas tarder à subir.

17

L'horreur absolue de ce qui nous attendait au retour de Morozzi arracha le voile de stupeur qui m'avait enveloppée jusqu'alors, et me poussa à agir.

— Vite ! m'écriai-je, l'écho de ma voix résonnant faiblement contre les murs de pierre. Il faut trouver le moyen de sortir d'ici.

Par miracle, David avait déjà un plan.

— Allons chacun d'un côté, lança-t-il.

Je pris le temps de remercier Dieu de m'être retrouvée dans ce traquenard avec un homme capable de garder la tête froide. Nous nous ruâmes dans des directions opposées, tâtonnant dans le noir le long des murs de cette pièce sans fenêtres. Mes mains froides glissaient. Morozzi serait de retour dans quelques minutes, accompagné de renforts. Ces derniers témoigneraient de notre présence dans le *castel* déguisés en moines, et le prêtre brandirait mon médaillon contenant le losange empoisonné. Rien de ce que nous (ou Borgia) pourrions dire n'expliquerait cela.

J'espérais trouver une porte, un passage, n'importe quoi qui puisse nous aider, mais j'arrivais déjà à un angle du mur et n'avais tâté que de la pierre. Je persévérai.

— Je crois savoir où l'on se trouve, lança David dans le noir.

Je fus heureuse d'entendre sa voix, qui paraissait totalement calme – la mienne trembla légèrement lorsque je parlai.

— Où ?

— C'est la pièce où ils font descendre les prisonniers dans les cellules. Je viens de trébucher sur l'une des trappes au sol.

Il y avait donc bien une issue, mais qui nous ensevelirait – exactement comme Morozzi l'avait prévu.

— Il doit bien y avoir une autre porte, insistai-je. Un moyen d'atteindre les pièces situées au-delà de celle-ci.

— Effectivement, il pourrait y avoir d'autres passages, répliqua David. Cette forteresse est un véritable labyrinthe. Elle a été construite et reconstruite pendant des siècles. Certaines pièces ont dû être scellées, des murs déplacés, des planchers entiers abaissés ou relevés. Cela m'étonnerait qu'elle ait livré tous ses secrets à quiconque.

J'avais bien peur qu'il n'ait raison. Il faudrait vivre là pendant des années et avoir la possibilité de l'explorer tout à loisir pour en connaître les moindres coins et recoins.

À cet instant, une sombre pensée s'abattit sur moi : on n'allait pas s'en sortir. Je tentai bien de la repousser mais elle s'accrochait sans pitié, me forçant à affronter une réalité qui ne saurait être niée davantage. Si je ne remettais pas en question le courage de David, ni le mien d'ailleurs, je pressentais que lui comme moi finirions par parler sous la torture. Car assurément, je serais incapable de résister au genre de supplices auxquels j'avais assisté dans la chambre de torture de Borgia.

Et quand je parlerais (non pas « si », mais « quand »), les juifs de Rome seraient condamnés. Sofia, Benjamin et tous les autres mourraient. La terrible vérité était que Morozzi avait raison. Lorsqu'il aurait prouvé qu'un complot pour tuer Innocent existait bel et bien, la ville entière se soulèverait contre le ghetto et ses habitants. Et cela ne s'arrêterait pas là. Édit ou pas, les juifs subiraient des attaques à travers toute la chrétienté.

Comprenez-moi bien, je tiens à ma propre vie autant qu'à celle d'autrui. Dans l'angoisse qui m'avait submergée après le meurtre de mon père, j'étais prête à tout pour le venger ; mais d'une certaine manière c'était un acte égoïste, guidé par une pulsion. Cette situation-ci était différente. Si les juifs mouraient, en quoi cela m'importait-t-il ? Ils étaient, pour la plupart, des anonymes à qui je ne me sentais aucunement liée. Ou bien si ?

Je cessai mes tâtonnements le long du mur, et laissai retomber mes mains. Soigneusement, ainsi qu'il convenait de le faire en pareille situation où mon âme était en jeu, je contemplai les solutions qui s'offraient à moi. Le suicide est un péché mortel, nous dit la sainte Église. Tout ce qui advient dans notre vie arrive par la volonté de Dieu, et donc l'acte suicidaire place l'homme au-dessus du divin. Voilà pourquoi cette violation de la nature en fait l'offense suprême contre Dieu.

Bien trop distinctement, l'atroce vision du septième cercle de l'Enfer de Dante me revint en mémoire, là où les suicidés sont transformés en arbres épineux et noueux. Leur châtiment consiste à se faire arracher continuellement feuilles et branches par les harpies, ces esprits ailés de la dévastation. Leur péché est si impardonnable que parmi tous les morts qui peuplent l'Enfer, seuls eux ne seront pas ressuscités le jour du Jugement Dernier.

Mais pourtant… Et si la décision de s'ôter la vie n'était pas purement égoïste ? Si par cet acte des milliers d'individus, voire davantage, pouvaient être sauvés ? Assurément, sur la balance divine, le poids d'une seule vie ne compterait pas en comparaison de tant d'âmes épargnées ?

Dans le puits sans fond de ma peine, je vis une petite lumière s'allumer. Dans un souffle, je demandai à David :

— Aurais-tu un couteau sur toi ?

Il faisait si sombre dans la pièce que je devinais à peine sa silhouette près de moi, mais je l'entendis distinctement.

— Tu as trouvé quelque chose ?

— Non.

Un seul mot, rien d'autre. C'était un homme intelligent ; il connaissait la situation aussi bien que moi. Et je lui faisais confiance pour comprendre ma décision.

Un instant de silence, puis j'entendis sa réponse.

— J'ai un couteau sur moi, oui.

Ma poitrine était sur le point d'exploser. Je croisai fermement les bras pour tenter de stopper le tremblement qui me saisit tout à coup. Le poison dans le losange était loin d'être une mort agréable, mais au moins le sang n'aurait pas coulé.

— Nous avons très peu de temps, fis-je.

De nouveau le silence, puis David demanda :

— As-tu jamais entendu parler de Massada ?

Je songeai qu'il essayait de me distraire, et lui en fus reconnaissante.

— Est-ce en Lombardie ?

Il éclata de rire, vraiment, avant de m'éclairer.

— C'était un fort au sommet d'une colline, en Terre Sainte. Un groupe de rebelles juifs s'en est emparé et a résisté à l'envahisseur romain pendant des années. Au moment où le général qu'on avait envoyé pour les écraser allait prendre la place, ils se sont suicidés.

— Comment ça, tous ensemble ?

Le suicide n'était-il pas également un péché mortel chez les juifs ? Il y avait tant de choses que je ne savais pas à leur propos.

— Tous ensemble, répéta David. Les hommes ont tiré à la courte paille. Ceux qui ont perdu ont tué tous les autres, femmes et enfants compris. À la fin, il n'en restait plus qu'un, qui s'est ôté la vie.

Mon cœur battait douloureusement contre mes côtes meurtries. Je n'osais imaginer ce que cela avait dû être pour ces hommes de tuer un à un les gens qu'ils aimaient. Les enfants avaient-ils eu peur, avaient-ils crié ? Ou bien leurs mères les avaient-elles bercés pour qu'ils s'endorment une dernière fois, avant de tourner leur propre gorge vers le couteau ? Et qu'en était-il du dernier ? Combien de temps était-il resté sur cette colline silencieuse, parmi les morts, avant d'en finir avec l'épouvantable cauchemar qu'était devenue sa vie ?

Que Dieu lui accorde Son pardon, et qu'il repose dans la paix de notre Seigneur.

— Veux-tu tirer à la courte paille ? lui demandai-je, avec, je l'admets, une vive appréhension en songeant à ce que j'aurais à faire s'il acceptait et que je perdais.

Sans hésiter, David m'enlaça. Avec la même évidence, je lui rendis son étreinte. Nous étions deux êtres humains dans le noir, au bord de l'abîme, se donnant l'un à l'autre le peu de réconfort que l'on pouvait.

— Non, Francesca, répondit-il dans un souffle, ça ira.

Peut-être suis-je lâche, finalement, car un soulagement immense m'envahit. Soulagement, mais aussi gratitude envers cet homme bon qui était prêt à prendre un tel fardeau sur lui.

Quand bien même, je ne pus m'empêcher de dire :

— Donne-moi un instant.

Pour quoi faire, prier ? Essayer de marchander avec Dieu ? Au contraire, me répandre en injures contre Lui ? Je n'en suis pas certaine, mais je crois bien que je tentai de faire les trois en même temps.

Et je n'en avais pas terminé, lorsqu'une voix au-dessus de nous s'écria :

— Ah, enfin ! Je vous ai cherché partout.

Traitez-moi de sotte si vous le souhaitez mais pendant le plus bref des instants, là, dans l'obscurité et sur le point de mourir, j'étais tellement à bout de nerfs que je crus avoir entendu le Tout-Puissant, et Il ne ressemblait en rien à ce que l'on m'avait appris. Loin d'être ce créateur omniscient devant lequel nous devions trembler et nous prosterner d'adoration, Il m'évoquait plutôt le berger aimant, quoiqu'un peu exaspéré, parti à la recherche de ses brebis égarées – c'est-à-dire nous.

Manifestement je me trompais, je le savais. Et en même temps, je ne savais rien de tout cela. Car une idée persistait, dans mon esprit : assurément, le Dieu qui a créé le Paradis et la Terre est capable de parler à travers la bouche d'un homme ? Sinon, comment s'y prendrait-Il pour parler aux hommes ? Ou plus précisément, en l'occurrence, à une femme ?

Je levai les yeux, stupéfaite. Un carré de lumière perçait l'obscurité, révélant une brèche dans le mur, tout près du plafond. Et dans ce halo de lumière, nous scrutant du regard, je vis un visage familier.

— Vittoro ! m'exclamai-je. Mais comment… ?

Une corde tomba directement devant nous.

— Plus tard, Donna. Pour l'instant, on doit sortir de là.

David me saisit par la taille et me souleva. J'attrapai la corde et, faisant mes prières, montai du mieux que je pus. Mon cœur s'emballa douloureusement et les bras m'en brûlèrent, mais finalement, après ce qui me parut être un temps interminable (alors qu'à peine quelques minutes avaient dû s'écouler), je passai la tête dans l'embrasure. Vittoro me hissa promptement dans un passage creusé dans la pierre, au plafond si bas qu'il fallait ramper.

En un éclair, David suivit. Nous nous pressâmes ensemble autour de l'étroite ouverture. Vittoro s'empara de la lampe qu'il avait apportée avec lui et désigna d'un geste l'obscurité derrière lui.

— Ce chemin mène aux remparts. Vous serez sortis d'ici en un rien de temps.

En dessous, j'entendis la herse se relever. Morozzi était revenu avec la garde.

— Apportez d'autres torches ! cria le prêtre, puis : « Où sont-ils ? *Mais où sont-ils !* »

Pliés en deux quasiment, nous décampâmes aussi prestement et silencieusement que possible à la suite de Vittoro, qui se mouvait avec une rapidité étonnante pour son âge. Je me cognai à plusieurs reprises contre la pierre, et bien trop rapidement genoux et coudes commencèrent à m'élancer. Je n'osais imaginer combien cela devait être pénible pour David (qui était plus grand encore que Vittoro), mais le rythme régulier de sa respiration, tout près de moi, me rassura sur le fait qu'il s'en sortait bien. Ma robe de moine ne cessait de s'enrouler autour de mes jambes, entravant ma progression ; puis le passage se mit à monter, et la progression fut encore plus difficile.

Lorsque nous fûmes suffisamment loin de notre cachot pour parler sereinement, je repris mon souffle et demandai :

— Où est-on ?

Vittoro répondit par-dessus son épaule :

— À l'intérieur de l'une des cheminées d'aération qui courent tout le long du *castel*. Les anciens qui ont construit cet édifice n'étaient pas des sots. Ils ont bien vu que les Romains étaient nombreux à vouloir se recueillir devant la tombe de l'ancien empereur. Sans aération, ils n'auraient pas pu allumer de torches, et encore moins respirer. Ils ont donc trouvé la parade avec ces conduits.

Je songeai aux pièces sans fenêtres que nous avions traversées et acquiesçai.

— Comment nous avez-vous trouvés ? demanda David derrière moi.

À la lumière vacillante, je vis Vittoro esquisser un sourire.

— J'avais une idée assez précise de ce que vous aviez l'intention de faire, et je me suis dit que j'allais garder un œil sur vous au cas où votre « ami », là-bas, s'avérerait être un problème.

Je remerciai Dieu qu'il l'ait fait mais, tout de même, j'étais stupéfaite.

— Je ne comprends pas. Comment as-tu même su où chercher ?

— J'ai servi ici pendant dix ans, et la plupart du temps c'était d'un ennui mortel. Pour ne pas devenir fou, je me suis amusé à explorer les moindres recoins de la forteresse et à découvrir tout ce que je pouvais sur son histoire. Il n'y avait que quelques pièces où Morozzi pouvait vous emmener sans éveiller vos soupçons, si son intention était bien de vous piéger. Alors, j'ai cherché jusqu'à ce que je vous trouve.

Avec quelle aisance minimisait-il l'exploit qu'il avait accompli en nous sauvant la vie ! J'étais sur le point de le lui dire lorsque nous arrivâmes à hauteur d'une meurtrière. Soudain, je me retrouvai à contempler la ville : je distinguais clairement la basilique en ruine, ainsi que le fleuve tout proche, dont les méandres allaient se perdre dans l'obscurité.

— Quelqu'un d'autre est-il au courant pour ici ? demanda David.

Je voyais où il voulait en venir. Morozzi avait sonné l'alarme ; si les gardes connaissaient la cheminée d'aération, nous serions de nouveau piégés.

— Ils sont fichtrement peu, répliqua Vittoro. La plupart des gars n'étaient pas curieux comme moi. Mais si quelqu'un sait quelque chose, il ne dira jamais rien à ce prêtre fou, de toute façon.

David n'avait pas l'air convaincu :

— Et pourquoi pas ?

Le capitaine lui fit un grand sourire.

— Parce qu'ils veulent que Borgia soit le prochain pape, voilà pourquoi. Ils savent qu'il prendra soin d'eux, bien mieux que les autres cardinaux.

— Borgia ne peut pas être pape, l'interrompis-je. Plus maintenant. Morozzi va semer le doute en l'accusant de nous avoir envoyés tuer Innocent. Toutes les richesses qu'il aura réussi à accumuler ne pourront rien contre ça.

— Morozzi ne dira pas un mot, rétorqua Vittoro. Oh, bien sûr, il en aura envie, mais il comprendra qu'avec vous envolés, il n'a aucune preuve.

J'étais en train de me dire qu'il avait peut-être raison, après tout, lorsque David intervint :

— C'est bien beau tout cela, mais qu'en est-il de mon peuple si Innocent vit suffisamment longtemps pour publier l'édit ?

Il me regarda intensément. À présent que je savais que c'était Morozzi, et non Innocent, qui avait ordonné l'assassinat de mon père, David pouvait être pardonné de douter de ma motivation à finir ce que nous avions commencé. Mais en cela il se trompait. De fait, entre le moment où j'étais entrée pour la première fois dans le ghetto et celui où j'en étais sortie avec la fiole du sang de Rébecca, les juifs étaient devenus des êtres humains, pour moi. Ce sentiment nouveau ne diminuait en rien ma soif de vengeance, mais avait engendré en parallèle une féroce envie d'accomplir la mission pour laquelle mon père avait donné sa vie et, ce faisant, de priver Morozzi de la victoire.

Empoignant le bras de Vittoro, je m'exclamai :

— On ne peut pas partir, pas encore. On doit finir ce pour quoi on est venus ici au départ.

Vittoro me regarda comme une démente.

— Je ne peux pas vous mener à Innocent, encore moins maintenant. Morozzi se taira peut-être, mais on peut être sûrs qu'il va s'assurer de la sécurité du pape.

— Soit, mais il pense m'avoir dérobé le moyen par lequel je projetais de tuer Innocent. (J'expliquai brièvement à Vittoro l'histoire du médaillon.) Il croit nous avoir désarmés, mais il se trompe.

— Par le diable, mais comment ? lança Vittoro impérieusement.

Plongeant la main sous ma robe, j'extirpai la fiole d'une petite bourse matelassée. Vittoro l'examina pendant que j'expliquai :

— Car j'ai toujours le moyen de tuer Innocent, et je n'ai pas besoin de m'approcher de lui. Il me suffit de trouver l'endroit où l'on garde prisonniers les garçons que l'on saigne pour lui.

Le capitaine prit une profonde inspiration, puis souffla lentement. Je vis l'incertitude se peindre sur son visage. Il savait bien que la sagesse lui dictait de nous faire sortir du *castel* le plus vite possible. Innocent allait mourir de toute façon, probablement sous peu, et Borgia aurait enfin l'occasion de devenir pape.

Mais rien de tout cela n'aurait lieu à temps pour empêcher la destruction du peuple juif. À présent, plus que jamais, ce fou de Morozzi serait déterminé à faire en sorte que l'édit soit publié dans les plus brefs délais.

— Le Cardinal…, commença Vittoro.

— Est-ce lui qui t'a envoyé ici ? l'interrompis-je, soucieuse de le stopper avant qu'il ne dise ce que je craignais d'entendre.

C'était l'homme de Borgia, il me l'avait fait assez clairement comprendre. Mais cela signifiait-il qu'il allait faire passer les intérêts d'Il Cardinale avant tous les autres en cet instant crucial ?

— Non, répliqua Vittoro. Il ne sait rien de tout cela.

Haussant les épaules, il ajouta :

— J'ai repensé à ce que vous aviez dit, qu'il ne voudrait pas savoir. Et j'ai décidé que vous aviez raison.

Dieu soit loué. Peut-être nous restait-il une chance, en fin de compte.

— Je peux le faire, Vittoro. Sincèrement. La méthode n'est pas infaillible, mais elle a de bonnes chances de fonctionner. Je n'ai même pas besoin de beaucoup de temps.

Cette dernière assertion n'était pas nécessairement vraie. Si je trouvais ce que je cherchais tout de suite, très bien ; mais sinon…

— Faites sortir Francesca, intervint David. Expliquez-moi en gros comment trouver les appartements du pape ; je m'occupe du reste.

Je n'eus pas le temps d'émettre une objection que Vittoro secouait déjà la tête.

— Tu n'arriveras jamais à trouver ton chemin. Même les rats se perdent, ici. (Il soupira lourdement.) De toute façon, si Morozzi obtient ce qu'il veut, il ne s'en tiendra pas aux juifs. Ce genre d'homme ne s'arrête jamais. Il ne sera satisfait que le jour où nous serons tous sous sa botte.

— Dommage que la plupart des gens ne s'en rendent pas compte, répliqua David sèchement.

— La plupart des gens ne feraient pas la différence entre leur cul et leur coude, répliqua Vittoro.

Il se tourna tout de suite vers moi et ajouta :

— Pardonnez-moi, Donna, je ne suis qu'un vieux soldat qui a son franc-parler.

Je lui serrai la main, sentant mes yeux s'embuer de larmes.

— Ne t'excuse pas, Vittoro, et pour l'amour du ciel, arrête de me vouvoyer et de m'appeler Donna. Je suis autant une dame que toi.

Les deux hommes éclatèrent de rire, davantage pour relâcher la pression que pour mon trait d'esprit, à l'évidence. C'est ainsi que la question fut tranchée.

Nous reprîmes notre cheminement dans le conduit, qui montait abruptement tout en épousant les courbes du *castel*. Par deux autres fois nous passâmes devant une meurtrière, d'où j'eus un aperçu de la ville endormie en dessous. Enfin, la cheminée d'aération se termina par une large ouverture au-dessus de nos têtes, d'où je voyais seulement le ciel étoilé.

— Où sommes-nous ? demandai-je tandis que Vittoro se hissait à l'air libre. David suivit, puis m'aida à monter sur ce qui s'avéra être, à ma grande surprise, le toit du château Saint-Ange. Nous nous trouvions au pied du Commandant des Armées de Dieu, le saint patron des guerriers, celui que le prophète Daniel avait qualifié de « grand prince qui saura défendre les juifs lorsque viendra le temps du malheur », comme je l'ai appris depuis. Au-dessus de nous, l'archange Michel se dressait dans toute sa majesté, un regard déterminé durcissant son beau visage. Et en dessous…

Par chance je ne suis pas en proie au vertige, mais mon sens de l'équilibre fut mis à rude épreuve cette nuit-là. David ne semblait guère à l'aise non plus de devoir traverser le toit au pas de course. Ensuite, nous redescendîmes par une autre cheminée qui nous mena au quatrième et dernier étage de la forteresse. Là, nous tombâmes sur un étroit corridor aux murs ornés de fresques écaillées représentant des scènes de campagne ensoleillées, peuplées d'hommes et de femmes aux yeux limpides qui nous observaient d'un air de curiosité muette, à travers le temps. Enfin, nous arrivâmes devant une petite porte à panneaux.

Vittoro mit son oreille tout contre, et écouta attentivement. Au bout d'un moment, il se redressa et nous fit un signe de tête.

— De l'autre côté se trouve un couloir qui mène aux appartements du pape. Si Morozzi n'y est pas encore, cela ne saurait tarder, mais d'abord il aura envoyé quelqu'un chercher l'édit.

— Comment cela, « envoyé chercher » ? demandai-je.

— Il n'est pas ici, expliqua Vittoro. Il est resté au Vatican. Borgia a obtenu qu'il soit conservé à la curie, mais Morozzi voudra le rapporter sans plus tarder, vu les menaces qui pèsent sur le pape. Il prétendra que l'ordre vient d'Innocent lui-même, et tentera de le lui faire signer séance tenante.

— Mais il doit d'abord l'apporter ici, ajouta David, qui comme moi était en train de saisir.

— Donc, nous avons un peu de temps, mais pas beaucoup, en conclus-je.

Vittoro acquiesça d'un signe de tête.

— Borgia a laissé des instructions pour que l'on n'emporte l'édit nulle part sans sa permission, mais lorsque le jour se lèvera…

Il laissa la fin de sa phrase en suspens, mais une lueur d'espoir s'éveilla tout de même en moi. Le Vatican n'a rien à envier aux autres administrations de par le monde. Morozzi aurait beau faire toutes sortes de demandes impérieuses au nom du pape, il y avait tout de même une procédure à respecter. Un responsable devrait être réveillé en pleine nuit, et la situation lui être expliquée. À son tour, cet individu devrait faire prévenir Borgia, qu'il s'agirait ensuite de trouver. J'étais prête à parier qu'il aurait eu l'idée d'aller passer la nuit dans le lit de la belle Giulia. Une fois localisé, il s'agirait pour lui de revêtir une tenue décente : Il Cardinale veillait toujours à être le plus digne possible lorsqu'il se rendait quelque part. Le temps que tout cela se fasse, on l'aurait averti de ma disparition ainsi que de celle de Vittoro. Il en conclurait qu'il se passait quelque chose, et manœuvrerait avec prudence – ce qui signifiait invariablement avec lenteur.

Cela ne voulait pas dire, en revanche, que nous pouvions nous permettre de faire de même.

— Sais-tu où l'on a enfermé les garçons ? demandai-je.

— Dans une chambre à l'autre bout du couloir par rapport aux appartements du pape. Innocent fait le délicat : il n'aime pas les savoir trop près de lui, mais veut quand même les avoir sous la main.

— À ton avis, un médecin se trouvera-t-il avec eux ? demanda David.

Vittoro hocha la tête.

— D'après ce que les gars m'ont dit, c'est l'heure où on les saigne.

— Pourquoi si tard ? m'enquis-je.

— Innocent craint la nuit, répliqua Vittoro avec un haussement d'épaules. Il agit comme si c'était le jour.

Nous ouvrîmes la porte et avançâmes furtivement dans le couloir. David passa en premier, et je le suivis. Vittoro resta en arrière pour jouer le rôle qui lui était dévolu dans le plan que nous venions d'élaborer à la hâte. Ce n'en était pas vraiment un, mais nous avions fait au mieux avec les éléments dont nous disposions.

Nous n'avions parcouru que quelques mètres lorsque brusquement je m'arrêtai et agrippai la cape de David.

— Tu as entendu ? murmurai-je.

Il commença par secouer la tête, mais se mit à écouter et au bout d'un moment, acquiesça sinistrement.

— Nous sommes proches.

Nous venions d'entendre un enfant gémir, et la faible plainte me déchira le cœur. Je tentai de m'armer de courage pour la scène que nous allions trouver, mais en vain. Pour une raison qui dépassait l'entendement, j'eus soudain le sentiment d'être emmurée derrière le mur de mon cauchemar, en train de regarder l'horreur par un petit trou.

Le gémissement se fit plus présent. Ma respiration devenait laborieuse, mais j'emboîtai le pas à David. Au bout du couloir, nous nous immobilisâmes devant une porte fermée : la complainte venait clairement de l'autre côté. Je pris une profonde respiration. David en fit de même et tourna la poignée en douceur.

La chambre sans fenêtres, éclairée seulement par des lampes logées dans le mur, contenait pour tout mobilier quatre lits étroits, une table et plusieurs tabourets. Les lits étaient occupés par des petits garçons d'environ huit ou neuf ans. Trois d'entre eux étaient recroquevillés sous leurs couvertures, mais à en juger par la raideur de leur corps, ils ne dormaient pas. Le quatrième, maigre et pâle sous sa tignasse brune, était réveillé. Il avait à peu près le même âge que les autres, et des yeux remplis d'horreur. Allongé sur le dos, le garçonnet avait le bras gauche tendu au-dessus d'une jatte dans lequel son sang coulait goutte à goutte d'une profonde incision. D'autres plaies, non encore cicatrisées, étaient pleinement visibles sur toute la longueur de son bras.

Un médecin en robe de velours pourpre et toque brodée s'affairait auprès de lui. Il ignora les geignements de l'enfant et opéra une pression sur son bras fluet pour que le sang coule plus rapidement. Je détournai le regard, sentant un haut-le-cœur monter. Le dos appuyé contre le mur, je fermai les yeux et luttai pour me calmer. Il n'y avait rien que nous puissions faire pour aider ce garçon, absolument rien. Seule la mort d'Innocent le sauverait, lui et les autres.

Lorsque je rouvris les yeux, le médecin en avait terminé avec la saignée et était en train de transférer le sang dans une jatte sur la table, à côté du au lit. Laissé sans surveillance, l'enfant continuait à saigner. Il gémit de nouveau, et je dus mettre mon poing dans la bouche pour m'empêcher de hurler.

David me serra l'épaule, inclina la tête de côté en silence pour me rappeler de rester en arrière, et s'avança auprès du médecin. Sa tenue de frère dominicain le couvrait entièrement : ses bras pliés étaient dissimulés dans les manches de sa robe, son visage complètement caché par le capuchon. Il prit garde de pencher la tête en signe de déférence et de parler d'une voix douce.

— *Signore dottore*, dit-il, le père Morozzi m'envoie vous chercher.

L'homme leva les yeux, fixa David un instant puis fronça les sourcils.

— Il sait que je suis occupé.

— Bien sûr, signore, mais il dit que c'est urgent. Si vous aviez l'obligeance de venir avec moi, je suis sûr que cela ne prendrait que quelques minutes.

Le médecin hésita. L'idée de contrarier Morozzi semblait le déranger, tout autant que d'interrompre sa tâche.

— Le traitement du Saint-Père n'est pas prêt. Je ne peux partir…

— Mon frère dans le Christ le surveillera pour vous, lui dit David en s'écartant pour me montrer.

J'imitai David en gardant tête penchée et mains dissimulées, car je savais pertinemment que leur simple vue trahirait mon sexe.

L'espace d'un instant, je crus que le médecin allait refuser, mais il finit par secouer la tête en signe d'exaspération et s'écarta du lit. « Ne touchez à rien » me dit-il en passant. En quittant la pièce, David me lança un bref regard, destiné à me rappeler que j'avais très peu de temps devant moi.

À peine les deux hommes sortis, j'entrai en action en m'approchant du lit. L'enfant que l'on venait de saigner me fixa attentivement. J'approchai un doigt de mes lèvres en priant pour qu'il garde le silence, et sortis prestement la fiole de sang de sous ma robe. Ses camarades d'infortune ne bougeaient pas du tout ; ils étaient certainement trop terrifiés ou affaiblis pour se rendre compte de ce qu'il se passait.

Il fallait encore que je trouve comment me débarrasser du sang déjà présent dans la jatte. L'odeur de cuivre qui s'en dégageait me donna la nausée. Je retins ma respiration, pris le bol à pleines mains et regardai désespérément autour de moi. Du coin de l'œil, je vis le garçonnet bouger. Il leva l'autre bras, lui aussi couvert de traces d'incisions, et m'invita de son doigt à regarder sous le lit.

Je fonçai tête baissée en faisant bien attention à la fiole, et extirpai le pot à pisse. Avec un soupir de soulagement, je versai le sang dedans et remisai le pot sans ménagement où je l'avais trouvé. Je secouai ensuite la fiole plusieurs fois comme Sofia me l'avait recommandé, afin que le sang se mélange de nouveau : il avait commencé à se séparer en un sérum fluide et jaunâtre au-dessus et un liquide rouge plus épais (solide, presque) au-dessous. Je vérifiai bien et versai tout de suite le contenu de la fiole dans la jatte, que je reposai sur la table à l'endroit exact où elle se trouvait au départ.

Pendant tout ce temps, le petit garçon me regarda faire en silence. À peine en avais-je terminé que j'entendai la voix de Vittoro dans le couloir, où il avait attendu pour intercepter David et le médecin.

— Mille excuses, *dottore*, était-il en train de dire. Le père Morozzi a dû partir subitement, mais je suis certain qu'il voudra vous parler dès son retour.

— Quelle barbe de me faire ainsi perdre mon temps, se plaignit le médecin. Il sait pourtant bien que je ne peux pas être partout à la fois. Et le Saint-Père qui attend !

En arrivant dans la chambre, il me surprit en train de mettre un bandage sur le bras du garçon. Je n'aurais pas dû, assurément. Non vraiment, je ne peux expliquer cet acte, mis à part que ce n'était qu'un enfant, terrifié et souffrant. Pour sûr vous auriez fait la même chose à ma place.

— Mais qu'est-ce que vous faites ? s'écria le docteur. Je vous avais dit de ne toucher à rien.

David s'avança promptement.

— Frère... Francis voulait bien faire, *dottore*. Avant, il s'occupait de... chevaux. Je suis sûr qu'il ne cherchait pas à mal, n'est-ce pas, frère Francis ?

Je hochai la tête en silence, tout en priant ardemment pour que le *dottore* et les gens de son espèce finissent dans le septième cercle de l'Enfer. Je pris grand plaisir à l'imaginer plongé dans le fleuve de sang bouillonnant que l'on nomme le Phlégéthon, où j'espérai de tout cœur qu'il passe l'éternité.

— Nous allons vous laisser, fit Vittoro. De nouveau, toutes nos excuses, *dottore*.

Le médecin continuait encore à maugréer que nous avions déjà remonté le couloir.

— As-tu réussi ? demanda David en chemin.

Je lui assurai que oui et nous repartîmes d'où l'on venait, dans l'étroit corridor, puis dans la cheminée menant au toit, que nous retraversâmes dans l'autre sens pour nous engouffrer dans un autre passage débouchant sur une seconde cour, à l'étage de la garnison. Le temps que nous arrivions là, je comprenais parfaitement ce que Vittoro voulait dire en affirmant que même les rats devaient se perdre dans le *castel*. J'étais totalement désorientée et n'aurais eu aucune idée de la direction à prendre si le capitaine n'avait été là pour nous guider.

Soudain surgit une patrouille : une dizaine de gardes portant plastrons de cuirasse, casques à plumes et hallebardes. Ils avançaient au trot. Plus loin, nous entendions le martèlement d'autres bottes.

Nous nous précipitâmes vers un recoin obscur et attendîmes qu'elle passe. Mon cœur battait la chamade, malgré les protestations indignées de mes côtes. Si nous étions pris maintenant, Morozzi aurait plus d'éléments qu'il n'en fallait pour nous accuser. Quelqu'un finirait par lui dire que nous nous étions trouvés à proximité du sang destiné au pape. Les garçonnets seraient soumis à la question…

L'envie de vomir me monta à la gorge. J'implorai Dieu comme jamais auparavant mais cela ne convenait toujours pas, car mes prières consistaient essentiellement à mettre en garde le Seigneur sur le fait que s'Il permettait à une telle chose d'arriver, j'y verrais la preuve qu'Il était un imposteur, un charlatan ne méritant pas notre adoration. Ce qui n'est probablement pas la meilleure façon d'obtenir les faveurs du Tout-Puissant.

— Ils vont fermer toutes les issues, expliqua Vittoro lorsque la patrouille se fut éloignée. La seule chance de Morozzi à présent est de vous empêcher de sortir d'ici.

— Mais tu as déjà songé à cela, poursuivit David. N'est-ce pas ?

Le capitaine haussa les épaules.

— À dire vrai, j'étais plus intéressé par le fait de vous trouver. Pour le reste, je m'étais dit qu'on verrait plus tard.

— Il doit bien y avoir un endroit où nous cacher, suggérai-je prestement. Jusqu'à ce que le calme revienne. Ensuite, il nous suffira de nous éclipser discrètement.

— Il y en a même cent, répliqua Vittoro en secouant la tête, peut-être plus, mais vous risquez d'être pris dans chacun d'eux. Il serait plus sage de vous faire sortir maintenant. Je vais rester en arrière et semer la confusion autant que je le peux. Les gars ne m'en voudront pas. Comme je l'ai dit, ils sont du côté de Borgia.

— Le capitaine a raison, intervint David. En plus, si notre plan a fonctionné et qu'Innocent meure, le *castel* sera totalement verrouillé jusqu'à ce que tout le monde ait obtenu sa part du butin.

Je ne pouvais qu'approuver son analyse. Je me souvenais par trop de ce qui s'était passé à la mort de Sixte IV, huit ans auparavant. En compagnie de mon père et d'une grande partie de la maison de Borgia, j'avais été évacuée à la campagne pendant que le Cardinal livrait sa grande bataille (perdue d'avance) pour obtenir la papauté. Il y avait eu des émeutes dans les rues et des incendies dans toute la ville, et le chaos avait régné jusqu'à ce que le conclave élise enfin le candidat du compromis. Cela pouvait fort bien arriver de nouveau.

— Vous devez sortir d'ici, trancha Vittoro. (Il jeta un bref regard autour de lui et prit une décision.) Par ici.

Nous prîmes un escalier ; à peine avions-nous eu le temps de descendre quelques marches que nous devions nous arrêter net pour laisser passer une autre patrouille. Appuyée contre le mur, je retins mon souffle en voyant un jeune garde regarder par-dessus son épaule et froncer les sourcils, comme s'il avait vu ou entendu quelque chose. Il finit par continuer son chemin, et je pus enfin respirer, mais je n'avais plus aucun doute sur le fait que nous ne pouvions rester plus longtemps dans le *castel* sans finir par nous faire repérer.

Nous arrivâmes enfin dans une immense salle remplie de pots en argile maintenus droits par un cadre en bois, qui m'arrivaient à la taille : la réserve d'huile de la forteresse. Parvenu tout au bout, Vittoro s'arrêta devant l'entrée d'un autre conduit.

Au loin nous entendions des bruits de pas, entrecoupés d'ordres criés.

— C'est là que les choses se compliquent, annonça Vittoro.

Je n'avais guère envie d'entendre cela en ce moment précis, mais je le gardai pour moi et le laissai continuer.

— Cette cheminée a été creusée sur toute la longueur des murs du *castel*, et débouche juste au-dessus des douves. (Il nous regarda tous deux.) Vous savez nager ?

Je hochai la tête, David aussi. Tous deux étions moyennement enthousiastes à l'idée de devoir plonger dans les douves, qui seraient certainement aussi répugnantes en réalité que dans notre imagination.

— Ne risque-t-on pas d'être vus ? demanda David.

Vittoro fit non de la tête.

— À cet endroit-là il n'y a ni entrée ni passage, rien à part un mur plein. La procédure habituelle est de regrouper les hommes à la porte principale et de déployer des troupes plus petites sur les deux côtés où se trouvent des entrées cachées. C'est là qu'ils monteront la garde.

Tout en parlant, Vittoro déroula la corde dont il s'était servi pour nous sortir du guet-apens de Morozzi.

— L'autre raison pour laquelle ils ne se fatiguent pas à mettre quelqu'un de faction de ce côté-là de la forteresse, c'est que la cheminée a été creusée quasiment à la verticale. Le malheureux qui tomberait de cette hauteur se tuerait.

— Donc, on ne peut pas simplement se laisser glisser ? demanda David.

— Non, à moins que tu ne sois impatient à l'idée de rencontrer ton Créateur.

Il soupesa la corde, et nous en tendit une extrémité.

— Qui veut passer en premier ? fit-il en nous adressant un large sourire.

19

David défit le lien qui retenait sa cape noire, puis passa sa robe blanche de dominicain par-dessus sa tête. Sans regret, il abandonna les habits par terre.

— Ils m'alourdiraient inutilement dans l'eau, expliqua-t-il en voyant mon air de surprise – mais il avait mal interprété ma réaction. Je comprenais parfaitement la raison pour laquelle il avait ôté son accoutrement ; toutefois, s'il pensait qu'il allait passer en premier, il se trompait.

— On ne sait pas quelle largeur fait ce boyau, n'est-ce pas ? fis-je remarquer. Je suis plus à même d'y arriver que toi, et une fois dedans je pourrai évaluer tes chances de passer. Dans le cas contraire tu pourrais fort bien rester coincé, sans moyen de t'en sortir.

— Elle n'a pas tort, confirma Vittoro à contrecœur. Il m'est arrivé d'y lancer une corde, mais je n'y suis jamais descendu moi-même. Je ne saurais dire avec précision la largeur qu'il fait.

— C'est trop dangereux, insista David. Elle se retrouverait seule dans l'eau.

— Tout ira bien pour moi, fis-je.

Sans leur donner le temps d'approuver, j'enlevai ma propre robe et, pour faire bonne mesure, ma robe du dessus. Vittoro avait fait une boucle à une extrémité de la corde. Je m'en saisis et la passai par la tête, puis l'ajustai sous mes aisselles.

Jetant un œil dans le conduit sombre, je respirai un grand coup.

— Je suis prête.

À la vérité je ne l'étais pas, bien sûr, mais comment se préparer à pareille chose ? Il était bien plus simple d'en finir au plus vite. Suivant les instructions de Vittoro, je m'assis au bord de l'ouverture.

— Prends ton temps pour descendre, expliqua-t-il. Je donnerai du mou à intervalles réguliers. Si la corde serre trop, tu peux appuyer tes jambes et tes bras contre les parois, cela te soulagera un peu. S'il y a un problème, tu tires sur la corde et je te remonte.

Je hochai la tête comme si je comprenais, alors qu'en fait je ne savais qu'une chose : je m'apprêtais à pénétrer dans un trou noir et humide qui, si je survivais à la descente, m'éjecterait dans d'ignobles douves. Au dernier moment, juste avant d'empoigner la corde, je levai les yeux vers David et lui dis :

— Quand tu seras dans l'eau, quoi qu'il arrive, fais en sorte de ne pas en avaler. Si tu te retrouves sous la surface, bloque ta respiration. On sait que les eaux stagnantes causent la dysenterie, mais pour sûr, ce qui macère là nous tuera.

— Dommage qu'on n'ait pas pu en donner à boire à Innocent, ironisa-t-il d'une voix tendue.

Vittoro se tenait prêt. L'inquiétude se lisait dans ses yeux, et je fis l'effort de lui sourire.

— Ne t'inquiète pas, tout se passera bien. Tu ne nous as pas arrachés des griffes de Morozzi pour que je me noie dans quelques centimètres d'eau croupie.

— Je prie pour qu'il en soit ainsi, répondit-il d'une voix bourrue.

Je tendis le bras et lui serrai la main.

— Mon père te considérait comme un ami. Maintenant, je comprends pourquoi.

— Giovanni serait fier de toi, rétorqua Vittoro. N'importe quel père le serait.

J'en eus le cœur serré. Je hochai la tête, une fois, puis pris la plus grande inspiration possible. Mettant mon sort entre les mains de Dieu, de saint Michel et, par-dessus tout, du brave soldat qui n'avait pas hésité à pénétrer dans l'antre du lion pour sauver une pécheresse, je descendis dans la cheminée. Instantanément, il commença à faire moite. De très loin en dessous, l'odeur âcre d'excréments, ordures, vase, carcasses d'animaux, et Dieu sait quoi d'autre qui tombait ou était jeté dans les douves me saisit. Ma gorge se contracta et je tentai d'oublier l'absence de terre ferme sous mes pieds, ainsi que les protestations de plus en plus vigoureuses de mes côtes, que je malmenais beaucoup ces derniers temps, décidément.

Bien trop vite, la lumière au-dessus de moi diminua au point de n'être plus qu'un minuscule carré, et je me retrouvai dans le noir total. Vittoro faisait glisser la corde très lentement. Craignant qu'il ne lui reste plus assez de forces pour faire descendre David après moi, je m'appuyai contre la paroi comme il me l'avait dit, et continuai péniblement ma descente. L'opération était éprouvante aussi bien mentalement (elle requérait beaucoup de minutie) que physiquement, car je ne cessais de me râper contre les pierres anguleuses, dans ces ténèbres qui m'avaient envahie de toutes parts. Je ne dirais pas qu'il m'est difficile de rester dans des espaces étroits (comme certaines personnes, ai-je entendu dire), mais ce genre d'environnement a tendance à m'évoquer mon cauchemar, ce dont je me serais volontiers passée en cet instant-là.

Je tentai de me reprendre en fermant les yeux. Derrière mes paupières closes je vis l'éclair de l'acier s'abattre sur moi, et pendant le plus bref des instants je crus sentir l'odeur du sang. Je rouvris les yeux aussitôt et découvris que je m'étais suffisamment habituée à l'obscurité pour distinguer les pierres rugueuses responsables de mes écorchures. En regardant attentivement, je parvins à mieux placer mains, genoux et pieds, et ainsi à me faire moins mal.

En constatant que le boyau était suffisamment large pour que David y passe, j'avais repris courage, même si je craignais toujours de rencontrer quelque obstacle avant d'en voir le bout. Mais au fur et à mesure que ma descente se poursuivait sans incident, je me dis que mes prières avaient été exaucées. Puis ce fut l'excitation lorsque je me rendis compte que j'apercevais une faible lueur sous moi, là où le conduit se finissait. J'étais en train de me préparer psychologiquement au moment où la corde me ferait descendre dans l'eau pestilentielle, lorsque tout à coup celle-ci s'arrêta net, stoppant ma descente. De très loin, j'entendis Vittoro pousser un juron.

Il me fallut quelques secondes pour comprendre ce qu'il se passait. La corde était trop courte : je n'irais pas plus loin. Si Vittoro me remontait dans la réserve à huile, tous ces efforts auraient été vains, et nous serions toujours pris au piège.

Je tentai de me caler tant bien que mal contre une paroi, et de déplacer mon poids sur mes pieds et genoux pour donner un peu de mou à la corde. Laborieusement, je la fis passer par-dessus ma tête. Pendant un instant, je la serrai dans mes deux mains. Je n'avais aucune idée de la distance qui me séparait des douves, ni de leur profondeur et si elle suffirait à amortir ma chute. Mais ce n'était pas comme si j'avais le choix, n'est-ce pas ?

Je pris la plus profonde inspiration possible, fermai fort les yeux et la bouche, et me laissai tomber.

Je crus que mon cœur allait s'arrêter de battre, mais ma chute ne dépassa probablement pas les trois mètres. Une fois dans l'eau, je coulai rapidement. Mes pieds touchèrent une surface d'une répugnante douceur, qui sembla vouloir m'entraîner. De toutes mes forces je nageai vers la surface, me frayant un passage à travers une épaisse couche de dépôt visqueux.

Une fois la tête hors de l'eau, je me secouai comme une démente pour en faire partir le plus possible, avant d'ouvrir les yeux et de reprendre mon souffle. La puanteur était accablante. Je me mis à nager vers la rive opposée, pour constater une fois rendue que le niveau de l'eau était bien plus bas que celle-ci. Pendant quelques secondes atroces, je crus être de nouveau prise au piège. Lorsque j'aperçus le reflet de barreaux en fer fichés dans la pierre, je faillis pousser un cri de soulagement.

Le temps que je me hisse tant bien que mal en haut de la petite échelle et que je m'effondre sur la rive herbeuse faisant face au *castel*, David s'était laissé tomber à son tour. J'attendis, osant à peine respirer, qu'il refasse surface, puis lui indiquai d'un geste les barreaux. Il me rejoignit (aussi dégoulinant de matière visqueuse et malodorante que moi) et nous nous mîmes à courir en direction des berges du fleuve.

— Le pont est gardé, dit David en se ruant. On ne pourra pas traverser à cet endroit.

Il avait raison, manifestement. Regardant désespérément autour de moi, je pointai soudain le doigt au loin.

— Le pont Sisto, à cinq cents mètres d'ici en amont, si on arrive à l'atteindre.

Et s'il n'était pas occupé par des condottieri, bien entendu.

Nous avançâmes aussi prudemment que possible, nous faufilant discrètement dans l'ombre des buissons qui parsemaient les berges. Le fleuve était à marée basse, ce qui ne faisait qu'accentuer la pestilence, mais Dieu merci mon nez était vite devenu complètement insensible. Nous nous enfoncions à chaque pas dans une boue qui ralentissait notre course. Par deux fois je trébuchai, et serais tombée si je n'avais été fermement rattrapée par David. À l'endroit où l'eau d'un égout construit dans l'Antiquité venait se déverser dans le fleuve, nous dérangeâmes une colonie de rats qui détalèrent tout autour de nous, leurs couinements aigus envahissant l'obscurité. Dans d'autres circonstances, la scène m'aurait glacée d'horreur. Mais après tous les événements de la nuit et l'immense danger qui planait toujours sur nous, je ne fis pas plus de cas des rongeurs que David et nous continuâmes notre course, les faisant fuir de plus belle, tels les flots d'une grande mer grise s'ouvrant devant nous.

— Nous devons prévenir Rocco, dis-je tout en courant.

Et, s'il vous plaît mon Dieu, faites que ce soit à temps.

Lorsque nous arrivâmes en vue du pont Sisto, David me prit le bras et me fit accroupir auprès de lui. Nous scrutâmes alors minutieusement les lieux, à la recherche d'un signe indiquant qu'ils étaient gardés. Le commandant du *castel* aurait pu envoyer des hommes sécuriser le pont, et ce serait même certainement le cas si Vittoro s'était trompé. Mais s'il avait raison, si parmi la garnison il y avait des sympathies pour Borgia…

— L'endroit est désert, confirma David.

Nous le traversâmes à la hâte, main dans la main. Au bout se dressait l'ancienne muraille de Rome, que l'on avait érigée pour protéger la cité des hordes de barbares. Elle avait si lamentablement échoué dans sa mission qu'on l'avait jugée indigne d'être reconstruite. Nous passâmes par ce qui aurait été autrefois l'une de ses portes, et pressâmes encore un peu plus le pas.

Quelques minutes après, nous débouchâmes sur le Campo dei Fiori. Plusieurs tavernes et bordels autour du marché étaient encore ouverts, mais mis à part cela tout était calme. Nous parvînmes à la rue des verriers, nous immobilisant de nouveau pour nous assurer qu'aucun garde n'avait été posté là.

Tout semblant normal, nous prîmes une petite ruelle qui nous mena à l'arrière de l'échoppe de Rocco. Je frappai discrètement à la porte et chuchotai :

— Rocco… C'est nous.

La porte s'ouvrit aussitôt à la volée. Le verrier était ébouriffé et semblait épuisé, mais également infiniment soulagé de nous voir. « Francesca ! » s'exclama-t-il tout en s'avançant pour me prendre dans ses bras – mais faisant brusquement un pas en arrière lorsqu'il se rendit compte que je puais.

— Où as-tu… Qu'est-ce que… ?

Un peu perdu, il finit par faire un pas de côté pour nous laisser passer.

Une fois la porte bien refermée derrière nous, Rocco alluma une lampe et prit le temps de nous observer longuement tous deux. Je n'ose imaginer le spectacle que l'on devait offrir, mais je ne me souviens que trop de notre odeur.

— On a dû plonger dans les douves du *castel*, expliquai-je. Mais peu importe. C'était un piège. Morozzi ne fait pas partie des nôtres :

c'est un fou qui veut faire tomber Borgia et tuer le peuple juif. On doit partir d'ici, tous les trois et maintenant.

Force est de le reconnaître, face à une telle demande Rocco n'hésita pas une seconde. Soufflant sur la lampe pour l'éteindre, il s'empara de sa cape et dit simplement :

— Allons-y.

— As-tu une idée d'un endroit où nous pourrions aller ? demanda David tandis que nous sortions précipitamment de l'échoppe et repartions dans la nuit.

— Je n'en vois qu'un seul, répliqua Rocco, et sans autre explication il partit au trot. David et moi suivîmes, l'allure à laquelle on allait nous laissant trop essoufflés pour poser de questions. Nous laissâmes le Campo derrière nous et nous glissâmes dans l'ombre du Panthéon, le seul monument antique à Rome qui, n'ayant pas subi de déprédations, vient nous rappeler à quoi la grandeur ressemble réellement. Quelques rues plus loin, nous débouchâmes sur Piazza Minerva, consacrée à la déesse de l'Antiquité.

Tout au long du trajet nous avions pris soin de raser les murs et de tendre l'oreille, au cas où une patrouille approcherait. Il était tard à présent, et les voyous payés pour harceler les honnêtes gens, las de parader en ville pour montrer combien ils étaient forts, s'étaient retirés dans les tavernes qui restaient ouvertes toute la nuit. La poignée d'entre eux qui ne finiraient pas ivres morts ressortiraient dans quelques heures, revigorés par l'âpre vin rouge d'Ombrie et plus dangereux que jamais.

Nous devions trouver refuge avant que cela n'arrive. L'instant d'après, je compris où Rocco nous emmenait.

— Es-tu sûr de toi ? lui demandai-je à voix basse, dans l'espoir que David n'entendrait pas l'incertitude pointer dans ma voix.

De tous les lieux où nous aurions pu nous cacher (David, plus encore), venir *ici*.

Sainte-Marie-de-la-Minerve, église dominicaine érigée sur les fondations d'un temple dédié à la déesse de la sagesse, fait office de chapitre de l'Ordre à Rome. Le corps de ma chère sainte Catherine y est enterré – mais pas sa tête, que l'on a rapportée à Sienne. Pour ma part je trouve l'idée plutôt dérangeante, mais ce compromis semble satisfaire ses disciples ici comme là-bas.

— J'ai un ami, ici, dit simplement Rocco.

Il me restait à espérer qu'il dise vrai.

C'est à déplorer mais de fait, de nombreuses églises (à Rome comme ailleurs) sont fermées la nuit pour empêcher leur spoliation. Si vous êtes en manque de nourriture spirituelle, vous êtes donc prié d'attendre jusqu'au petit matin. Mais telle est la puissance des dominicains (et la crainte qu'ils inspirent), que cette règle ne s'applique pas à la maison que la Mère de notre Seigneur et la déesse de la sagesse se partagent.

Nous nous étions arrêtés devant une petite porte latérale surmontée d'un linteau de pierre où étaient sculptés des chiens à la chasse, incarnations en image du fameux jeu de mots sur *dominicanes* (« dominicains » en latin), dont le sens se transforme en « chiens du Seigneur » quand on l'écrit *domini canes*. L'espace d'un instant, je craignis que David ne refuse d'entrer. L'extrême dégoût et la méfiance se lisaient clairement sur son visage.

Je lui pris la main et lui déclarai :

— Rocco est un homme bon. Je mettrais ma vie entre ses mains. Et n'oublie pas qu'il se met lui-même en danger en venant ici.

David ne parut guère convaincu mais céda devant mon insistance. Nous pénétrâmes donc dans la nef latérale, non loin de l'autel consacré à la Mère de notre Seigneur. L'unique source de lumière était des cierges brûlant devant la statue de la Vierge. Je m'étais déjà rendue dans cette église, mais j'avais oublié combien l'intérieur était beau et contrastait si radicalement avec la simplicité de sa façade extérieure. Les voûtes, dont les arêtes étaient peintes en rouge vif, encadraient un ciel étoilé immensément bleu. Les colonnes, qui se dressaient de chaque côté de la nef centrale, reflétaient dans leur marbre poli la lumière de la lampe du Saint-Sacrement, conservée là pour rappeler la présence éternelle du Christ. Tout en contemplant ces splendeurs, je tentai d'évaluer le temps que nous avions passé au château Saint-Ange et qui s'était écoulé depuis notre fuite. En tout état de cause, l'heure des complies, qui accueillent la nuit en douceur, était passée ; et nous n'en étions pas encore aux matines. Nous devions nous cacher avant que les frères n'arrivent pour le service qui annonce l'arrivée du jour nouveau.

— Par ici, fit Rocco en indiquant d'un geste l'autel et un escalier de pierre menant à la crypte. Je le suivis à contrecœur, ayant eu mon content pour la soirée d'espaces étroits et obscurs. Heureusement, des lampes perpétuelles brûlaient pour la dizaine de tombes disposées là, dont celle de sainte Catherine elle-même. L'effigie la montrait reposant en paix, mais je songeai au corps sans tête qui se trouvait à l'intérieur et frissonnai.

Catherine n'était pas la seule à être représentée dans une apparente tranquillité. Vers le fond de la crypte, où David et moi finîmes par nous écrouler, le visage d'une femme avait été sculpté dans le mur. Les cheveux enroulés en natte autour de sa tête, elle avait un visage qui respirait la noblesse et le bon sens.

— Minerve ? demandai-je à Rocco.

Il hocha la tête.

— Probablement. À l'époque où l'endroit était son temple, il y avait un puits, ici. Les frères l'ont conservé.

Il disparut dans l'obscurité quelques minutes, et revint avec un seau d'eau.

Je me jetai dessus en même temps que David. Nous bûmes, et quand notre soif fut étanchée nous nous lavâmes du mieux possible, étant donné les exigences de la pudeur et le manque de vêtements propres. Ensuite, épuisés, nous nous affalâmes de nouveau contre le mur. Mes yeux étaient en train de se fermer lorsque j'entendis David demander :

— Quelles sont les chances que quelqu'un vienne ici ?

— Mais quelqu'un va venir, répliqua Rocco. J'y compte bien, même.

Je sentis David se raidir près de moi. Je n'aurais su l'en blâmer, étant donné nos tribulations de cette nuit-là.

— Ton ami ? demandai-je.

Rocco acquiesça d'un signe de tête.

— Il y a quelques années de cela, Guillaume a été transféré ici, au chapitre, et nous nous sommes croisés dans la rue par hasard. Il m'a reconnu, tout comme moi, et je me suis demandé s'il allait me dénoncer. Mais il a gardé mon secret.

— Quel secret ? s'enquit David, qui n'était toujours pas convaincu, manifestement.

Je laissai Rocco répondre, ce dont il s'acquitta avec simplicité et dignité.

— Jadis, moi aussi j'ai été un frère dominicain.

David émit un son qui se situait entre l'incrédulité et le dégoût. Sa réaction n'était guère surprenante. De son point de vue, il aurait tout aussi bien pu s'en remettre au Serpent lui-même pour rester en vie.

— Je ne savais pas qu'il était possible de quitter l'Ordre, lança-t-il finalement.

— C'est parce que ça ne l'est pas, répondit Rocco. Je me suis enfui. En me croisant par hasard à Rome, Guillaume aurait pu me causer beaucoup d'ennuis ; mais il a choisi de garder le silence.

— Pourquoi ? demandai-je.

— Il a ses raisons, répliqua Rocco évasivement, avant de se pencher en arrière contre le mur et de fermer les yeux, mettant ainsi un point final à la conversation.

Nous restâmes silencieux pendant un certain temps. Je ne cessai de m'assoupir et de me réveiller en sursaut. Dans mes moments de veille, je songeai à Nando, envoyé à la campagne pour sa sécurité, et à la possibilité que son père devienne un homme traqué à cause de moi. Avec quelle insouciance l'avais-je impliqué dans mes problèmes en me persuadant que je ne pouvais faire autrement, alors que la vérité est que nous avons toujours le choix. S'il arrivait quelque chose à Rocco, je serais l'unique responsable.

J'étais en train de ressasser cette désagréable éventualité lorsque je perçus des bruits de pas dans l'escalier menant à la crypte. Rocco les entendit également et se leva sur-le-champ. Je donnai un coup de coude à David, qui s'était assoupi. Nous nous accroupîmes derrière un sarcophage, et Rocco alla intercepter l'individu qui venait dans notre direction.

Un instant passa, puis je saisis le murmure de voix en pleine conversation. Je n'arrivais pas à distinguer ce qu'ils se disaient, mais ils ne semblaient pas se disputer. Peu après, Rocco revint avec à sa suite un homme portant l'habit blanc et la cape noire de l'Ordre. Il était du même âge que Rocco mais moins grand et plus menu, et portait une moustache et une barbe noires soigneusement taillées. Il affichait un air de bienveillance, voire de franche curiosité envers nous. Dans tous les cas, notre présence dans son église ne semblait pas l'alarmer outre mesure.

— Voici frère Guillaume, dit Rocco. Il va nous aider.

— Rocco me dit que vous vous êtes échappés du *castel*, commença l'homme en nous regardant tour à tour. (Il nous observait si attentivement que l'odeur qui émanait toujours de nous ne lui fit même pas froncer le nez.) Mais comment avez-vous fait ?

David se leva d'un bond. Il banda les muscles de ses épaules, serra les poings et foudroya Guillaume du regard.

— Pourquoi voulez-vous le savoir ?

Guillaume rougit légèrement devant la menace à peine déguisée, mais ne battit pas en retraite.

— Par simple curiosité. Le château Saint-Ange est comme une énigme. Pour en percer tous les secrets il faut beaucoup de sagesse et de perspicacité, et peut-être aussi un peu de chance.

— Guillaume aime les énigmes, expliqua Rocco dans un sourire. En particulier celles de la nature. Demande-lui de te parler des abeilles, dit-il en me regardant.

— Les abeilles ? répétai-je, perplexe.

Le frère sembla quelque peu embarrassé, mais son enthousiasme était tel qu'il ne put résister.

— Les abeilles, oui, les plus étonnantes des créatures de Dieu, bien plus que l'Homme lui-même. Elles travaillent dur, avec zèle et abnégation pour atteindre le but qu'elles se sont fixé. D'autre part, elles présentent certains comportements fascinants. Par exemple, de retour à la ruche, une abeille se pose parfois juste devant et se lance dans ce qui apparaît comme une danse complexe, dont les pas exacts varient selon le but recherché, d'après moi. En voyant cela, les autres abeilles quittent la ruche, souvent dans la même direction d'où venait la première.

— Étonnant, fit David.

Il avait desserré les poings et regardait à présent le frère d'un air proche de l'amusement.

— Mais ce n'est pas tout, poursuivit Guillaume. Je suis quasiment sûr qu'il existe certaines constantes relatives à la reproduction des abeilles, ou plus précisément à leur nombre. La population des ruches augmente systématiquement selon la séquence mathématique découverte par le grand Leonardo Fibonacci. Et cette même séquence se retrouve dans une myriade d'autres créations de la nature… Les pétales d'un tournesol, par exemple, les spirales formées par les écailles des pommes de pin, les…

— Incroyable, l'interrompis-je – et je le pensais, sincèrement ; mais le temps passait et nous devions encore décider d'un plan.

— Pardonnez-moi, s'exclama Guillaume, qui ne semblait pas gêné pour un sou. Je pourrais en parler pendant des heures. C'est peut-être pour cela que le maître de l'Ordre m'autorise à poursuivre librement mes recherches pendant mon temps libre – pour la plus grande gloire de Dieu, bien entendu.

À cet instant-là je me souvins que ce même ordre dominicain qui avait enfanté d'un Torquemada avait également, en des temps meilleurs, façonné des hommes tels que saint Albert Le Grand, pour qui science et foi étaient capables de coexister en harmonie ; ainsi que le plus grand de tous, saint Thomas d'Aquin, dont on peut dire à juste titre que l'Église repose sur ses épaules. L'Ordre était tombé bien bas, depuis ces sommets d'intelligence, en se complaisant dans la passion exaltée prônée par le Grand Inquisiteur.

— Vous avez choisi un bien étrange lieu pour accomplir votre tâche, mon frère, s'exclama David.

Guillaume se contenta de lever les paumes des mains au ciel en signe d'acceptation.

— Je suis là où Dieu m'a mis. Bien, mais parlons de vous à présent. Vous êtes en sécurité ici, et pouvez rester pour l'instant. C'est moi qui suis chargé des lampes de la crypte, je les vérifie avant chaque office. Nous sommes presque à l'heure des matines. Mes frères seront dans l'église, au-dessus, mais personne ne viendra s'aventurer ici. Quand il fera jour, nous prendrons si nécessaire d'autres dispositions. Cela vous convient-il ?

Lorsque nous l'eûmes chaleureusement remercié, il ajouta :

— Avant l'heure de la prime, je devrais être en mesure de revenir avec de quoi manger et, si possible, des nouvelles. Jusque-là, restez ici et reposez-vous.

Rocco le raccompagna jusqu'à l'escalier tandis que David et moi reprenions place contre le mur. Juste avant de céder au sommeil, il me vint à l'esprit que j'avais enfin rencontré l'homme que j'avais cru entrevoir en Morozzi, en quête de vérité au sein même de notre Mère la sainte Église. S'il en existait d'autres comme lui, et s'ils avaient le courage de Guillaume, on pouvait peut-être encore espérer voir un jour vaincus tous les Torquemada qui existaient dans notre bas monde.

Je m'endormis alors d'un sommeil lourd et sans rêves, et plus tard n'entendis que très vaguement, résonnant sur les murs de la crypte, le chant des frères en train de réciter l'office divin : *En Dieu seul, le repos de mon âme. De lui vient mon salut.*

20

« Francesca ? »

Une voix lointaine, comme étouffée. Une main m'effleurant le bras. J'ouvre les yeux. Rocco est agenouillé à mes côtés, le visage tendu. Je dirige mon regard vers les escaliers menant à l'autel : le jour commence à poindre, dirait-on.

— Quelle heure est-il ? demandai-je en luttant pour me réveiller. Ces quelques heures de sommeil profond n'avaient servi absolument à rien. J'avais les idées embrouillées et le corps tout endolori. Rocco tendit une main pour m'aider à me relever. Je l'acceptai avec gratitude, tant pour la solidité physique que morale dont il faisait preuve depuis le début.

— L'office de la prime va bientôt commencer, répondit-il. Guillaume a apporté à manger, et il a des nouvelles pour nous, comme promis.

— Quelles nouvelles ? demanda promptement David, qui venait de se réveiller lui aussi. Il se leva d'un bond, comme s'il venait de passer une bonne nuit de repos dans un lit somptueux.

— La ville est calme, expliqua Rocco. Aucune fuite du *castel* n'a été signalée la nuit passée, et il n'y a pas non plus de signe de troubles près du ghetto, ou dans les autres rues. Tout semble en ordre.

C'était une bénédiction, pour sûr, tant que cela durerait. Le raisonnement de Vittoro s'était donc confirmé : sans preuve tangible d'un complot contre le pape, Morozzi ne pouvait parler sans s'exposer au courroux de Borgia. Toutefois, cela ne l'empêcherait pas d'obtenir la signature de l'édit et ce faisant, de condamner les juifs. Seule la mort d'Innocent pouvait tout arrêter.

— Aucune nouvelle du pape ? demandai-je.

Rocco secoua la tête.

— Rien de nouveau.

Je ne pouvais croire que nous avions surmonté tant d'obstacles pour au final échouer, même si je savais que le succès n'avait jamais été garanti. Car si j'avais réussi à faire l'échange du sang, je n'avais aucune certitude qu'Innocent l'ait ensuite bu. Et même si c'était le cas, cela ne lui avait peut-être pas fait le même effet qu'à Rébecca. Néanmoins, il était encore possible qu'il meure à cause de ses propres actes de débauche, qui étaient légion. Ou bien Dieu, dans Son infinie miséricorde, déciderait peut-être d'ôter la vie à Son serviteur par quelque autre moyen, avant qu'il ne puisse faire davantage de mal. Il y avait tant d'inconnues, dans cette situation, qu'une seule solution s'offrait à nous.

— Nous devons découvrir coûte que coûte ce qui se passe au *castel*, m'exclamai-je, résolue à me mettre en route sur-le-champ. Mais mon estomac en avait décidé autrement. Sentant l'odeur de la nourriture, il émit un grognement que n'aurait pas renié un loup affamé. Au même instant, les cloches sonnèrent l'heure de la prime.

En attendant que le service soit fini et que les frères quittent l'église, nous dévorâmes le pain et le fromage que Guillaume nous avait apportés. Lorsque la voie fut enfin libre, nous montâmes furtivement l'escalier de la crypte et sortîmes par la même porte latérale. Émergeant ainsi d'un endroit confiné et peu éclairé, nous nous retrouvâmes à cligner des yeux dans une lumière matinale si éclatante qu'elle donnait mal à la tête. La brise fraîche qui répandait le parfum des champs de lavande, au sud de la ville, rendait plus supportable l'odeur fétide dont nous étions toujours imprégnés.

Nous nous quittâmes devant le Panthéon. Je craignais pour la sécurité de Rocco et l'implorai de ne pas retourner à son échoppe, mais il balaya mon inquiétude d'un geste de la main.

— Laisse donc Morozzi venir à moi, s'il l'ose, s'exclama-t-il. Cela le détournera suffisamment longtemps de toi pour que Borgia le mette en cage.

Je n'aurais pas cru Rocco capable d'une telle bravade, lui qui était la force et la détermination incarnées. Je lui saisis la main et la serrai fort.

— S'il te plaît, sois prudent. Jamais je ne me le pardonnerais, si...

— Fais-moi prévenir en cas de problème, répliqua-t-il en serrant ma main en retour. Mais ne te tracasse pas pour moi.

J'entendais lui répondre, mais inexplicablement, j'eus soudain la gorge serrée et les yeux qui me piquaient. Le temps que je trouve les mots, il était déjà en train de s'éloigner à la hâte. Puis il se retourna, une fois, et me vit en train de le regarder. Il sourit. J'en fis de même, mais il avait disparu, déjà.

Crasseux et débraillés, David et moi nous frayâmes un chemin à travers la foule qui se pressait dans les rues, ce qui, grâce à l'odeur qui nous précédait, fut plus facile qu'à l'accoutumée. Plus d'un passant nous lança un regard interloqué avant de s'écarter pour nous laisser passer.

Le temps que l'on atteigne le palazzo, j'avais plus ou moins élaboré un plan.

— Il nous faut découvrir où se trouve Borgia en ce moment et ce qui se passe avec l'édit. Tu peux te cacher dans mon appartement pendant que je...

David m'arrêta net en me touchant doucement le bras.

— Je ne me cacherai nulle part, Francesca. Dès que je te sais en sécurité à l'intérieur du palazzo, je retourne au quartier juif.

Je commençai par protester, mais il ne voulut rien savoir.

— Si l'édit a été signé, il sera proclamé très vite. Une fois cela fait, nous serons attaqués comme les juifs d'Espagne l'ont été à peine l'ordre d'expulsion approuvé. Ils n'étaient pas prêts à se défendre, mais nous le sommes. (Son visage s'assombrit.) L'époque où l'on pouvait tuer les juifs sans en payer le prix est terminée.

Je fus remplie d'effroi en l'entendant parler. Nous sommes tous des enfants de la Chute de l'Homme et certains, au lieu d'affronter leurs peurs, n'attendront toujours qu'une seule chose : s'en prendre à ceux qu'ils imaginent trop faibles pour se venger. Mais si ce que David promettait devenait réalité, les conséquences seraient terribles. Car peu importait le nombre de morts que ferait au final l'attaque du ghetto ; les chrétiens ne trouveraient le repos que lorsque tous les juifs de Rome seraient anéantis.

— Tu dois comprendre que ce que tu as l'intention de faire a également un prix, lui dis-je.

— Je le sais, nous mourrons. Mais si nous ne nous battons pas, la plupart d'entre nous mourront de toute façon. Et les survivants se retrouveront comme Rébecca, seuls face à la mort, dans un monde où l'on nous refuse même le droit d'exister. Mais si par notre sacrifice nous donnons à d'autres juifs, ailleurs, le courage de se soulever, ou même de faire que ceux qui sont tentés de nous attaquer y réfléchissent à deux fois, nous ne serons pas morts en vain.

J'avais les yeux qui me brûlaient. J'osais à peine ouvrir la bouche, de peur de me trahir.

— Les enfants… Benjamin… les autres ?

Une tristesse insupportable envahit alors les yeux de David. Pendant un instant je crus avoir affaibli sa détermination, mais j'aurais dû savoir que c'était impossible. Quelle arrogance de ma part de ne pas comprendre que c'était une bataille qu'il avait déjà livrée en son âme et conscience, il y avait bien longtemps. Livrée et gagnée, pour terrible que fût le fardeau de cette victoire.

— Pardonne-moi, dis-je avant qu'il n'ait le temps de répondre. Je n'ai aucun droit de penser que j'aurais fait mieux à ta place.

Il sourit faiblement et me serra la main.

— Tu es une femme surprenante, Francesca. Pour une empoisonneuse, tu tiens la vie en bien plus haute estime que d'autres qui jetteraient sans hésiter leur prochain dans les fosses de l'Enfer. Mais il ne faut pas désespérer. Si je n'ai guère foi en Dieu, j'en ai davantage en Rodrigo Borgia. Son ambition est telle qu'il pourrait bien encore l'emporter.

Il me restait à prier pour qu'il ait raison, à supposer que j'y parvienne.

C'est ainsi que nous nous quittâmes, et je regardai David disparaître rapidement dans les petites rues. Je pris la porte dérobée et arrivai à mes quartiers sans être vue. En gémissant de soulagement j'ôtai mes vêtements, que l'eau des douves avait non seulement rendus nauséabonds mais également très raides. Une fois nue, je me mis devant la bassine en cuivre dans un coin de ma chambre, me frottai de la tête aux pieds et me lavai également les cheveux. Le temps était compté, pour sûr, mais si je ne m'étais pas correctement décrassée je n'aurais pu approcher quiconque dans la maison sans éveiller d'intenses soupçons sur mes activités nocturnes. Après m'être rhabillée, je nattai mes cheveux mouillés et les enroulai autour de ma tête. Je n'avais pas terminé de les fixer à l'aide d'épingles que je me précipitais déjà hors de ma chambre en quête de réponses.

J'espérais trouver Vittoro pour qu'il m'apprenne ce qui s'était passé au *castel* après notre fuite, mais il n'était nulle part. Le Cardinal ne se trouvait pas non plus au palazzo ; son bureau était vide, ses secrétaires absents. C'était bien dommage, car l'un d'eux aurait peut-être été en mesure de me dire au moins où il était.

N'ayant d'autre choix, je me dirigeai résolument vers l'entrée principale du palazzo ou plus précisément juste à côté, vers la pièce exiguë dont la situation stratégique permettait à son occupant d'observer à loisir toutes les allées et venues. J'y trouvai l'intendant, Renaldo, penché au-dessus de ses registres. Il ne leva pas les yeux à mon arrivée tant il était absorbé par ses colonnes de chiffres, mais je le sentis se raidir au son de ma voix.

— Pardonnez-moi, signore. Auriez-vous un instant à m'accorder ?

Je m'étais décidée à faire preuve de courtoisie mais également de patience, ce qui était tout aussi bien lorsqu'il s'agissait de traiter avec ce petit homme anxieux, qui donnait en permanence l'impression d'être prêt à bondir tel le lièvre sur la lande. Ceux qui ne le connaissaient pas croyaient qu'il vivait dans la crainte du Cardinal, mais la vérité était à la fois plus simple et plus triste. Renaldo était en effet l'une de ces pauvres âmes qui traversent la vie terrestre en étant terrifiées de commettre une erreur. Le moindre détail – une addition mal faite dans une colonne, une virgule mal placée, un reçu égaré, une facture illisible, tout pouvait être prétexte à ce qu'on le questionne, et cette seule idée lui était insupportable. L'exactitude était ainsi devenue son rempart contre le monde entier, le bouclier derrière lequel il restait toujours tapi.

Il se tourna et me regarda d'un air soupçonneux.

— Que voulez-vous ?

— Oh, rien de bien important, lui assurai-je.

Je pris le ton le plus apaisant possible pour ajouter :

— Je me disais simplement que vous sauriez me dire où trouver Son Éminence.

Renaldo haussa les épaules et retourna à ses registres, me tournant le dos sans vergogne.

— S'il souhaitait vous parler, vous sauriez où il se trouve.

C'était d'une logique imparable, tout comme l'intense bouffée d'agacement qu'elle engendra. Mes quelques heures de repos dans la crypte de Minerve m'avaient littéralement épuisée. Par ailleurs, la tension de la nuit passée m'avait davantage ébranlée que je ne voulais bien l'admettre, en particulier lorsqu'on y ajoutait tout ce qui s'était passé avant.

Me forçant à être aimable, je repris :

— Vous avez raison, bien entendu, signore. Mais un problème vient juste d'être soulevé, qui requiert toute l'attention du Cardinal.

— Vraiment ? Et puis-je savoir ce que c'est ?

Au ton de sa voix, je sentis qu'il éprouvait un certain plaisir à me frustrer.

Le désespoir me redonna courage. Je me penchai suffisamment près de lui pour le faire tressaillir, même si je n'aurais su dire si c'était de peur ou de quelque autre émotion.

D'une voix douce, comme si je m'adressai à un intime, je lui murmurai :

— J'ai terminé le nouveau poison plus tôt que je ne l'espérais. Il est incroyablement efficace. Son Éminence a demandé à être informée dès qu'il serait prêt, pour qu'il puisse me préciser sur qui le tester en premier.

Que Dieu me pardonne, le pauvre homme devint rouge comme une tomate puis, tout aussi rapidement, blanc comme un linge. Il lâcha le registre, fit malencontreusement tomber sa plume d'oie par terre, se baissa pour la ramasser et ce faisant, se cogna la tête à son bureau. Le choc fit se balancer son encrier, qui se mit à rouler jusqu'au bord du bureau et serait tombé si je ne l'avais rattrapé dans la paume de ma main ; je le remis en place d'un geste délicat.

J'avais désormais toute l'attention de Renaldo. Il me dévisageait, les yeux écarquillés.

— Vous n'en parlerez à personne, n'est-ce pas ? minaudai-je. Les gens se mettent dans un tel état, quand on parle de poison.

— Non ! C'est-à-dire que non, bien sûr, je n'en… parlerai à personne, bien sûr. Qu'attendez-vous de moi ?

— Dites-moi simplement où est parti le Cardinal.

Avant qu'il ne puisse élever d'objection, j'ajoutai :

— Je sais que vous le savez, Renaldo. Je vois bien que vous avez l'œil à tout. Rien ne vous échappe.

J'étais ridicule, à faire ainsi ma coquette ; mais il y a des moments dans la vie où l'on n'a d'autre choix que de faire fi de son orgueil.

Il retrouva quelques couleurs, prit une profonde inspiration et redressa le peu d'épaules qu'il avait.

— Oui, oh, vous savez, je ne fais que mon travail ; mais je le fais bien. C'est capital dans une maison comme celle-ci. Après tout, Son Éminence compte sur moi.

— C'est vrai, Renaldo, c'est très vrai. Comme nous tous. Présentement, je compte sur vous.

Sa pomme d'Adam se mit à tressauter de façon incontrôlée.

— Je n'ai reçu aucune information officielle sur l'endroit où s'est rendue Son Éminence, mais…

— Mais… ?

Sa voix se fit un murmure pressant.

— Des messagers sont venus le trouver au milieu de la nuit. Personne n'a pipé mot. Nous savions tous où il se trouvait, bien sûr, il était avec La Bella. Mais nous n'allions certainement pas le dire.

— Bien sûr que non, l'encourageai-je. Nous savons tous que Son Éminence apprécie la discrétion par-dessus tout.

— Exactement ! J'espère qu'il sait que personne n'a parlé. (Baissant de nouveau la voix, il poursuivit son récit.) Finalement, il est revenu ici à l'aube. Les messagers ont dû le trouver. Il était d'une humeur exécrable, laissez-moi vous le dire, il beuglait comme un taureau. Il a hurlé aux domestiques d'aller vous chercher, vous et le capitaine. Et quand il a appris que vous n'étiez ni l'un ni l'autre ici... On aurait dit le Vésuve entrant en éruption ! Finalement, il s'est habillé et il est sorti... pour se rendre à la curie, je pense, même si je ne pourrais en jurer.

— Il est parti il y a combien de temps ? demandai-je, peinant à dissimuler mon excitation.

Renaldo sembla y réfléchir un temps infini. Enfin, il me dit :

— Il n'y a pas une heure. Est-ce important ?

Cela se pourrait bien... Ou peut-être pas. Borgia ferait tout ce qui était en son pouvoir pour retarder la procédure, mais le pouvoir ultime restait toujours entre les mains d'Innocent. S'il était déterminé à signer l'édit, il le ferait... en supposant qu'il n'avait pas déjà rendu son dernier souffle.

En dépit de la chaleur qui commençait à se faire sentir, j'eus un frisson. Là, dans le terrier de Renaldo, encerclée par les piles de registres, de contrats, de rouleaux de manuscrits et autres objets rassurants de la vie quotidienne, j'avais l'impression de me tenir au bord de l'abîme. Il me semblait presque entendre la terre commençant à s'effriter sous mes pieds.

Tant de vies, tant de souffrances, tout cela dépendant d'un seul événement, qui pouvait survenir d'une minute à l'autre, d'un battement de cœur à l'autre.

S'il vous plaît, mon Dieu...

— Est-ce que vous allez bien ?

De très loin, j'entendis la voix de l'intendant. Il s'était levé sans que je m'en rende compte et m'observait, l'air soucieux.

S'il vous plaît... pour David, Sofia, Benjamin, et tous les autres...

— Signorina... ?

Je sentis vaguement l'inquiétude pointer dans sa voix, et me demandai ce qui pouvait bien la causer.

Soudain, je sus. Derrière lui je vis dans mon esprit une immense et effroyable contrée, ravagée, brûlée, sur laquelle rien ne vivait que l'on puisse qualifier d'humain. Un monde dans lequel la fumée crachée des entrailles de la terre venait assombrir le ciel. Où les loups hurlaient à la mort.

Horrifiée, je reculai et poussai un cri. À cet instant seulement, je vis le mince rayon de lumière qui me permettrait d'en réchapper. Je le vis et m'en saisis.

Seigneur, je vous en conjure, si mon âme est le prix à payer, je vous la donne volontiers...

— Signorina !

Un grand bruit résonna alors dans ma tête. Un énorme carillon, à même d'empêcher toute pensée, d'effacer toute crainte, de remplir chaque souffle, de s'étendre au point d'englober tout ce qui avait été ou qui serait. Un bruit comme je n'en avais jamais entendu avant, ni depuis.

Encore et encore et encore... Les cloches de chacune des centaines d'églises de Rome se joignant les unes aux autres jusqu'à ce que l'air lui-même vacille devant leur puissance. J'entendis des bruits de pas s'approcher, suffisamment pour faire trembler la terre, puis des voix venues de l'intérieur du palazzo, de dehors dans la rue, de chaque quartier de Rome, et du vaste monde au-delà.

Tant de voix, qui criaient comme un seul homme : *Il Papa è morto ! Il Papa è morto !*

Le pape est mort.

Était-ce la réponse à mes prières ? Peut-être mais également, assurément, la question avec laquelle je vis depuis dans le silence coupable de mon âme : par la main de qui ?

21

Borgia ne revint finalement au palazzo qu'au bout de trois jours après la mort d'Innocent. En tant que vice-chancelier de la curie, le Cardinal se devait de rester au Vatican pour coordonner les préparatifs des obsèques papales.

Pendant ce temps-là, toutes sortes de folles rumeurs se répandirent dans Rome. Le pape aurait été assassiné. Sa vie dissolue serait en cause. Une gitane lui aurait jeté un sort. On aurait retrouvé une ancienne prédiction à l'intérieur de la tombe de l'un des César. Ou alors…

N'étant pas absolument certaine de ma culpabilité, je ne savais pas bien quoi ressentir si ce n'était du soulagement. Innocent était mort ; que ce soit par ma main ou non, cela n'importait à personne d'autre que moi. L'édit n'avait pas été signé, de cela j'en avais la certitude grâce un message gribouillé à la va-vite que David m'avait fait envoyer du ghetto. L'immense richesse que les juifs avaient amassée de partout en Europe était en ce moment même en train d'affluer sur les comptes de Borgia à la banque Spannocchi de Sienne, où César se trouvait déjà afin de surveiller l'opération – officieusement cependant, car il était soi-disant venu préparer ses chevaux à la course du Palio qui avait lieu chaque été dans la ville.

Tout allait donc très bien, si ce n'était l'ombre qui planait au-dessus de moi et de la maison des Borgia. L'homme que je savais à présent être le véritable artisan du meurtre de mon père courait toujours, et se trouvait même en toute probabilité encore au Vatican. Je n'osais imaginer combien Morozzi devait enrager de voir son plan contrecarré par la mort d'Innocent. S'il avait le moindre soupçon que celle-ci ne soit pas naturelle, sa fureur serait décuplée. Il était impossible de deviner ce qu'il allait faire maintenant, *et* il était en possession du losange. Je ne risquais pas de l'oublier. Peu importait qu'il ait accès à d'autres poisons ou non, il avait à portée de main le plus mortel d'entre eux, créé par moi-même, qui lui donnerait la possibilité d'en finir avec moi si nécessaire.

Il pourrait aussi fort bien lui permettre d'en finir avec Borgia – de telle manière à m'impliquer directement. Il en allait de ma responsabilité professionnelle de protéger Il Cardinale, et ne vous y trompez pas, je prenais cela très au sérieux. Car j'avais tout autant à cœur de me protéger, moi. Mais, toutes ces considérations n'étaient rien en comparaison de ma détermination à tenir la promesse que j'avais faite de venger mon père et de priver Morozzi de la victoire. Avant de le tuer. Seule la façon dont j'allais bien pouvoir procéder m'échappait encore pour le moment.

Tiraillée comme je l'étais par ces sombres pensées, je partis en quête de Vittoro. Il était occupé à donner des ordres à ses lieutenants concernant la défense du palazzo, mais s'interrompit en me voyant.

— Francesca, s'exclama-t-il dans un sourire, tout va bien ?

— Plutôt, oui, et de ton côté ?

— Ça n'a jamais été mieux. Aucune séquelle, j'espère ?

L'ayant assuré que mon plongeon dans les douves du *castel* avait a priori été sans conséquence, j'observai autour de moi ce qui ressemblait fort à des préparatifs. Les soldats étaient partout, du hall d'entrée aux tours de guet. Les visages ne m'étaient pas tous familiers : visiblement, Vittoro faisait venir des renforts des autres propriétés du Cardinal. J'étais déconcertée.

— Nous ne partons pas ? demandai-je.

Lors du dernier conclave, après la mort de Sixte IV, Borgia avait fait envoyer toute sa maison à la campagne, ainsi que (et ce n'était pas un hasard) ses biens les plus précieux – chaque tapisserie, tableau, meuble, coffre au trésor, chaque assiette et chaque coupe que l'on avait pu empaqueter avait été transporté hors de Rome. C'était une sage précaution pour un homme considéré par tous sans exception comme étant *papabile*, un candidat sérieux à la papauté. En effet, l'une des coutumes les plus curieuses des Romains, dès l'annonce de l'élection de leur nouveau pape, est de se ruer sur sa résidence et de la piller. Ce n'est pas une marque d'irrespect, ni même illégal, comme on pourrait le penser au premier abord ; cela résulte bien plutôt d'un raisonnement logique de la populace, qui estime qu'une fois élevé au trône de Saint-Pierre, un homme n'a plus besoin de ses biens terrestres.

Les choses étant ce qu'elles sont, les *papabili* ont donc pour habitude de vider leurs résidences avant le début de chaque conclave. Il suffit d'observer les charretées de biens emportés bruyamment hors de la cité pour savoir si le cardinal concerné pense avoir de bonnes chances d'être élu. Je dirais même plus, le fait de vider une maison fait quasiment office d'annonce de candidature à la charge suprême.

Par conséquent, qu'était-on censé conclure du fait que Borgia avait décidé de ne pas mettre ses biens en sécurité ?

— Il fait profil bas, m'expliqua Vittoro. Et raconte à qui veut l'entendre que par pudeur il ne saurait se considérer comme candidat pour la papauté.

Je faillis m'étrangler en entendant cela. Borgia s'était donné beaucoup de mal, depuis près de quarante ans qu'il était devenu cardinal, pour que l'on parle de lui comme d'un futur pape.

— C'est ridicule.

Vittoro m'adressa un large sourire.

— Bien sûr que ça l'est, mais dans le bon sens du terme. En agissant ainsi il sème la confusion, et dans des situations comme celle-ci, c'est toujours utile.

— Et quelle est la situation ?

J'avais bien mon idée, mais je voulais des détails.

— Comme on s'y attendait. Il y a deux factions : della Rovere d'un côté, Sforza de l'autre.

Il venait de nommer deux des plus puissants cardinaux de la chrétienté. Giuliano della Rovere était le neveu de Sixte IV. L'homme avait un tempérament explosif, pire encore que Borgia ; il avait personnellement mené les troupes à la bataille, et se faisait un plaisir d'écraser quiconque fomentait une rébellion contre l'Église. Doté d'une confiance en ses capacités et d'une ambition qui confinaient à la fanfaronnade, il croyait, à ce qu'il paraissait, que sa destinée était non seulement de devenir pape mais également de guider l'Église vers une gloire plus grande qu'elle n'en avait jamais connu.

Borgia et lui s'étaient âprement disputé la papauté à la suite du décès de Sixte. Lorsque della Rovere avait pris conscience qu'il allait manquer de soutiens, il avait changé de tactique et offert son appui au cardinal aux mœurs les plus dépravées de Rome, Giovanni Cibo, pour nulle autre raison que de priver Borgia du trône papal. C'était un affront que ce dernier n'avait ni oublié, ni pardonné. Cette fois-ci, della Rovere s'était assuré le concours de la couronne française, des Vénitiens et des puissantes familles Colonna et Savelli, en lien avec le royaume de Naples. De là à penser que nul ne pouvait l'arrêter…

Quant à Ascanio Sforza, c'était le frère de Ludovico Sforza, le redoutable duc de Milan. Sa faction jouissait du soutien des familles Orsini et Conti, ainsi que d'une foule de cardinaux opposés par principe à toute interférence venue de France ou de Naples.

À première vue, la lutte était inégale. Della Rovere avait davantage d'alliés et d'argent (à ce que l'on disait), et donc considérablement plus de chances d'y arriver. Toutefois, il faudrait être bien téméraire pour faire fi du pouvoir de la famille Sforza. Et enfin, il y avait Borgia… le taureau… un homme qui avait dû ravaler sa fierté après la défaite, et s'était juré de ne plus jamais revivre une telle humiliation.

— Dans les tavernes, la cote est à cinq contre trois pour della Rovere, poursuivit Vittoro. En marge, on parie également beaucoup sur le fait que della Rovere ne reculera devant rien pour gagner, quitte à être obligé de donner son soutien à une autre marionnette qu'il pourra contrôler, comme Innocent.

Cette information n'était pas à prendre à la légère, car si les commérages sont le passe-temps préféré des Romains, les jeux d'argent ne sont pas en reste. De grandes quantités de florins allaient changer de main dans les jours à venir, jusqu'à l'élection du pape.

— Et qu'en est-il de Borgia ? demandai-je. Où se situe-t-il dans le classement ?

— En troisième, voire quatrième position, mais dans les milieux bien informés on commence à s'intéresser à lui, la rumeur du jour étant qu'il remuera ciel et terre pour gagner la papauté, cette fois-ci.

— Je me demande bien qui fait courir ce bruit ?

Vittoro repartit d'un large sourire.

— Hé oui, c'est Borgia. Il veut faire comprendre aux cardinaux qu'il est prêt à négocier.

— Tout en se déclarant trop humble pour être candidat.

— C'est ça. Mais passons. Le Cardinal m'a demandé de te ramener avec moi. Il veut te parler.

— Tu ne loges plus ici ?

— Jusqu'au retour de Son Éminence, non. La prudence me dicte de prendre mes quartiers là où il est.

Nous nous regardâmes dans les yeux, signe d'une entente tacite. Morozzi était en fuite, et qui sait s'il n'allait pas s'allier à della Rovere, vu la tournure des événements ? Assurément, la garde d'Il Cardinale ne saurait être trop rapprochée.

— Que sait-il de ce qu'il s'est passé ? demandai-je tandis que nous quittions le palazzo.

Vittoro montait un cheval gris, son préféré. Quant à moi, j'avais hérité d'une jument alezane d'un naturel doux, de celles que l'on garde à disposition pour les cavalières telles que moi qui, il faut bien l'admettre, manquent sérieusement de talents équestres. Ce n'est pas que je n'aime pas monter ; simplement, je ne vois pas de raison de le faire très souvent. Pourquoi Dieu nous aurait-il donné des pieds, sinon pour nous en servir ?

Le ciel était couvert, et pas un souffle d'air ne venait disperser le voile de fumée qui plane tout le temps au-dessus de la ville, même en été, à cause des feux de cuisine, fours et autres brasiers. Les rues étaient anormalement calmes, en grande partie à cause des escadrons de soldats dépêchés pour patrouiller en ville. La plupart des gens n'ayant pas oublié ce qu'il s'était passé la dernière fois, ils étaient naturellement enclins à rester chez eux ou dans leurs échoppes et à se tenir tranquilles, en attendant de voir si Rome allait de nouveau céder à la violence.

— Je n'ai eu qu'une brève conversation avec lui, répondit Vittoro, car le temps manquait. Della Rovere et lui étaient au chevet du mourant. Ils ont bien failli se bagarrer, au moment même où Innocent était en train de rendre son dernier souffle.

Je ne visualisais que trop bien la scène : deux cardinaux, ennemis jurés, chacun déterminé à ravir le pouvoir suprême à l'autre. Distraitement, je me demandai si quelqu'un avait songé à donner l'extrême-onction à Innocent. Non que je croie qu'un peu d'huile sainte et quelques prières dites pour lui épargneraient le pape lorsqu'il serait appelé à répondre de ses actes terrestres, mais j'étais tout de même curieuse d'en savoir un peu plus. Avec hésitation, je m'enquis :

— As-tu une quelconque idée de son état, à la toute fin ?

— Tu veux dire, qu'est-ce qui l'a tué ?

Dit comme cela, aussi abruptement, je n'eus d'autre choix que de hocher la tête.

— Je me demandais.

Vittoro me décocha un regard contrarié.

— N'y pense plus, Francesca. Tu as fait ce qu'il fallait faire.

— Alors, c'est bien le sang ?

Moi aussi j'aurais à répondre de mes actes, un jour. J'arriverais à justifier d'avoir tué un homme sur le point de commettre un acte terrible. Mais qu'en était-il du meurtre du Vicaire du Christ sur terre ? Où s'arrêtait l'homme, où commençait sa sainte charge ? Je n'en avais aucune idée, vraiment, mais cela ne m'empêchait pas de craindre la réponse.

— Peut-être que oui, peut-être que non, répondit Vittoro d'un ton destiné à me faire comprendre que selon lui, c'était sans importance.

Ce qui compte, c'est qu'il soit parti. Réjouissons-nous de cela et ne nous inquiétons pas du reste.

Nous approchions du Pons Ælius, que j'avais traversé pour la dernière fois en compagnie de Morozzi et de David, avant d'entrer au château Saint-Ange. J'observai la lugubre forteresse, et eus tout le loisir de m'étonner de ce que David et moi ayons réussi à en réchapper. Levant les yeux vers la statue de saint Michel, je lui rendis grâce en silence. Je n'eus même pas un regard pour les douves, en revanche.

Un peu plus loin, nous entrâmes dans l'enceinte du Vatican lui-même. Au contraire du reste de la ville, l'immense place devant Saint-Pierre était fortement animée. Membres du clergé comme laïcs de Rome et des villes environnantes s'étaient précipités pour venir dès qu'ils avaient entendu la nouvelle, dans l'idée de tirer quelque avantage personnel de l'événement, de faire campagne pour leur candidat préféré ou simplement de se délecter des intrigues et de l'excitation ambiante. Ils allaient être talonnés de près par les délégations des États italiens et de la plupart des pays européens. Sous peu, toutes les auberges de Rome et de nombreuses maisons seraient remplies du sol au plafond.

La course avait commencé pour atteindre la ville avant que le conclave ne débute, que les cardinaux ne soient enfermés dans la chapelle Sixtine et qu'il n'y ait plus rien d'autre à faire, mis à part attendre leur décision.

Quelque part dans le vaste ensemble de bâtiments que constituait le Vatican, Morozzi s'était remis à comploter. À n'en pas douter, il savait qu'à présent son seul espoir de faire signer l'édit reposait sur l'élection d'un pape haïssant les juifs autant que lui. Un certain nombre de candidats correspondaient à cette description, mais il n'y en avait pas de meilleur que Giuliano della Rovere lui-même, qui, du temps d'Innocent, avait tiré les ficelles. À ce titre, Morozzi avait nécessairement dû obtenir son approbation concernant l'édit avant de le proposer à Innocent. Il n'était donc pas déraisonnable de penser que della Rovere était devenu, à son tour, le protecteur du prêtre fou.

Et encore moins que le Cardinal à l'orgueil démesuré ne reculerait devant rien pour continuer à exercer son contrôle sur la papauté. S'il ne parvenait pas à se faire élire lui-même, della Rovere était encore suffisamment jeune pour faire installer sur le trône un candidat à sa convenance, et attendre ensuite patiemment son heure. Mais il en allait tout autrement pour Borgia, qui à soixante et un ans ne pouvait se permettre d'échouer à nouveau sans renoncer concrètement à tout espoir de devenir pape un jour. Cela faisait trop longtemps qu'il attendait ce moment, et rien ne le freinerait, à présent. Son ambition dévorante n'avait d'égale que celle de della Rovere.

— Un choc de Titans, murmurai-je en regardant en direction de la façade sans ornement de la chapelle Sixtine, où la lutte finale allait se dérouler. Mis à part les cardinaux et leur suite, personne ne savait exactement ce qu'il se passait lors d'un conclave, mais le processus par lequel Dieu est censé faire savoir qui il choisit pour être Son Vicaire sur terre ne me paraît être guère plus qu'une invitation à l'avarice et la vénalité humaines.

— Qu'est-ce que tu as dit ? fit Vittoro.

J'ajustai ma position sur la selle pour le regarder.

— À ton avis, jusqu'où della Rovere ira pour gagner, cette fois-ci ?

— Aussi loin que nécessaire, tout comme Borgia, répliqua-t-il en mettant pied à terre. Ils n'accepteront jamais de reculer, ni l'un ni l'autre.

Nous confiâmes nos rênes à un écuyer en livrée rouge et or de la maison des Borgia. Levant les yeux, j'aperçus l'étendard de la vice-chancellerie qui flottait au-dessus du palais apostolique. Pour l'instant, Borgia était le chef suprême de l'Église de Rome. Mais cela pouvait changer bien trop rapidement. Et cela changerait, si Morozzi parvenait à ses fins.

Nous montâmes un escalier, passâmes une barrière de gardes en armes, puis entrâmes dans le dédale de bureaux qui fourmillaient de clercs totalement indifférents à notre présence, tant ils avaient à faire présentement.

— Attends-moi ici, me dit Vittoro avant de disparaître derrière des portes en chêne doré et montants en cuivre.

Me retrouvant seule, je sentis tout à coup des dizaines de regards converger sur moi : alignés le long du mur devant les bureaux de Borgia, les pétitionnaires attendaient patiemment l'occasion de pouvoir implorer Son Éminence de leur accorder quelque faveur, sans se soucier de savoir qu'il avait des choses plus urgentes à régler. Avocats, cléricaux, courtiers et ce qui paraissait être un artiste ou deux, des musiciens peut-être, tous me scrutèrent sans vergogne de la tête aux pieds. J'étais la seule femme, et ma présence leur donnait manifestement matière à commenter. Un homme particulièrement grassouillet qui m'évoquait un crapaud, probablement un avocat, se pencha vers son voisin (qui paraissait aussi bien nourri que lui) et murmura quelque chose à son oreille. Ils me regardèrent alors et éclatèrent de rire.

Je réprimai mon envie de les informer que je n'étais pas, comme ils devaient à coup sûr le penser, l'une des femmes du Cardinal ; mais qu'en revanche, j'étais son empoisonneuse. Leur réaction m'aurait remplie d'aise, mais n'aurait pas été sans attirer l'attention sur ma présence. Je me résignai donc à fixer un point à mi-distance jusqu'à ce que Vittoro revienne.

Le bureau du Cardinal donnait sur la place de la basilique. Les hautes fenêtres avaient été ouvertes pour faire entrer le peu d'air qui circulait. Le superbe plafond était rehaussé de sculptures de séraphins, et des tapisseries ornaient les murs. Sur de longues tables étaient empilés rouleaux de manuscrits, registres et autres documents importants. Les secrétaires de Borgia étaient là, tous trois en plein travail, ainsi qu'une foule de prêtres et de moines qui ne cessaient d'aller et venir, sans aucun doute pour s'acquitter d'une mission de la plus haute importance.

Borgia lui-même était assis derrière un immense bureau en chêne doré et en marbre. Il leva les yeux lorsque j'entrai, et sourit.

Puis, il se leva. Il fit le tour de son bureau et m'accueillit chaleureusement.

— Donna Francesca ! Comme c'est bon de vous voir !

Tout le monde s'arrêta net. Secrétaires et clercs, tous se figèrent sur place et nous regardèrent. Ou plus exactement *me* regardèrent. Ce geste si remarquablement courtois, certainement une première dans ce lieu où les femmes comptent pour si peu, allait à coup sûr faire jaser. Étant donné qu'Il Cardinale n'agissait jamais sans raison, c'était manifestement la réaction qu'il escomptait provoquer.

Combien de temps cela prendrait-il pour que tout le monde soit au courant que Francesca Giordano, la fille de l'empoisonneur qui, à ce qu'on disait, venait de reprendre ses fonctions, avait rendu visite au Cardinal dans ses bureaux à la curie et été reçue avec la plus grande cordialité et le plus grand respect ?

Que nous avions parlé en privé un moment (c'était vrai), pendant qu'ils essayaient tous de lire nos lèvres, et que nous semblions avoir à discuter de choses de la plus haute importance ?

— Que cherchez-vous ? demandai-je abruptement à Borgia, alors que nous nous étions rendus dans un coin de son bureau où nous avions un semblant d'intimité.

Je voulais dire, à quoi songeait-il en rendant notre conversation aussi publique – mais le Cardinal interpréta ma requête d'une tout autre façon.

— Pardieu, à devenir pape, me dit-il d'un air de feinte surprise. Je pensais que tu le savais.

Avant que l'exaspération ne m'emporte, je vis la lueur dans ses yeux. Mais je perçus également le sérieux dans sa voix lorsqu'il ajouta :

— Toutefois, tu dois d'abord faire en sorte que je vive.

22

Le général grec Thucydide, dans son *Histoire de la guerre du Péloponnèse*, nous dit qu'il vaut toujours mieux prêter davantage de talent à l'ennemi qu'il n'en a peut-être réellement, plutôt que d'espérer le voir commettre une bourde. Je n'avais pas encore lu cet ouvrage lorsque je m'attelai pleinement à la tâche de garder Borgia en vie, mais possédais suffisamment d'instinct pour savoir qu'en aucun cas je ne devais sous-estimer mon adversaire.

D'autant que si Morozzi était un fou fanatique, c'était aussi un savant dissimulateur qui connaissait les rouages de la sainte Église bien mieux que moi. Plus particulièrement, il connaissait le Vatican, dans les murs duquel le combat acharné entre Borgia et della Rovere allait être livré. Il me restait très peu de temps pour me familiariser avec les lieux du mieux possible.

Vittoro fut mon escorte. Sa présence rassurante à mes côtés me permit de concentrer toute mon attention sur l'endroit où le conclave allait se dérouler. La chapelle Sixtine, nommée ainsi en l'honneur de Sixte IV, qui en avait ordonné la construction, avait été consacrée à peine neuf ans plus tôt. Ce serait la première fois qu'on l'utiliserait pour un conclave, mais elle semblait bien se prêter à l'occasion. Bâtie d'après les plans du temple du roi Salomon à Jérusalem (est-il besoin ici de pointer l'ironie d'un tel hommage rendu au travail de juifs ?), elle renferme des œuvres d'art d'une richesse extraordinaire derrière une façade d'une sobriété non moins étonnante, puisque la seule fantaisie à signaler ici est une rangée de minuscules fenêtres sous le toit, ainsi qu'une série de portes donnant sur une cour intérieure. On ne peut y pénétrer qu'en passant par le palais apostolique, car elle ne possède pas de porte d'entrée. Cette conception présente des avantages considérables pour ce qui est de la sécurité, tout en mettant en avant son rôle de chapelle du pape, séparée de la grande basilique ouverte au public.

J'ai beau y être venue un certain nombre de fois, cette chapelle m'émerveille toujours autant. On peut dire ce que l'on veut sur Sixte, il avait le don de tirer le meilleur des artistes de notre époque. Mon bien-aimé Botticelli, mais aussi Le Pérugin et Ghirlandaio, tous ont contribué aux extraordinaires fresques qui donnent vie aux murs. Sous les voûtes du plafond peint en bleu et parsemé d'étoiles d'or, Moïse, Aaron, le Christ, saint Pierre et une foule d'autres hommes saints témoignent de l'héritage en ligne directe de l'autorité papale, depuis Dieu dictant à Moïse les dix commandements jusqu'au Christ remettant à saint Pierre les clés du Paradis. De loin en loin l'arc de Constantin réapparaît, afin de nous rappeler que le pape est le garant de la puissance temporelle tout autant que spirituelle.

Je m'arrêtai devant la partie des fresques qui m'avait toujours le plus fascinée lors de mes visites en compagnie de mon père. Sa position au sein de la maison des Borgia nous avait procurés certains privilèges, parmi lesquels l'opportunité d'entrer dans les lieux fermés au public. Je songeai à lui en examinant la représentation du châtiment de Coré, celui qui avait osé défier l'autorité de Moïse et Aaron, bien qu'ils aient été désignés par Dieu lui-même.

— Une sale affaire, fit remarquer Vittoro.

Il voyait la fresque avec ses yeux de soldats : après avoir tenté de lapider Moïse, puis s'être fait rejeter par Aaron, Coré et ses disciples subissent le châtiment divin en étant engloutis par la terre. Pour que tout le monde saisisse bien le message, Aaron avait été peint portant la robe violette des papes, avec une inscription mettant en garde contre le danger auquel s'expose celui qui ose se réclamer de l'autorité divine sans que Dieu la lui ait accordée.

— C'est vrai, en convins-je, le message est plutôt limpide. Mais combien d'entre eux y croient vraiment, à ton avis ?

Par « eux », je voulais dire bien sûr les cardinaux qui allaient sous peu s'assembler ici dans le but d'augurer du choix de Dieu concernant Son prochain Vicaire sur terre. Ils seraient environ une vingtaine, bien que l'on ne sache pas encore combien arriveraient à temps à Rome. Quasiment tous étaient des hommes extrêmement matérialistes, à l'exemple de Borgia et de della Rovere. Ils n'étaient qu'une minuscule poignée à être poussés par de véritables considérations spirituelles et tous étaient des hommes âgés ne risquant guère, concrètement, de jouer un rôle déterminant dans les débats qui s'annonçaient.

— Il s'agirait plutôt de se demander combien d'entre eux croient en quoi que ce soit, rétorqua Vittoro. Du moins, jusqu'au jour où ils se retrouvent sur leur lit de mort et prennent peur à l'idée de devoir affronter leur Créateur. Avant, tous autant qu'ils sont, ils se comportent comme une meute de loups devant une carcasse.

— Et pourtant, tu soutiens Borgia, lui rappelai-je.

Le capitaine haussa les épaules.

— Mieux vaut un mal connu qu'un bien qui reste à connaître, comme dit l'adage.

Il se tourna pour observer, sur le mur opposé, la magnifique représentation de la tentation du Christ par Botticelli ; je fis de même. Dans un ultime effort pour pousser notre Seigneur à trahir sa mission sacrée sur Terre, Satan lui offre toutes les richesses du monde, mais se voit repousser par le Christ. Si seulement nous avions un pape qui en fasse de même… mais, en attendant, il fallait bien s'accommoder de ce que l'on avait.

Me souvenant de la raison pour laquelle j'étais là, j'entrepris d'examiner les fauteuils (les trônes, devrais-je dire) sur lesquels les cardinaux s'assiéraient pour les délibérations officielles. Alignés de chaque côté de l'autel, ils étaient tous surmontés d'un dais rouge. Lors de l'élection d'un pape, tous les cardinaux excepté l'élu se lèvent et baissent personnellement leur dais pour signifier qu'ils acceptent l'issue du vote. En tant que doyen du Sacré Collège, Borgia avait droit au siège le plus proche de l'autel – une position qui pour sûr devait lui sembler tout à fait opportune.

En résumé, lors du conclave, Borgia allait toucher les bras de son fauteuil, la ficelle du dais et immanquablement bien d'autres choses encore. Il était inconcevable que je sois la seule à posséder le moyen de tuer par contact avec la peau, comme je l'avais fait pour l'Espagnol. Je ne pouvais pas non plus espérer limiter les zones touchées par Borgia. En revanche, je pouvais m'assurer qu'il porte à tout moment des gants, que je lui procurerais moi-même. Et je pouvais également faire en sorte qu'il ne boive et ne mange que les vivres qu'on lui apporterait scellées par mes soins.

Ce qui ne voulait pas dire qu'ainsi, on ne réussirait pas à le tuer. Le plus protégé des hommes reste vulnérable si son meurtrier est prêt à tout, y compris à donner sa propre vie, pour atteindre son but.

Jusqu'où Morozzi irait-il ?

Et moi, jusqu'où irais-je ?

— Ce n'est pas juste, je trouve, m'exclamai-je.

— Plaît-il ? demanda Vittoro.

— Si l'un des opposants de Borgia venait à mourir subitement, on le soupçonnerait tout de suite, comme on l'aurait fait si la mort d'Innocent n'avait pas paru naturelle. Et comme aucun cardinal ne se risquerait à donner le pouvoir suprême à un homme prêt à tuer l'un d'entre eux, il serait obligé de se retirer de la course à la papauté. Mais si lui venait à mourir, combien parmi ses pairs seraient-ils à s'en émouvoir ?

— Sacrément peu. D'autant que cela n'entraverait en rien leurs propres ambitions.

J'aurais pu consacrer quelques précieuses minutes à compatir au sort d'Il Cardinale, n'eussé-je été parfaitement consciente que de son côté il se souciait uniquement de La Famiglia et sacrifierait tout (et tous) pour elle. Par conséquent, je me contentai de me tourner vers l'autel pour examiner la bière prête à recevoir le corps d'Innocent, préparé en ce moment même – et qui n'était en fait que l'un des cercueils dans lequel il allait être enterré. Le premier, en plomb, serait placé dans un autre, en cèdre, lui-même placé dans un dernier, en chêne blanc. Il me restait à espérer que ces trois couches suffiraient à contenir la puanteur, attendu que les obsèques en elles-mêmes n'auraient pas lieu avant plusieurs jours. Si j'échouais dans ma mission et si Borgia mourait par la main de Morozzi, d'autres obsèques devraient être organisées à la hâte.

— Allons voir le reste, dis-je, et je suivis Vittoro dans la salle adjacente à la chapelle, où l'on était en train d'aménager les quartiers des cardinaux. Chacun d'eux aurait droit à un appartement privé dans lequel manger, se reposer, délibérer – et peut-être même y prier, qui sait ? On ne pouvait guère qualifier ce logement temporaire de spartiate, mais bien sûr cela n'avait rien de comparable avec le luxe démesuré dans lequel les princes de notre Mère la sainte Église étaient habitués à vivre.

— C'est un peu la déchéance pour eux, tu ne trouves pas ? fit observer Vittoro malicieusement.

Mon père m'avait expliqué quelque chose à ce propos, qui me revenait :

— Au xiiie siècle, l'un des conclaves a duré deux ans et huit mois. On y serait peut-être encore, à l'heure qu'il est, si les fidèles n'avaient pas fini par prendre les choses en main et enfermé les cardinaux jusqu'à ce qu'ils s'entendent. Depuis, personne ne souhaite les voir prendre trop leurs aises.

Néanmoins, on ne pouvait pas exactement qualifier le conclave à venir d'épreuve. Parmi le mobilier fourni dans chaque appartement, j'aperçus des pots de chambre insérés dans des coffres en bois et équipés de sièges rembourrés, de jolies boîtes de bonbons en émail, d'élégantes salières et d'autres raffinements encore.

Scrutant plus attentivement les quartiers destinés à Borgia, je balayai d'un geste de la main la totalité de ce qui s'y trouvait.

— Tout ceci doit partir, bien entendu. Nous apporterons nous-mêmes ce dont le Cardinal pourrait avoir besoin.

L'ecclésiastique chargé de surveiller les préparatifs eut l'air indigné en m'entendant, mais garda le silence en voyant le regard sombre de Vittoro sur lui.

Peu après, nous retournâmes à la chapelle pour y jeter un dernier coup d'œil. Plus tard, nous devrions décider quels membres de sa suite Borgia emmènerait avec lui au conclave (il en aurait droit à trois) et réfléchir à comment faire en sorte de maintenir le contact avec l'extérieur – en violation de toutes les règles, bien entendu. Mais pour l'instant, je voulais tâter le terrain du mieux possible.

L'apparition soudaine de la garde d'honneur à l'entrée indiqua que le corps d'Innocent allait être mis en bière sous peu. Comme j'aimais autant être partie lorsque cela arriverait, je dus terminer promptement mon tour d'horizon. Je me tenais au centre de la chapelle, en train de regarder le plafond – qui m'a toujours frappée comme étant plutôt ordinaire en comparaison du reste – lorsqu'un mouvement à l'étage attira mon attention. Là se trouve la salle des gardes suisses, mais également une passerelle ouverte qui fait le tour du dôme intérieur et offre une vue imprenable sur tout ce qui se passe en dessous.

Un homme se tenait sur cette passerelle et nous regardait. Je ne le reconnus que trop bien. Comme dans un rêve, Morozzi semblait nimbé d'or dans sa soutane noire vaporeuse.

L'illusion venait du fait qu'il était éclairé de dos par la lumière entrant à flots des petites fenêtres. Il fit un mouvement, et l'impression s'estompa. Sans la lumière dorée, il apparaissait tel qu'il était vraiment, un homme dont la beauté démesurée n'avait d'égale que ses noirs desseins. Nos regards se croisèrent et en cet instant, je le vis sourire.

— Salaud, dit Vittoro entre ses dents. Instinctivement, sa main empoigna le fourreau de son épée.

Je vis le mouvement du coin de l'œil et me penchai légèrement vers lui, posant ma main sur la sienne. Ainsi donc mes soupçons étaient fondés, car pour avoir l'audace d'apparaître comme cela devant nous, le prêtre devait à coup sûr être de nouveau protégé. Ce qui le mettait hors d'atteinte jusqu'à ce qu'Il Cardinale n'ait plus besoin du soutien des autres cardinaux pour devenir pape. Seulement à ce moment-là serais-je libre d'agir.

— En temps voulu, lui dis-je doucement. Mais pas encore.

Le prêtre vit mon geste destiné à réfréner Vittoro, et son sourire s'élargit. Il alla jusqu'à lever la main et nous faire un petit signe moqueur avant de disparaître brusquement.

Je restai figée sur place, non loin de la bière d'Innocent, à me demander jusqu'à quel point j'allais encore devoir compromettre mon âme pour m'assurer que le choix de Dieu se porte bien sur Rodrigo Borgia.

23

Une journée passa, durant laquelle je ne cessai de faire des allers-retours entre les deux palazzi pour vérifier toutes les procédures de sécurité instaurées dans les résidences principales du Cardinal. Madonna Adriana était revenue de la campagne et me reçut avec chaleur, du moins selon ses critères à elle. Je sentis un respect inaccoutumé dans sa manière de s'adresser à moi, et j'avais dans l'idée qu'il résultait de l'opinion personnelle qu'elle s'était forgée des récents événements, ainsi que du rôle que j'avais eu à y jouer. Non pas qu'elle ait fait une quelconque référence à la mort du pape : elle était bien trop habile pour cela. Mais elle me pria de m'asseoir sur une chaise plutôt qu'un tabouret en sa présence, et se fendit même d'un compliment sur ma robe en serge, d'un gris tout à fait ordinaire, que j'avais revêtue à la hâte pour être plus à l'aise.

Lucrèce fut plus directe. Elle vint à ma rencontre dans la réserve, au moment où je finissais de passer en revue les dernières bouteilles, paniers, caisses, ballots et barils récemment arrivés au palazzo, et d'apposer les derniers sceaux pour parer à toute tentative de frelatage.

— Est-ce vrai ? demanda-t-elle d'un ton impérieux. Ce qu'on entend dire ?

Je levai les yeux de mon registre – gracieusement fourni par Renaldo, qui était allé jusqu'à m'expliquer comment l'utiliser, ce dont je lui étais sincèrement reconnaissante. Depuis l'incident dans son bureau (c'est ainsi que je le qualifiais, rien de plus), il m'avait offert son aide de la plus aimable manière. Étant donné que j'apprécie l'organisation et la précision, et que Renaldo est passé maître dans ces arts-là, j'espérais bien pouvoir travailler avec lui en toute harmonie à l'avenir.

En supposant que j'en aie un, bien entendu.

— Je ne sais pas, répliquai-je. Qu'entend-on dire ?

— Que tu es la plus grande et la plus audacieuse des empoisonneuses de tous les temps. Que tu as osé tuer le pape, mais que tu t'es arrangée pour que cela paraisse naturel.

J'en eus le souffle coupé. Le registre me tomba des mains et alla s'écraser sur le sol en pierre à mes pieds, et je l'y laissai tant j'étais abasourdie.

— Les gens disent vraiment cela ? On parle de ça *dans la rue* ?

Si elle disait vrai, c'était une catastrophe. Tous les espoirs de Borgia reposaient sur son statut de *papabile*. Étais-je allée à de telles extrémités (Rébecca était dans mes pensées, à tout instant) pour rien ?

— Eh bien… non, admit Lucrèce à contrecœur. (Elle me gratifia d'un sourire charmant, comme pour s'excuser.) Mais en vérité, je me posais la question. *Papà* avait l'air tellement impatient, et aujourd'hui, enfin, il a une chance de voir se concrétiser son désir le plus cher.

Je soupirai de soulagement et me penchai pour ramasser le registre. Le serrant fort, je lui déclarai :

— Écoutez-moi bien, Lucrèce. Ne redites jamais ce que vous venez de me dire. Quoi que vous en pensiez, quoi que vous imaginiez, vous devez garder à l'esprit que votre père ne doit jamais être soupçonné d'être mêlé à la mort d'Innocent.

— Évidemment, je le sais, répondit-elle offusquée à l'idée que je puisse la croire si ignorante. Mais juste entre nous…

— Il n'y a pas d'« entre nous » qui tienne, dans cette affaire. (Voyant qu'elle boudait, je m'adoucis quelque peu.) Mais cela ne concerne que cette question. Nous pouvons parler de tout, sinon.

— Bien, accepta-t-elle. Alors, tu vas me dire qui est ce bel homme qui t'attend dans la cour.

— Je ne vois pas de qui vous voulez parler…

Mais à la vérité, je le voyais ou tout au moins j'espérais voir, tant je suis sujette aux caprices de cette chose qui passe pour être mon cœur.

Celui-ci justement commença à s'agiter, et je me forçai à en ralentir le rythme, bien décidée à être l'incarnation même du calme et du sang-froid. Mais lorsque je vis l'homme dont j'avais rejeté la demande en mariage, et qui pourtant était resté à mes côtés à travers des épreuves qui en auraient fait fuir plus d'un, je ne pus m'empêcher de me précipiter pour aller l'accueillir.

— Rocco ! Tout va bien ? Qu'est-ce qui t'amène ici ? Nando… ?

— Il est toujours à la campagne, répondit-il.

Alors il me sourit, ce qui eut pour effet de transformer ses traits et de le faire paraître à la fois plus jeune et plus insouciant.

— Je suis venu m'assurer que tu allais bien, expliqua-t-il. Un homme au palazzo, je pense que c'était l'intendant, m'a dit que tu étais ici. J'espère que je ne te dérange pas…

— Pour l'amour du ciel, Rocco, pourquoi me dérangerais-tu ? Mais rassure-moi, tout va bien ?

Je crois que je ne l'aurais pas supporté s'il m'avait répondu par la négative. À cause de moi et de ma légèreté, il avait été exposé à un grand danger, et jamais je ne me le pardonnerais s'il lui arrivait quelque chose.

Il éclata de rire, un son que j'entendais si rarement dans sa bouche que je pris le temps de le savourer avant de regarder en direction de Lucrèce. Elle se tenait un peu à l'écart, sourcils en point d'interrogation et sourire jusqu'aux oreilles.

— Qui est-ce, Francesca ? As-tu oublié tes manières ? Présente-nous.

Je m'exécutai, et Rocco esquissa une révérence plus que crédible. Je voyais bien qu'il avait l'approbation de la jeune fille, et mes joues s'empourprèrent ; ce qui était ridicule, car assurément il n'était pas venu me voir simplement pour s'enquérir de mon bien-être. Ce n'était pas comme si l'on était amants, après tout, et enclins à ce genre de sottes fantaisies. Cela n'avait rien à voir.

— Un verrier, s'exclama-t-elle. Comme c'est fascinant. Je me suis souvent demandé comment étaient créées les merveilles que j'avais entre les mains. Peut-être pourriez-vous me montrer ?

C'était tout Lucrèce, séductrice et charmeuse comme il se devait, mais sans jamais se départir de son bon cœur.

Cela fit rire Rocco, qui semblait amusé mais également content, je crois, de savoir que j'avais une amie comme elle. L'espace d'un instant, dans cette cour inondée de soleil, il n'y eut plus que nous – trois jeunes gens enjoués.

Cela ne pouvait durer, visiblement ; mais bien que fugace, le moment fut agréable.

Son sourire s'évanouit lorsqu'il revint à la raison. À voix basse, il me dit :

— Nous devons parler.

Je hochai la tête et regardai Lucrèce, qui acquiesça à son tour en silence et disparut à l'intérieur du palazzo, non sans avoir auparavant regardé par-dessus son épaule et souri.

J'emmenai Rocco près de la fontaine.

— Guillaume est venu me voir, commença-t-il. Il est très inquiet.

— Notre présence à Sainte-Marie-de-la-Minerve a-t-elle été découverte ?

La dernière chose que je ne souhaitais, c'était que le gentil frère dominicain ait des problèmes à cause de son acte altruiste envers nous.

Rocco secoua la tête.

— Non, pas du tout. Il a entendu parler de quelque chose. (Il jeta un œil autour de lui pour s'assurer que personne ne pouvait l'entendre.) Torquemada serait en route pour Rome.

J'en oubliai de respirer. De toutes les nouvelles qu'il aurait pu m'apporter en cet instant, c'était la pire. Comme si l'effervescence n'était pas déjà à son comble dans la cité, allait-il falloir à présent supporter la présence du Grand Inquisiteur d'Espagne, l'un des principaux artisans de l'édit qui avait expulsé les juifs au départ ? Un fanatique sans pitié, en comparaison de qui Morozzi était le plus doux des agneaux ?

— Mais pourquoi ? Pour quelle raison viendrait-il ici maintenant ?

— Guillaume n'en est pas sûr, mais d'après ce qu'il se dit à l'église, il semblerait qu'il vienne pour s'assurer que le prochain pape sera disposé à prendre des mesures contre les juifs.

— Alors, il vient pour faire échouer Borgia.

Rocco eut l'air sceptique.

— Peut-être, mais le bruit court que Ferdinand d'Espagne était sur le point de se raviser concernant la publication de l'édit, et donc d'annuler l'expulsion des juifs, en échange d'une immense somme d'argent qu'ils étaient prêts à lui verser. À en croire la rumeur, juste au moment où le roi s'était décidé, Torquemada a fait irruption dans la pièce et a jeté un crucifix à terre en demandant à Ferdinand s'il voulait vraiment devenir le nouveau Judas. Cela a suffi à le retenir, et c'est comme ça que l'édit a été promulgué.

— Borgia n'est pas Ferdinand.

Si Torquemada pensait réussir à dissuader le Cardinal de prendre l'argent des juifs en le menaçant de damnation éternelle, la réalité allait se rappeler brutalement au Grand Inquisiteur. Car tout prince de l'Église qu'il était, Borgia ne s'était jamais caché d'être un séculier. Certains iraient même jusqu'à dire qu'il montrait une tendance à l'impiété, et ils n'auraient pas nécessairement tort. Après tout, on parlait de l'homme qui avait semblé parfaitement à l'aise déguisé en Jupiter.

— Le Cardinal a le plus grand mépris pour Torquemada et tout ce qu'il représente, rassurai-je Rocco. Je l'ai entendu le dire moi-même.

Et à plus d'une reprise. Borgia pouvait être le plus discret et le plus habile des hommes politiques, mais sur certains sujets, il n'hésitait pas à dire haut et fort ce qu'il pensait.

— Alors tu as raison, reprit Rocco, il vient dans le but de faire échouer Borgia. Si Morozzi et lui ne sont pas déjà de mèche, cela ne saurait tarder.

— Il faut prévenir le Cardinal.

Mais à dire vrai, il était probable qu'il soit déjà au courant, ayant la fine fleur des espions de la chrétienté à son service ; il ne cessait de se plaindre de leur coût, mais l'on voyait bien qu'ils faisaient sa fierté.

Ainsi donc, il y avait toutes les chances pour qu'il ait entendu parler du stratagème de Torquemada avant que le Grand Inquisiteur lui-même ne l'ait entièrement élaboré.

Rocco hocha la tête, mais son front restait plissé.

— Promets-moi d'être prudente, Francesca. Torquemada fait un ennemi bien dangereux.

Il n'avait pas besoin de me le dire. L'année précédente seulement, les dominicains avaient accusé huit juifs et *conversi* d'avoir crucifié un enfant chrétien. En dépit de l'absence de corps et de preuves qu'un crime ait même été commis, les accusés avaient tous finis sur le bûcher. Torquemada avait alors annoncé une grande victoire pour le Christ – alors que je L'imaginais bien plutôt pleurer sur leur sort.

Manifestement, le Grand Inquisiteur goûtait aux flammes et à l'agonie qu'elles infligent.

— Je te le promets, lui dis-je. Mais je ne peux me dérober maintenant.

Nous étions tout proches l'un de l'autre, dans cette cour ensoleillée du palazzo. La fontaine gazouillait gaiement, et les colibris nous voletaient autour pour aller y boire. Le cadre était idyllique – et si âprement en décalage avec notre époque troublée.

— J'aimerais que tu le puisses, dit Rocco dans un souffle, avant de m'attirer plus près de lui.

À peine consciente de ce que je faisais, je pris son visage dans mes mains.

— Personne ne le peut, pas avec ce qui se passe en ce moment, dis-je. Il reste à espérer que l'on parviendra à faire prendre la tournure que l'on veut aux événements.

— Je nourris d'autres espoirs, me répondit-il, avant de m'embrasser.

24

Alors que toute la ville de Rome attendait les obsèques d'Innocent et sa mise au tombeau dans la crypte sous le maître-autel de Saint-Pierre, Il Cardinale annonça son intention de donner un dîner. Il serait exagéré de parler de célébration ; disons plutôt que c'était l'occasion de solliciter les voix de certains cardinaux dans des circonstances plus fastueuses que celles qu'il pourrait se permettre une fois le conclave commencé.

J'étais bien trop prise par les préparatifs de cette soirée pour songer à la signification du baiser que Rocco et moi avions échangé – en supposant qu'il signifie quoi que ce soit, ce dont je me défendis vigoureusement, à maintes reprises. J'étais convaincue plus que jamais qu'il méritait bien mieux que ce que je serais en mesure de lui donner. À la vérité, me connaissant telle qu'il me connaissait, je m'étonnais même qu'il ne s'en soit pas déjà aperçu.

Je recommençai donc à courir de plus belle, pour m'assurer que tout ce que le Cardinal emporterait avec lui au conclave était sans danger, faire et refaire encore les vérifications nécessaires dans ses deux maisons, tenter d'anticiper les futures machinations de Morozzi, ainsi que l'arrivée du Grand Inquisiteur à Rome, tout en songeant à Rocco et en me demandant quand César allait arriver, car il allait forcément finir par arriver…

Je recommençai donc à courir, et j'avais besoin d'aide.

— Renaldo, je n'arriverai pas à gérer ce dîner toute seule, annonçai-je à l'intendant lorsque j'eus fini par le trouver, précisément dans le lieu qu'il semblait éviter en ce moment, son terrier.

Le petit homme devint rouge comme une pivoine, baissa vivement la tête puis fit mine d'examiner le plafond, en évitant soigneusement mon regard.

— Je ne vois pas du tout en quoi cela me concerne.

— Mais vous êtes le premier concerné, au contraire ! Vous êtes l'intendant. Au bout du compte, tout ce qui se passe dans cette maison vous regarde.

— C'est un dîner politique, tenta-t-il faiblement.

Je percevais à son expression qu'il serait ravi d'être impliqué. Mais il s'inquiétait, comme toujours avec Renaldo.

— Quelqu'un va peut-être tenter de tuer Borgia, annonçai-je. Est-ce que vous imaginez les conséquences, si cela survenait réellement ?

Personnellement je n'y arrivais pas, les répercussions étaient si énormes. Mais apparemment, l'imagination de Renaldo dépassait la mienne car il blêmit, puis hocha prestement la tête.

— Je ferai tout ce qui est en mon possible, bien entendu.

C'est ainsi que je l'envoyai surveiller les vastes quantités de nourriture et de vin que l'on était en train de livrer.

— J'inspecterai tout moi-même, le rassurai-je. Mais il est crucial que rien n'entre ou ne sorte sans que j'en sois informée.

Il me répliqua d'un ton solennel qu'il y veillerait personnellement, et se pressa d'aller remplir sa mission en commençant par examiner la cour où le dîner allait avoir lieu, et qui se transformait rapidement en une chambre de palais mauresque. Comme tant d'Espagnols, Borgia avait une tendresse toute particulière pour ce genre de style que les infidèles avaient apporté avec eux en conquérant son pays – avant de se faire bouter tout récemment, à la suite de la *reconquista* entreprise par Leurs Majestés très catholiques, Ferdinand et Isabelle. Connaissant sa nature, il aurait certainement apprécié de pouvoir prendre quatre épouses, en partant du principe qu'il conservait le droit de choisir ses concubines. Mais la vie était ainsi faite qu'il devait se contenter d'une nuit dans l'opulence d'un palais mauresque.

Et quelle nuit cela allait être. S'il ne reculait devant rien pour plaire à ses invités, étant donné les circonstances le Cardinal se devait de maintenir un certain décorum. Par conséquent, les « danseuses » qui se produiraient à la soirée limiteraient leurs autres activités à des rendez-vous discrètement fixés. De même pour les acrobates, jongleurs et musiciens, ainsi que l'avaleur de sabres que l'on avait spécialement engagé pour l'occasion, mais je n'avais pas spécialement envie de penser à lui.

Quand bien même, il était nécessaire de se renseigner au préalable à leur sujet ; ce qui aurait été absolument impossible, étant donné le peu de temps que j'avais devant moi, s'ils ne nous avaient tous été fournis par le même *maestro dei maestri*, l'imprésario préféré de l'élite de Rome qui, s'il n'avait été forcé de fuir à la suite d'un scandale impliquant un jeune éphèbe quelques années plus tôt, s'occuperait sûrement encore de monter les extravagants spectacles dont tout le monde raffole tant, ici.

J'allai donc trouver Petrocchio (ainsi qu'il se faisait appeler) dans la cour, où il était en train de surveiller l'installation d'une immense tente qui serait sous peu parée de somptueux tapis, de tables délicatement sculptées et de beaux sofas, agrémentés de coussins moelleux pour le confort des éminents derrières qui allaient s'asseoir dessus. Des domestiques agitaient des encensoirs pour parfumer l'air et chasser les insectes. Les musiciens commençaient à arriver et à accorder leurs instruments. Les acrobates s'exerçaient sur l'herbe. L'ensemble faisait l'effet d'un chaos étrangement attrayant.

Petrocchio était un homme grand et râblé, que la nature avait doté du tour de taille d'un *goloso* (de ceux qui aiment un peu trop la bonne chère) et du verbe haut d'un batelier. Il était présentement en train de pester contre les hommes qui se débattaient pour ériger la tente. Ses invectives étaient si imagées que je m'arrêtai un instant pour l'écouter, admirative. Quand il se mit à décrire avec force détails comment les mères des pauvres malheureux s'étaient accouplées avec des singes, je pris sur moi de l'interrompre.

— Tout semble bien aller, à ce que je vois, m'exclamai-je.

— Ah ! Mais quelle bande d'idiots ! Je n'arrive à rien avec eux, tous autant qu'ils sont… (Il s'arrêta net en s'apercevant à qui il parlait.) Oh, c'est vous, Donna Francesca, mille excuses. Le hasard veut que vous arriviez au mauvais moment, mais soyez rassurée, tout sera en ordre pour la soirée.

— Je n'en doute pas. Je voulais simplement vous parler des artistes de ce soir.

Le Maestro s'essuya le visage avec un mouchoir et se fendit d'un sourire pincé.

— Oui, bien sûr. Je connais chacun d'entre eux, évidemment. Tous des professionnels à qui j'ai fait appel d'innombrables fois. Aucun novice parmi eux, ni personne qui songerait éventuellement à prendre sa retraite et aurait besoin d'une bourse bien remplie pour la financer, si vous voyez ce que je veux dire.

Je lui assurai que c'était le cas, avant de lui demander :

— Et ils ont tous bien compris… s'il se passait quoi que ce soit de fâcheux…

Je marquai une pause par délicatesse, car je savais qu'il était inutile d'en dire davantage.

De fait, Petrocchio devint blanc comme un linge. Il fit de grands signes à un assistant, qui arriva au pas de course et lui mit une fiasque de vin frais dans sa main restée en l'air. Lorsque le Maestro se fut rafraîchi, il déclara :

— Absolument, Donna Francesca, ils comprennent. Ce sont tous, comme je l'ai dit, des professionnels. Vous n'avez pas à vous inquiéter, pas le moins du monde. Je vous en donne ma parole.

Sachant qu'il était resté l'imprésario le plus réputé et le plus recherché de Rome pendant près de dix ans sans qu'un seul incident vienne entacher son nom, j'étais rassurée sur le fait que le spectacle, tout au moins, ne poserait pas problème.

Il ne restait donc plus que la nourriture, le vin et les invités eux-mêmes. Les deux premiers m'occupèrent le reste de la journée, et m'attirèrent tant les foudres des chefs cuisiniers du Cardinal que j'allais devoir passer le restant de mes jours à essayer de me faire pardonner. Sur une note plus positive, j'appris à cette occasion un nombre impressionnant de jurons, qui me sont encore utiles parfois.

Le problème des invités était quant à lui insoluble. Venu au rapport, Renaldo m'expliqua que Borgia se montrait évasif quant à l'identité des convives, évoquant simplement des « princes de l'Église divers et variés, ainsi que d'autres personnages ». Je pris cela comme signifiant qu'il ne savait toujours pas qui allait accepter ou non son invitation, et ne voulait pas l'admettre. C'était bien beau, mais lui et moi allions devoir avoir une sérieuse discussion sur la nécessité de me tenir correctement informée.

L'heure avançant, une certaine nervosité m'envahit, dont je ne parvins pas à me débarrasser mais que j'attribuai aux circonstances. Ce dîner était le premier événement d'importance dont on m'avait chargée depuis ma prise de fonctions. Naturellement, je me souciais de voir la soirée bien se passer. J'avais tant à faire que j'eus très peu de temps pour retourner prendre un bain et m'habiller ; à peine étais-je de retour dans la cour que le Cardinal descendait pour accueillir ses invités. Il avait été très clair à ce sujet, ma présence était requise. Je compris pourquoi en le voyant arriver.

Lucrèce était avec son père. Il vous faut comprendre, à cette époque-là le Cardinal était la discrétion même s'agissant de ses enfants. Il ne s'était jamais affiché avec eux, au contraire de certains princes de l'Église qui étaient même connus pour cela – dont feu Innocent. Lucrèce et ses trois frères (dont César était l'aîné) vivaient tous séparément, dans leur propre maison. Si les fils avaient reçu un traitement de faveur, des titres et certains avantages auxquels ils n'auraient pas eu accès sans cela, la plupart des Romains n'avaient d'autre choix que de spéculer quant à leur lien de parenté véritable avec Borgia, qui n'avait aucun mal à prétendre être leur oncle en prenant un air imperturbable. Tout cela était considéré comme la preuve du bon sens d'Il Cardinale mais également, chose extraordinaire, comme un signe de retenue.

Et pourtant, le voilà qui arrivait avec à son bras une Lucrèce ravissante et tout excitée d'être là, cette femme-enfant qui attendait, tremblante, que son père décide de son avenir pour elle.

— Francesca ! s'exclama-t-elle, avant de se précipiter pour m'étreindre. Tu es splendide ! Ces couleurs te vont divinement.

J'avais mis une robe du dessous mauve et une robe du dessus couleur topaze, une tenue que mon père m'avait offerte à Pâques. Les derniers cadeaux que j'avais reçus de lui. Je les avais revêtues pour me donner courage, mais également car je n'avais rien de plus beau pour l'occasion.

Lucrèce portait quant à elle du bleu roi brodé au fil d'argent, qui venait en contrepoint parfait de ses longs cheveux dorés. Elle était si jolie qu'on aurait pu la prendre pour une statue sculptée dans l'ivoire, les métaux précieux et les gemmes, à ceci près qu'un léger rouge aux joues et une respiration précipitée trahissaient son impatience.

Se retournant, elle regarda son père avec une telle adoration que j'en eus le cœur déchiré.

— *Papà* est si bon de me permettre de venir ce soir, tu ne crois pas ? Ma première grande soirée. Il dit que je vais rencontrer des tas d'hommes importants.

Oh oui, pour sûr, elle allait faire quantité de rencontres. Il suffisait de regarder Borgia observer sa fille unique d'un air d'indulgence affable pour comprendre quelle était la véritable raison de sa présence ce soir-là.

Il Cardinale avait entamé une partie de cartes pour tenter de gagner le prix suprême, et Lucrèce (ma douce, mon adorable Lucrèce) n'était rien de plus qu'un bel atout à poser sur la table au moment voulu.

— Reste avec elle, me chuchota-t-il en passant devant moi, pour qu'elle n'entende pas. Elle sera assise à côté de Sforza. Assure-toi que tout se passe bien.

Il n'y avait que Borgia pour ne pas trouver curieux de demander à son empoisonneuse de chaperonner pour sa fille. Non que Madonna Adriana fût absente ; elle était même bien là, tout en soie pourpre, perles chatoyantes et coiffure rehaussée d'une couronne de plumes dorées. Elle venait de prendre la main et de baiser la bague de… Mes yeux étaient-ils en train de me trahir ? Ce jeune homme à l'œil vigilant et au sourire crispé était-il vraiment le Cardinal… ?

Par discrétion professionnelle je me dois de jeter le voile sur certains des événements de cette soirée, d'autant plus qu'ils concernent des personnages qui, bien que présents, ne furent pas directement impliqués dans ce qui s'ensuivit. Je me contenterai donc de dire que les invités qui s'attablèrent autour de Borgia ce soir-là formaient une bien curieuse assemblée, faite de descendants de maisons nobles régulièrement en guerre les unes contre les autres mais capables de la plus parfaite amabilité lorsque cela les arrangeait.

Je comprenais à présent pourquoi Petrocchio, que j'avais entraperçu rôdant non loin de là, avait été si nerveux. Bien mieux que moi, il savait nager à contre-courant dans le fleuve de rumeurs qui inonde Rome à chaque saison. Bien mieux que moi, il avait su anticiper qui viendrait. J'échangeai un regard avec le Maestro, le mien à n'en pas douter choqué, le sien expérimenté – et donc résigné. Il alla jusqu'à lever les paumes des mains au ciel et hausser les épaules, comme pour dire : « À quoi vous attendiez-vous ? »

Telle une échoppe un jour de semaine, Borgia était « ouvert » et prêt à faire affaire, comme l'avait si bien résumé Vittoro ; et manifestement il avait raison. Mais l'audace du Cardinal allait au-delà du simple opportunisme. Rassembler sous son toit tant d'hommes puissants en désaccord les uns avec les autres prouverait peut-être son intention de mettre fin aux querelles et de refermer les vieilles blessures. C'était une issue que tous les chrétiens devraient appeler de leurs vœux. Assurément en tout cas, Borgia deviendrait par ce biais le favori du peuple romain, qui est habituellement le premier à souffrir des luttes intestines entre les princes de la sainte Église.

Bien entendu, il y eut également quelques absents notables : della Rovere, naturellement, ainsi qu'une demi-douzaine de cardinaux proches de lui. D'autres étaient encore en route pour Rome, et par conséquent n'auraient pu venir même s'ils l'avaient voulu. Le reste des invités était constitué d'évêques en position de pouvoir à la curie, en d'autres termes principalement des hommes de Borgia, ainsi que d'une poignée d'ecclésiastiques dont on pensait qu'ils feraient du chemin. Madonna Adriana, Lucrèce et moi étions les seules femmes présentes.

— N'est-ce pas merveilleux ? me murmura Lucrèce lorsque nous prîmes place à l'intérieur de la tente en soie, sentant le jasmin et le patchouli. Les tables resplendissaient des plus beaux couverts en or, de la porcelaine la plus fine. Sous nos pieds les tapis turcs étaient aussi moelleux que des coussins. Derrière chaque fauteuil un valet de pied attendait que l'on s'assoie pour nous servir, se hâtant d'étaler un carré du lin blanc le plus raffiné sur nos genoux et de nous proposer du vin dans des coupes émaillées de pierres précieuses.

— Incroyable, répliquai-je, même si à la vérité j'étais davantage stupéfaite devant le nombre d'hommes suffisants et ambitieux présents que du luxe ostentatoire dont la maison des Borgia fit montre ce soir-là. Il y avait tant de rivaux et d'ennemis rassemblés autour de la même table qu'il ne me restait plus qu'à prier que personne ne profiterait de l'occasion pour verser un goutte de liquide dans une coupe ou un plat. Pour peu que cela soit fait dans les règles de l'art, ce genre d'empoisonnement est quasiment impossible à détecter à temps pour sauver celui qui en est victime. Qui plus est, si le meurtrier est suffisamment hardi, il peut détourner les soupçons en s'assurant que d'autres invités, lui-même compris, reçoivent ce même poison à petite dose, dans le but de faire croire qu'eux aussi étaient visés. Quelques bons vomissements fournissent un excellent alibi. Mais je suis sûre que vous n'avez que faire de savoir de telles choses, et je devrais bien me garder de vous les confier.

Alors que l'on s'attablait, j'eus l'occasion d'examiner Sforza, qui était occupé à bavarder avec l'évêque à sa droite. Le bruit courait que le banquet qu'il avait donné en l'honneur du prince napolitain Ferdinand de Capoue au palais de Son Éminence dans le Trastevere, plusieurs mois auparavant, était d'un faste défiant toute description. Assurément, Borgia avait dû en entendre parler. Je me demandais bien comment Il Cardinale allait s'y prendre pour le surpasser.

Le frère du duc de Milan approchait de la quarantaine, mais avait l'air plus jeune. Il était en bonne forme, sauf au niveau du visage, qu'il avait rondelet et pourvu d'un double menton. Ainsi, d'après Vittoro, il aspirait à obtenir la papauté pour lui-même ; mais même la puissance de son frère ne pouvait masquer le fait que sa jeunesse ne saurait faire de lui un candidat sérieux.

Le danger qu'il y a à élire un pape trop jeune est évident. Ce n'est pas qu'il s'avérera nécessairement inepte (les compétences sont au mieux secondaires, s'agissant de la papauté ; bien plus importante est la capacité à se montrer rusé comme le renard), mais bien qu'il vivra trop longtemps, privant ainsi les autres de leur chance. Les hommes plus âgés, de préférence enclins aux écarts de conduite et ayant peu de chances de vivre beaucoup plus longtemps, ont par conséquent tendance à être favoris.

À soixante et un ans, Borgia aurait dû avoir l'avantage, mais tout le monde savait qu'il était de nature robuste et bien plus vigoureux que beaucoup d'hommes ayant la moitié de son âge. Cet élément allait jouer contre lui.

Sforza avait tourné son attention vers Lucrèce, qui rougit de façon charmante. Il était en train de lui demander si elle aimait la musique et elle l'assurait que c'était le cas, lorsque je me souvins que le cardinal était le cousin du jeune et toujours célibataire Giovanni Sforza, seigneur de Pesaro et Gradara. Si je me souvenais bien, il avait dans les vingt-cinq ans – le double de l'âge de Lucrèce, donc. Même au regard des critères en vogue à notre époque, la jeune fille était encore trop jeune pour se marier, mais certainement pas pour se fiancer (une fois de plus), si son père en avait décidé ainsi.

Mais il était impossible qu'une promesse de mariage seule suffise à garantir le soutien de Sforza, d'autant plus s'il convoitait la papauté pour lui-même. J'étais en train de me demander ce que Borgia allait bien pouvoir lui promettre d'autre lorsque le premier plat – langue d'alouette au miel – fut servi.

Ce genre de dîner étant l'occasion pour les *maestri della cucina* de déployer leurs talents les plus exotiques, il est plus sage de faire un bon repas avant de s'attabler. L'entrée présageait d'un dîner des plus lourds, composé de mets tels que le cygne, le marsouin et le sanglier farci à la venaison elle-même farcie au cochon de lait, un plat populaire en cette saison, ne me demandez pas pourquoi. Pour moi, rien ne vaut un bon poulet ; mais je digresse.

J'étais en train de siroter un agréable vin rouge, légèrement frais mais point trop corsé pour une belle soirée d'été telle que celle-ci, lorsque je regardai par hasard du côté de l'entrée de la tente. J'aimerais croire que la coupe ne me tomba pas des mains car je suis de nature forte, mais elle faillit bien. Je réussis à peine à la reposer sans la renverser, tant je regardais fixement l'homme qui venait d'entrer.

À quelques pas de Borgia – à portée de lui vraiment, puisque apparemment il avait réussi à passer tous les gardes du palazzo, se trouvait le père Bernando Morozzi, un sourire aux lèvres.

25

En voyant Morozzi je ne pus m'empêcher de pousser un juron tout bas. Je me levai aussitôt de mon fauteuil, mais au même moment mon regard croisa celui de Borgia.

Il Cardinale marqua son désaccord en secouant la tête, et fit un geste discret mais clair de la main pour m'enjoindre de me rasseoir. J'obéis, mais avec la plus grande réticence.

Morozzi eut alors l'audace de se planter devant Borgia et, l'ayant à peine salué, de s'exclamer :

— Mille excuses pour mon retard, Éminence. J'ai été retardé bien malgré moi.

En l'entendant parler ainsi, les autres invités prêtèrent l'oreille, tout en feignant bien entendu le contraire. Un simple prêtre (quand bien même doté de très bonnes relations), retardé « malgré lui » pour une soirée donnée par le vice-chancelier de la curie et peut-être notre futur pape ?

Tout cela était d'une prodigieuse effronterie. L'assistance, pourtant blasée et rompue aux comportements les plus irrévérencieux, était tellement choquée que plus personne ne parlait, attendant (moi y compris) ce qui n'allait pas manquer de suivre : une bonne leçon sur la façon de s'adresser au Cardinal, donnée par le premier intéressé.

Mais Borgia nous surprit tous en déclarant, un grand sourire aux lèvres :

— Balivernes, mon fils, tu n'as nul besoin de t'excuser. Assieds-toi, et passe une bonne soirée.

Pendant le plus bref des instants, Morozzi eut l'air lui aussi décontenancé. Il s'attendait manifestement à une confrontation et paraissait dépité de s'en voir ainsi privé. Dans ces conditions, il n'avait d'autre choix que d'accepter le fauteuil qu'on lui indiquait, juste en face de moi – par le plus grand des hasards, bien sûr.

Nous nous observâmes. Si Morozzi se sentait mal à l'aise d'être à la table de son ennemi, il ne le montra pas. Ses cheveux dorés qui retombaient en boucles parfaites devaient faire l'envie de plus d'une femme. Ses traits n'étaient pas marqués, et il arborait un sourire en apparence naturel. En d'autres termes, il ressemblait toujours à un ange.

En examinant ainsi le prêtre, je me demandai quel âge il pouvait bien avoir. J'ai eu l'occasion d'observer que les individus vraiment dérangés semblent vieillir plus lentement que le reste d'entre nous. Certains y voient la preuve d'un pacte contre nature destiné à conserver leur jeunesse. Pour ma part, j'en suis arrivée à la conclusion que rien de ce qu'ils font ne les touche réellement. Il leur manque cette capacité essentielle à tisser des liens, qui anime nos consciences et écrit l'histoire de nos vies, pour le meilleur ou pour le pire, sur notre visage. C'est cela, plus que tout autre chose, qui les rend si dangereux. Et fait qu'il est capital de ne jamais céder devant eux.

En me tournant j'aperçus Petrocchio qui, toujours prompt à déceler les ennuis potentiels, avait lui aussi les yeux fixés sur Morozzi. Le Maestro me surprit en train de l'observer et s'empressa de venir me voir. Il se pencha tout près de moi pour qu'on ne nous entende pas.

— Savez-vous qui c'est ? lui demandai-je, prête à le lui dire si nécessaire.

Mais comme d'habitude, Petrocchio me surprit par l'étendue de ses connaissances.

— J'ai entendu certaines rumeurs à son sujet. Il était très proche d'Innocent, et c'est lui qui a trouvé les garçons pour les saignées du souverain pontife, à ce qu'il paraît. Que fait-il ici ?

— À Borgia de nous le dire.

Et à moi de le découvrir dès que j'en aurais l'occasion, mais avant cela…

— Ce prêtre aurait grandement besoin d'être remis à sa place, je crois.

— Plus que cela, même, répliqua mon sage Petrocchio, mais cela ira pour commencer.

Il se redressa, et hocha la tête solennellement comme si je l'avais commandé. Autour de la table la conversation avait repris, mais le Maestro prit garde de parler suffisamment fort pour que tout le monde l'entende.

— Oui, Donna Francesca, bien sûr. Vos désirs sont des ordres. J'y cours de ce pas, Donna Francesca.

Sur ce, il partit précipitamment en claquant ostensiblement des doigts à plusieurs serviteurs, qui bondirent au garde-à-vous et le suivirent.

Peu après, un plat doré fut posé devant Morozzi. L'y attendait une part de tous les mets délicieux servis jusqu'ici. Puis on lui apporta une somptueuse coupe remplie du même vin que j'étais en train de savourer. Petrocchio rôdait non loin, comme pour s'assurer que tout était parfait.

Je vis Morozzi se raidir et fixer tour à tour son dîner, puis moi. Une certaine méfiance, peut-être même une expression de crainte, traversa son beau visage. Je n'oserais tout de même pas l'attaquer de façon aussi directe, en présence de tant de prélats et de Borgia lui-même ?

Et pourtant, j'étais celle qui avait pénétré à l'intérieur du *castel* pour tuer le pape et en était ressortie vivante.

Ce fut à mon tour de sourire.

Sur ces entrefaites, les divertissements commencèrent : d'abord les acrobates, qui furent beaucoup applaudis, puis les jongleurs, qui se résumaient en fait à un homme et ses deux singes dressés, et enfin l'avaleur de sabres. Les singes me fascinèrent tout particulièrement. Ces petites bêtes étaient accoutrées de façon extravagante, dans le style qu'affectionnent les riches négociants – dont d'aucuns disent qu'ils aspirent à dominer, un jour, la vie de la cité. Elles commencèrent par s'affairer, visiblement pour mettre la table, puis elles s'assirent et dînèrent avec une aisance surprenante.

Pendant ce temps-là, les plats continuaient à affluer : *maccheroni* parfumés au bouillon de chapon et au safran, œufs gratinés aux épinards, sardines grillées en feuilles de vigne, escargots sautés au vin, anguilles au vinaigre, rôti de héron et autres mets délicats défilaient, accompagnés des merveilleux vins de Toscane et de Ligurie.

Du début à la fin, Morozzi ne mangea ni ne but. Il ne toucha même à rien ; ses mains restèrent sur ses genoux tout le temps que dura le dîner. Chaque plat qui lui fut apporté repartit intact. Son abstinence était si totale que Lucrèce interrompit la séance de charme qu'était en train de lui faire Sforza pour exprimer son inquiétude.

— Le dîner n'est-il pas à votre goût, mon père ? s'enquit-elle.

Je peux vous jurer sur la Bible qu'elle n'avait aucune idée de qui il était. C'était un invité, et son bien-être lui emportait : quiconque a déjà eu le plaisir de dîner à la table de Lucrèce vous dira qu'elle est la plus prévenante des hôtesses.

Sa question innocente ne fit qu'accentuer le malaise de Morozzi, et le conduisit à répondre de façon irréfléchie. D'une voix un peu trop forte, il lui lança :

— Je suis tout simplement incapable de faire bombance quelques jours à peine après la mort de notre bien-aimé Saint-Père.

Eût-il émis un pet bruyant et malodorant qu'il n'aurait pas aussi bien réussi à passer pour un malotru, devant une assemblée si éloignée des contingences spirituelles. Un éclat de rire parcourut la table comme un frisson, puis l'on détourna volontairement le regard, tant la situation était embarrassante.

Prenant conscience de son erreur, Morozzi rougit. J'ajoutai encore à sa gêne en faisant mine de dévorer le contenu de mon assiette avec un enthousiasme bien supérieur à la vérité. Ce n'était pas la qualité des plats qui était en cause ; simplement, celui qui avait la sottise de manger de trop bon appétit tout ce qu'on lui servait en viendrait assurément à le regretter, le matin venu. Soit cela, soit il mettrait en pratique la vieille coutume romaine qui consiste à aller vomir dans les buissons de ses hôtes.

— Vous devez absolument goûter à cela, fis-je à Lucrèce à un moment donné, en lui mettant un morceau de tarte bolognaise dans son assiette. Elle convint que c'était très bon, et m'encouragea à son tour à essayer les champignons farcis qui, je dois le dire, étaient excellents.

L'avaleur de sabres se retira sous les applaudissements, et le silence retomba. Dans le calme soudain on entendit bientôt le doux et ondulant murmure de la flûte, suivi du battement du tambourin. La musique se fit plus forte, puis insistante, et tout à coup les danseurs entrèrent dans la tente en virevoltant, avant de prendre position à la vue de tous.

Je précise qu'il s'agissait de « danseurs » car à ma surprise, sur la dizaine d'artistes en scène il y avait trois hommes, dont les corps agiles et musclés étaient d'une beauté confondante. Ils étaient nus, à l'exception de petites bourses en cuir de veau destinées à masquer leurs parties intimes. Quant aux femmes, elles étaient drapées dans des voiles diaphanes qui ne cachaient pas grand-chose.

Ils dansèrent… comment le décrire ? Par les seuls mouvements de leur corps ils parvinrent à évoquer le plaisir que ressentent hommes et femmes à jouer au jeu de la séduction, à anticiper le doux moment de l'abandon mutuel, et à succomber à l'extase triomphale qui lui succède peu après. Ils se mouvaient avec une puissance qui relève sûrement de la vision divine de l'homme, mais qui pourtant semblait être totalement étrangère à notre bas monde. Par la danse, ils devinrent davantage que de simples humains, ils s'élevèrent par-delà les limites de notre enveloppe mortelle pour ne faire plus qu'un, si je puis me permettre, avec la création elle-même.

Pour parler sans détour, ils étaient très… excitants.

Soucieuse de mes responsabilités, je m'obligeai à détacher les yeux du spectacle pour observer les invités. À ce stade-là, cela faisait plusieurs heures que le vin coulait à flots, et tous en avaient pris, à part Morozzi. Si je n'étais pas seule à avoir fait preuve de modération, nous étions quand même fort peu.

Confortablement installé dans son fauteuil, Sforza regardait la danse avec le plus grand intérêt. Je le trouvai quelque peu haletant et me dis que plus tard, sa maîtresse du moment aurait l'honneur de sa visite. Madonna Adriana était subitement prise de bouffées de chaleur ;

Lucrèce se montrait aussi mal à l'aise qu'il sied à une vierge de l'être ; quant à Borgia… Il Cardinale était étendu sur son fauteuil, les paupières si lourdes qu'on aurait pu le croire assoupi. Je mis moi-même un certain temps à me rendre compte que malgré les apparences, il était totalement alerte ; seulement son attention n'était pas dirigée vers les danseurs, mais Morozzi.

Ce dernier se tenait droit comme un piquet dans son fauteuil. Il avait le visage tout rouge et semblait… Par le diable, il n'était tout de même pas en train de… ? Le fait est qu'il semblait agiter précipitamment ses mains sous la table.

Je le fixai, d'abord sans comprendre, puis d'un air totalement incrédule. Ses yeux, que la folie faisait briller intensément, croisèrent les miens. Je vis s'y refléter la perversité et le plaisir pernicieux comme je ne l'avais jamais vu, et comme je ne l'ai jamais observé chez quiconque depuis. Un bref instant je ressentis de la pitié pour lui ; mais elle fut bien vite balayée par une vague de dégoût, tant je me sentis violée par l'intimité de son regard.

Je me détournai, sentant un haut-le-cœur monter. Je pris ma coupe d'une main tremblante et bus un peu de vin dans l'espoir de me calmer. Ayant désespérément besoin de le chasser de mon esprit, je me forçai à regarder de nouveau les autres invités. Personne ne semblait avoir remarqué son comportement indécent, tant le spectacle captivait l'assemblée. Du moins personne à part Borgia, qui continuait à observer le prêtre, ses paupières à demi closes, un léger sourire aux lèvres à présent.

La danse finit enfin, tout comme Morozzi apparemment, même si à le voir cela ne lui avait apporté aucun soulagement. Les danseurs sortirent de scène sous les applaudissements, se hâtant d'aller se préparer pour les rendez-vous qui les attendaient ensuite. Je pris plusieurs profondes inspirations. Le comportement du prêtre m'avait davantage ébranlée que je ne l'aurais cru. Étant sortie indemne de mes péripéties dans le *castel*, je m'étais laissée aller à un sentiment de confiance que je ne pouvais me permettre, me rendais-je compte à présent. La démence de Morozzi le plaçait hors des limites du comportement humain normal, car elle le rendait imprévisible. Plus que toute autre chose, c'était cela sa plus grande force, et donc l'obstacle le plus difficile à surmonter pour moi si j'entendais triompher de lui.

La musique continua par la suite, mais de manière plus conventionnelle. Avec ce changement d'ambiance furent servies les douceurs, censées clore le repas et aider à la digestion. Nous eûmes droit à un verre d'hypocras (épicé comme il se doit), ainsi qu'à des dragées, un vaste choix de fromages fondants, des figues fraîches et des oranges. Suivirent ensuite les bouchées à la pâte d'amandes, le sorbet parfumé aux pétales de rose et enfin mon dessert préféré, les chapeaux turcs, comme on appelle familièrement ces tubes de pâte frite fourrés de savoureuse ricotta. D'habitude je ne refuse jamais un bon chapeau turc, mais cette nuit-là ils avaient perdu de leur attrait.

L'air s'était rafraîchi en cette heure tardive, sortant quelque peu les invités de leur torpeur. Demain ils retourneraient à leurs rivalités mais pour le moment ils s'amusaient, et firent même un accueil chaleureux au petit discours que Borgia prononça, debout, sur l'amitié et le fait que c'était l'un des dons les plus précieux de Dieu, que nous devrions tous cultiver comme nous cultivons notre jardin. J'écoutai seulement d'une oreille, mais eus impression qu'il était bien tourné.

Pendant qu'il parlait, des domestiques firent leur apparition avec des paniers en or (non pas *dorés*, mais bien faits de bandes d'or tressées, comme je le constatai en en examinant un), remplis d'un assortiment de cadeaux pour chaque invité. J'eus le temps d'apercevoir des petits couteaux de poche aux manches ornés de pierres précieuses, des fioles en cristal contenant des huiles rares et, plus étonnant, des automates miniatures en forme d'oiseau qui, quand on tournait une clé minuscule dans leur dos, battaient des ailes et bougeaient la tête. Cette merveille de mécanique provoqua un tel ravissement que plusieurs prélats et princes étaient encore en train de jouer avec au moment de partir, raccompagnés vers la sortie par un Borgia rayonnant – fini les paupières lourdes, il paraissait aussi fringant que s'il sortait d'une bonne nuit de sommeil.

Morozzi ne reçut pas de panier, et ne prit pas non plus congé de Borgia : il tenta bien plutôt de s'esquiver discrètement à la faveur de la nuit. Je précise qu'il « tenta » car il fut suivi par Vittoro, qui avait surgi de l'ombre derrière la tente, où il avait dû patienter depuis son arrivée. Il allait s'assurer que le prêtre fou quitte bien les lieux séance tenante, ce qui était rassurant.

Lucrèce dormait presque debout lorsqu'elle embrassa son père et le remercia chaleureusement de lui avoir permis d'assister à la soirée. Sforza se tenait juste derrière elle. Je vis le regard qui passa entre les deux hommes. Je vis également, après le départ de la jeune fille au bras de Madonna Adriana, les deux cardinaux faire quelques pas ensemble pour parler en privé sous les arbres. Puis ce fut au tour de Sforza de partir, et Borgia disparut à l'intérieur.

Petrocchio était avachi sur un canapé, une coupe de vin à la main et une cuisse de chapon dans l'autre, surveillant le nettoyage d'un œil las. Je pris place à côté de lui.

— Tout s'est bien passé, lui dis-je en soupirant.

— Grâce à Dieu, oui. Mais pas grâce à ce fou à lier. Non mais vous avez *vu* ce qu'il a fait ?

Je fis la grimace.

— Malheureusement, oui. Que savez-vous d'autre sur lui ?

Le Maestro soupira, prit une gorgée de vin et raconta :

— Il a fait son apparition à Rome il y a deux ans. Selon certains il viendrait de Gênes, où il avait peut-être des liens familiaux avec Innocent, mais selon d'autres il serait originaire de Florence. Au départ il avait un poste subalterne au Vatican, mais son influence s'est rapidement étendue. Le bruit court qu'il avait pris l'ascendant sur le pape en lui promettant de lui révéler le secret de longue vie.

— Et Innocent a été suffisamment sot pour le croire ?

— Je dirais plutôt suffisamment désespéré. En tout état de cause, maintenant qu'Innocent n'est plus là, il va devoir se trouver un nouveau protecteur.

Petrocchio n'avait pas mentionné l'édit ni l'implication de Morozzi dans celui-ci, ce qui venait confirmer mon soupçon : l'affaire était si délicate que même à la curie (où les rumeurs étaient pourtant légion), on l'avait gardée secrète. Quand bien même, je tâtai le terrain un peu plus avant :

— Avez-vous entendu dire quoi que ce soit s'agissant de Morozzi et des juifs ?

Le Maestro me décocha un regard étonné.

— Que voulez-vous dire ? Êtes-vous en train d'insinuer… ?

— Je me demande seulement s'il serait possible que ce soit un *converso*.

Après tout, Morozzi s'était revendiqué comme tel, mais j'avais depuis écarté l'idée comme n'étant rien de plus qu'un stratagème pour gagner ma confiance.

La réponse de Petrocchio vint me confirmer que j'avais vu juste.

— Doux Jésus, ce serait un peu fort ! Cependant non, je n'ai jamais entendu dire cela. Bien sûr la présence de *conversi* au sein de la curie fait partie de ces rumeurs récurrentes, mais c'est comme les histoires de veaux à deux têtes. Ni l'un ni l'autre ne sont à prendre au sérieux, à mon avis.

Il jeta sa cuisse de chapon à moitié mangée dans l'obscurité du jardin et se pencha vers moi comme pour me faire une confidence.

— En parlant de *conversi*, avez-vous entendu le dernier ragot que della Rovere est en train de faire circuler ?

En me voyant secouer la tête, il prit un air sérieux.

— Il raconte un peu partout que Borgia est un *marrano*.

Un porc. Un cochon dégoûtant. Un juif en secret qui fait semblant seulement d'être chrétien. Dire d'un homme ou d'une femme qu'ils étaient des *conversi* équivalait à émettre des doutes sur la sincérité de leur engagement envers la religion chrétienne. Mais qualifier quelqu'un de *marrano* revenait à le jeter dans la fosse des condamnés en compagnie des hérétiques et autres sorcières.

— Della Rovere déclare la guerre, dis-je dans un souffle.

C'était la seule conclusion possible.

Petrocchio soupira.

— La situation va empirer avant de s'améliorer, ça, c'est certain. Je songe à aller à la campagne quelque temps. (Il me regarda.) Vous seriez bien avisée d'en faire autant.

Je me levai et lui souris comme je pus.

— Pas tant que Borgia reste à Rome.

Le Maestro acquiesça, l'air de compatir. Il fit signe à un assistant de venir l'aider à se relever.

— Sérieusement, Donna Francesca, me dit-il en se préparant à partir. Ne mésestimez pas les forces déployées contre votre maître. Plus d'un sont déterminés à empêcher un Espagnol de s'emparer du trône papal. Et ils sont encore plus nombreux à craindre Borgia. Ils le soupçonnent de vouloir fonder une dynastie dans le but de prendre l'ascendant sur les autres familles. On dit même qu'il rêve d'unir l'Italie tout entière en la plaçant sous l'autorité d'une lignée de papes Borgia.

Je n'avais pas entendu cette rumeur-là, mais cela ne me surprenait guère. Après avoir vécu dix années sous le toit d'Il Cardinale, je n'avais plus aucun doute sur le fait que la soif de pouvoir de cet homme était sans limites.

— L'unité serait-elle si mauvaise que cela ? répliquai-je.

C'est une question à laquelle j'ai beaucoup réfléchi, depuis. Divisés comme nous le sommes en républiques, royaumes, duchés et autres, nous sommes à la merci des caprices de nos voisins plus puissants, en particulier la France et l'Espagne. Pourtant je reste partagée sur ce qu'il adviendrait si l'on aplanissait nos différences. C'est ce qui nous distingue qui nous permettra d'emprunter des chemins différents, d'expérimenter diverses façons de gouverner, voire de nous libérer du joug de la peur et de la superstition. Exercée par un mauvais dirigeant (et combien de fois dans l'histoire nous est-il arrivé d'en avoir un bon ?), l'unité viendrait détruire tout ce que nous avons bâti.

— Qui sait ? répondit Petrocchio. (Il prit appui sur son jeune assistant, qui supportait son poids d'un air stoïque.) Seulement, ayez à l'esprit qu'ils vont tous tenter de faire obstacle à Borgia. Gardez-le en vie, si vous le pouvez. Aidez-le à devenir pape, si telle est la volonté de Dieu. Mais ne sous-estimez jamais ses ennemis.

Sur ces paroles il me quitta, lui, le plus grand des imprésarios, qui savait si remarquablement masquer la réalité alors même qu'il la cernait avec davantage de clairvoyance que la plupart d'entre nous.

Je restai encore un moment dans la cour, tentant de rassembler mes esprits. Les premières lueurs grises de l'aube s'annonçaient déjà à l'est, mais les lampes brûlaient encore derrière les fenêtres du bureau de Borgia. Il Cardinale avait autant de mal à trouver le repos que moi, visiblement.

Ayant retardé le moment aussi longtemps que je l'avais pu, je rentrai à l'intérieur et montai prestement l'escalier menant à lui.

26

Il aurait été bien plus sage d'aller se coucher. De repousser le problème au lendemain. D'y réfléchir à deux fois avant d'approcher Il Cardinale précisément maintenant.

Mais la fougue de la jeunesse me poussa à agir – et aussi, il faut bien l'avouer, un léger manque de sobriété.

Les doubles portes menant au bureau de Borgia étaient entrouvertes, et aucun garde n'était en vue. Je me glissai à l'intérieur, dans la salle des clercs. Leurs bureaux surélevés étaient recouverts de documents soigneusement empilés et de registres attendant d'être compulsés. À côté se trouvait un abaque dont les grosses boules, qu'ils déplaçaient pour faire leurs calculs, étaient lisses et brillantes à force d'avoir servi. Tout au fond, une petite porte menait à l'antichambre où j'avais attendu lors de ma première visite. Ève et le serpent continuaient à folâtrer gaiement. Plus loin encore, la porte menant au saint des saints était ouverte. Au mur du fond, je vis briller la lumière que j'avais aperçue depuis la cour.

Borgia était assis à son bureau. Ou plutôt, il était bien calé dans son fauteuil, le visage dans la pénombre. L'espace d'un instant, je crus qu'il s'était endormi. Si cela avait été le cas, je ne l'aurais pas dérangé – simple considération d'une insomniaque envers un autre. Mais au moment où je songeais à me retirer, il remua.

— Te voilà enfin, lança-t-il comme s'il m'attendait.

Borgia étant ce qu'il était, c'était peut-être bien le cas.

Le Cardinal avait troqué sa robe contre un pantalon et une chemise amples. Lorsqu'il se redressa, les rides autour de ses yeux et de sa bouche me parurent plus creusées que d'habitude. Pour une fois il faisait son âge, ou tout au moins s'en approchait.

— Petrocchio est-il bien reparti ?

Peut-être cette question vous interpellera-t-elle, mais Borgia savait par trop le rôle que jouent les apparences lorsqu'il s'agit d'obtenir, puis de conserver le pouvoir. À ce titre, il avait une grande estime pour le Maestro.

— Oui, répondis-je. Il était soulagé de voir que tout s'était bien passé.

— J'ai trouvé, moi aussi, renchérit Borgia. Et toi, qu'en dis-tu ?

Je fis quelques pas vers lui. Une fiasque de vin et deux coupes étaient posées sur le bureau. L'une des coupes était à moitié vide : je ne savais pas qu'il buvait en solitaire, mais assurément ce n'était pas le seul aspect de sa personnalité qui m'échappait.

— Vous savez ce que j'en pense, fis-je. Pourquoi Morozzi était-il ici ?

Borgia partit d'un petit rire sec et se pencha en avant, posant ses coudes sur le bureau. Puis il se mit à scruter un recoin sombre de la pièce, comme s'il allait y trouver une réponse à ses questions.

— J'imagine que je l'ai invité. C'est certainement cela, non ?

— Auriez-vous perdu la tête ?

Je vous l'accorde, ce n'était pas exactement la plus diplomatique des entrées en matière. Mais c'était ce que je ressentais en cet instant-là, épuisée comme je l'étais après tout ce qui s'était passé et bien trop consciente du danger qui rôdait toujours autour de nous.

— Pour autant que je le sache, non, répliqua Borgia d'un ton bien plus clément que je ne le méritais. Comme s'il n'avait pas déjà été suffisamment magnanime avec moi, il me désigna d'un geste le fauteuil en face de lui.

— Assieds-toi, Francesca.

Enhardie par son indulgence et sentant monter en moi une bouffée d'affection inattendue, je lui obéis. Tous mes griefs, qui couvaient depuis le moment où j'avais vu le prêtre fou se tenir à l'entrée de la tente, si dangereusement près de l'homme que j'étais censée protéger, se déversèrent en un flot continu.

— Je suis votre empoisonneuse, oui ou non ? lui lançai-je avec grand sérieux. Vous me faites confiance pour votre sécurité, oui ou non ? Inviter Morozzi ici sans même m'en avertir… (Je secouai la tête.) Bon sang, mais pourquoi agir ainsi ? J'ai vraiment du mal à vous suivre.

Borgia indiqua d'un geste de la main les livres qui remplissaient les étagères sur toute la longueur d'un mur de son bureau, du sol au plafond. La plupart étaient des manuscrits sur parchemin, certains datant de plusieurs siècles. D'autres étaient les produits des nouvelles presses à imprimer, qui depuis peu semblaient faire leur apparition un peu partout. C'était un grand amoureux des livres, bien qu'il ait rarement le temps de lire autant qu'il l'aurait voulu.

— Que nous dit Térence, déjà ? « *Auribus tenere lupum* ».

C'était tout Borgia, ça, de citer pour décrire sa situation l'œuvre d'un esclave affranchi (en reconnaissance de son génie pour la dramaturgie) plutôt que les Saintes Écritures. Néanmoins, j'étais surprise qu'il reconnaisse la gravité du problème.

— C'est vrai, vous tenez réellement le loup par les oreilles, repris-je. Si vous le lâchez, il vous dévorera. Mais Morozzi…

Le Cardinal balaya d'un geste mon inquiétude, avant que je n'aie le temps de la formuler pleinement.

— J'ai découvert, expliqua-t-il, que le meilleur moyen de connaître un homme est de le mettre sous pression et de voir comment il réagit. N'es-tu pas d'accord ?

— J'imagine. Toutefois…

— Morozzi aurait pu décliner mon invitation, mais il ne l'a pas fait. Qu'est-ce que cela nous dit de lui ? Et la façon dont il s'est comporté ensuite ici, avec une telle insolence ? Qu'il est vaniteux et trop sûr de lui, le genre d'homme qui, si on lui fournit la corde, trouvera le moyen de se pendre avec ?

— Peut-être, mais…

— Ou bien au contraire qu'il pense avoir des raisons d'afficher une telle superbe ? En d'autres termes, qu'il a un plan qui, à son avis, ne peut échouer ?

— Un plan pour vous tuer ?

Comme on disait du temps de Jules César, « *in vino veritas* ». Ma langue semblait avoir acquis une vie propre.

Avant que j'aie le temps de regretter ma spontanéité, Borgia remplit la seconde coupe et la fit glisser jusqu'à moi.

— Ce serait la conclusion la plus logique, souffla-t-il.

Mon souci de la sobriété s'évanouit devant la vérité implacable qu'il me demandait de regarder en face. Je bus un grand coup avant de poursuivre.

— Morozzi est en possession d'un poison mortel.

J'avais retardé le plus longtemps possible cette confession ; mais je manquerais à tous mes devoirs en ne le lui disant pas maintenant. Toutefois, cet aveu me coûta. Beaucoup.

Le Cardinal leva un sourcil.

— Comment le sais-tu ?

— Parce que c'est moi qui l'ai fabriqué avant d'entrer dans le *castel*. Mais c'était pour mon propre usage, en cas de nécessité, et je le portais dans un médaillon que mon père m'avait donné en cadeau.

— Tu étais prête à te suicider si tu te faisais capturer ?

Il avait l'air surpris, comme s'il n'avait jamais envisagé que je sois capable d'aller si loin.

— J'ai réfléchi que si cela arrivait j'allais mourir sous la torture, mais pas avant que l'on ait réussi à me faire parler. Par conséquent, il valait mieux mourir d'emblée.

Nous songions tous deux sans le dire à l'homme à la médaille, qui avait péri exactement de cette manière-là.

— Un raisonnement sensé… répliqua Borgia. Pourtant, la plupart des gens ne peuvent s'y résoudre.

— Peut-être est-ce dû au fait qu'ils ne sont pas familiers des moyens de donner la mort.

Et peut-être également qu'ils craignaient pour leur âme immortelle, grâce à l'Église représentée par Borgia, ici présent. Cette même Église si promptement disposée à imposer sa volonté par la terreur, ces temps-ci.

— Quoi qu'il en soit, avant notre départ pour le *castel* Morozzi a insisté pour que je lui montre comment j'avais l'intention de tuer le pape. Plutôt que de lui dire la vérité, je lui ai montré le poison qui se trouvait dans le médaillon. Lorsqu'il nous a piégés, il me l'a arraché du cou.

— Lorsqu'il t'a piégé avec le juif ?

— Il s'appelle David ben Eliezer.

Le fait qu'il ait un nom, une vie, de la *valeur* : tout cela devait pourtant bien être reconnu par quelqu'un. Cette tâche semblait m'être incombée.

Borgia haussa les épaules.

— Je connais son nom et je sais ce qu'il a l'intention de faire. Il faut être fou à lier pour projeter une révolte dans le quartier juif.

Sa remarque me blessa, d'autant que je ne pouvais la nier. Il ne me restait plus qu'à me réfugier dans l'évidence.

— Les gens désespérés font des choses désespérées.

— Les juifs ont raison de l'être. Ils sont en équilibre sur un fil au-dessus du vide. Si je ne deviens pas le prochain pape ils seront réellement en danger, dans toute la chrétienté.

— Parce que Morozzi convaincra celui qui montera sur le trône de Saint-Pierre de signer l'édit ?

Borgia prit le temps de remplir nos deux coupes et de boire la sienne avant de répondre. Le vin semblait le rendre loquace.

— L'édit contre les juifs n'est que le signe concret d'une évolution bien plus profonde. Le monde qui existe depuis des siècles, le seul que nous connaissions, se trouve à l'aube d'immenses changements.

Son regard plongea dans le mien.

— C'est une nécessité, et une bonne chose, mais ils sont nombreux à vouloir le conserver tel qu'il est. Pour eux le changement est une menace terrible et ils ont raison de le voir ainsi, car l'histoire les balaiera.

En entendant énoncer aussi clairement la conclusion vers laquelle je tendais confusément, je vis une lumière s'allumer dans les ténèbres.

— Jusqu'où iront-ils pour se protéger ? demandai-je.

— Aussi loin que nécessaire. Les juifs ne seront que les premiers à mourir. Leur sang scellera nos tombes à tous.

Je sentis la nausée me monter à la gorge. L'espace d'un instant, je me retrouvai derrière le mur, regardant impuissante le torrent écarlate submerger mon monde.

— Que peut-on faire ?

Borgia vida sa coupe, la reposa sur le bureau, et dit simplement :

— Me faire élire pape, Francesca. Il n'y a rien d'autre à faire.

— Della Rovere…

— Aura peut-être son tour, Dieu nous en garde, mais lorsque je serai mort et enterré, pas avant. Par le diable, pas avant !

Il souligna son propos d'un grand coup de poing sur le bureau qui me fit sursauter de concert avec les coupes.

— Morozzi est-il sa créature ? demandai-je lorsque j'eus repris mon souffle.

— C'est ce que croit della Rovere, mais il se trompe. Morozzi est la créature du Diable, et de personne d'autre.

Une brise souffla à travers les fenêtres, faisant vaciller la flamme des lampes. Sur son visage se reflétèrent soudain des ombres difformes.

— Un autre homme de son espèce se rapproche d'ici, continua-t-il. Es-tu au courant ?

— Torquemada.

Le nom seul me brûlait la langue.

Borgia acquiesça d'un signe de tête.

— Je veux que tu retournes voir les juifs pour les convaincre de ne rien faire de stupide. Ils doivent prendre patience et avoir foi. Je l'emporterai, je le jure. Mais s'ils répondent aux provocations de Torquemada, je ne serai pas en mesure de les aider.

— Je vais essayer…

— Tu dois faire mieux que cela ; et d'autre part, Francesca…

J'attendis, m'armant de courage pour ce qui allait encore venir.

— Si tu m'avais dit que Morozzi était ton contact au Vatican, je t'aurais mise en garde contre lui. Tu as choisi de garder cette information pour toi, et cela a bien failli nous mener au désastre. Tu ne dois plus jamais agir de la sorte.

Il avait raison, naturellement. Je n'avais rien pour ma défense, même si je tentai bien de le convaincre du contraire.

— Sans Morozzi, je n'aurais jamais réussi à atteindre Innocent. Le risque en valait quand même la peine, non ?

— Est-ce à dire que c'est toi qui l'as tué ?

Était-ce moi qui avais assassiné le Vicaire de Dieu sur terre, l'héritier de Saint-Pierre et de Moïse, ce petit être abject sur le point de perpétrer des atrocités, ou pas ? Cela faisait-il une différence d'avoir simplement agi en vue de précipiter sa mort ? Serais-je de toute façon damnée ?

— Je ne sais pas.

— Et cela t'importe-t-il de le savoir ?

Le ton moqueur que je crus percevoir me piqua au vif.

— Bien sûr que cela m'importe ! Jamais je ne saurai pas s'il est véritablement mort de ma main.

— Tu pourrais également te dire que tu as accompli l'œuvre de Dieu. Cela t'a-t-il traversé l'esprit ?

— Non, répondis-je honnêtement. Dieu dispose de mille façons... que dis-je, de cent mille façons, pour anéantir un homme sans m'impliquer.

— Et tu préférerais ne pas l'être ?

— Bien sûr que oui ! N'attachez-vous donc vraiment aucune importance à mon âme ?

Au moment même où je l'énonçai, je sus que cette question était absurde. Il restait bien encore quelques vieillards pour se cramponner à leur mitre en marmonnant des prières, mais leur espèce était en train de disparaître. C'étaient les hommes modernes, tels que Borgia, qui faisaient l'Église à présent. Ils l'avaient transformée en une mascarade où seules affectation et duperie importaient, dans le but avoué de distraire la populace pour pouvoir s'occuper de leurs affaires en toute tranquillité.

Où se trouvait le berger qui saurait affronter de tels loups ?

Borgia laissa échapper un profond soupir.

— Veux-tu l'absolution ? Si c'est cela, tu n'as qu'un mot à dire.

— Vous ne pouvez pas…

— Mais si, voyons. Je suis un prince de la sainte Église. J'ai le pouvoir d'effacer les péchés. Ou bien tu ne crois pas en cela ?

Si je répondais non, cela signifiait que j'étais une hérétique.

— Tu n'as qu'à me le demander et tu seras pardonnée.

Il me scruta attentivement, attendant ma réponse.

— Je ne peux pas…

— Et pourquoi donc, Francesca ? Pourquoi est-ce que tu ne peux pas ?

Pourquoi ne pouvais-je m'agenouiller devant lui, me repentir de mes péchés et recevoir la bénédiction de Dieu ?

Ego te absolvo a peccatis tuis, in nomine Patris et Filii et Spiritus Sancti. Amen.

— Parce que je ne regrette pas. Certes, j'ai peur pour mon âme, mais je ne peux demander à Dieu de me pardonner une chose qu'en toute sincérité je ne regrette pas.

Il hocha la tête, comme si je lui avais fait la réponse qu'il voulait entendre. Mais il n'en avait pas fini avec moi.

— Y a-t-il une autre raison ?

Une seule me venait à l'esprit, et c'était la plus noire de toutes. Mes yeux brûlèrent, et je refoulai mes larmes.

— Parce que je tuerai de nouveau.

— Morozzi ?

Je hochai la tête. Pour mon père, pour David, Sofia et Benjamin, pour la folie qu'il voulait déchaîner sur nous tous, le prêtre fou devait mourir ; et tant que je ne l'aurais pas fait, je ne trouverais pas le repos.

— Morozzi, assurément, mais d'autres encore. Dieu seul sait qui ils sont pour l'instant. Moi-même je ne l'ai pas encore découvert, mais cela viendra.

— Et cela te trouble ?

À cet instant-là, Borgia m'évoqua presque un prêtre. Dans tous les cas, il avait obtenu de moi une confession que je n'avais jamais eu l'intention de faire.

— Oui, Éminence, cela me trouble grandement.

Il soupira de nouveau et se pencha en avant.

— Agenouille-toi, Francesca.

Déconcertée, je le regardai fixement. Il indiqua du doigt le sol.

— Agenouille-toi et accepte la miséricorde de Dieu. Il nous aime davantage que tu ne le crois.

Peut-être était-ce la faute du vin, ou de l'heure indue ; ou encore de mon cœur, lourd comme la pierre, qui m'entraîna vers le bas.

Toujours est-il que je m'agenouillai, le visage en larmes, et levai les yeux à temps pour voir Borgia faire le signe de croix au-dessus de ma tête. De très loin, je l'entendis me dire :

— Je t'absous de tes péchés au nom du Père, du Fils et du Saint-Esprit. Amen.

J'étais (et je reste encore) une sceptique ; c'est ma malédiction. Et pourtant, à l'aube d'un jour naissant, je découvris une vérité que je ne soupçonnais pas. Que ce soit dû à mon besoin désespéré d'y croire, ou simplement à l'intervention divine révélée en un homme si profondément imparfait, le fait est que je trouvai du réconfort et une signification à l'acte de pardon.

En me relevant j'étais devenue l'instrument de Borgia et, avais-je envie d'espérer, de Dieu.

27

Après l'entrevue que je venais d'avoir avec le Cardinal, cela ne servait à rien d'aller se coucher. Je montai donc prendre un bain et me changer avant de quitter le palazzo. Vittoro étant assigné à la protection de Borgia, je fus de nouveau accompagnée par Jofre, qui fut expressément relevé de ses corvées de latrines pour garder un œil sur moi. Je sentis bien qu'il me faudrait également garder un œil sur lui, car une fois que nous fûmes entrés dans le ghetto, la main qu'il avait posée sur le fourreau de son épée eut tendance à le démanger.

— Il n'y a rien à craindre, lui soufflai-je.

Par nécessité, nous avancions très lentement. L'édit expulsant les juifs d'Espagne arrivant bientôt à échéance, le quartier était de jour en jour plus peuplé. Les exilés plus aisés, ceux qui avaient réussi à faire sortir clandestinement or et pierres précieuses, avaient trouvé refuge derrière les murs discrets des maisons de négociants ; mais pour la plupart, la rue était leur nouvelle maison.

— Nous sommes parfaitement en sécurité ici, insistai-je, et à la vérité je le pensais.

Le ghetto ne m'était plus étranger mais au-delà de cela, tout le monde avait une oreille qui traînait, ici, et mes contacts répétés avec

Sofia et David n'étaient certainement pas passés inaperçus. J'étais d'avis que personne ne prendrait le risque de provoquer leur colère en nous causant des ennuis.

Jofre, manifestement, n'avait aucun moyen de le savoir. Il me regardait comme si j'étais folle. À notre arrivée à l'échoppe de l'apothicaire, en voyant l'habituelle file d'attente, il devint livide. Songeant que l'air relativement frais du dehors le garderait alerte, je l'enjoignis de m'attendre devant et entrai seule pour trouver Sofia.

Elle était dans l'officine, en train de préparer une décoction d'herbes. En me voyant, elle tira un tabouret de sous la table et me fit signe de m'y asseoir, tout en constatant :

— Tu as bien mauvaise mine.

Je lui obéis de bon gré. La confession était peut-être une bonne chose pour l'âme mais elle causait des ravages sur le corps, visiblement. Bien qu'à y réfléchir, les vrais coupables étaient peut-être à chercher du côté d'un excès de nourriture riche et de vin.

— Je ne dors pas très bien, ces temps-ci.

C'était l'explication la plus simple, et la seule que j'étais prête à donner.

Sofia interrompit ce qu'elle était en train de faire pour préparer une tisane de fenouil, de pissenlit et d'armoise. Elle ignora mes protestations et posa une tasse devant moi pour la faire infuser, avant de s'asseoir à son tour et de me regarder de près.

— On nous a accordé un répit. Je pensais que tu en serais heureuse.

Me gardant de lui expliquer combien toute notion de bonheur était bannie de mon cœur troublé, je me bornai à lui dire :

— Nous devons faire en sorte que ce ne soit pas de courte durée. Sais-tu où est David ?

— J'ai ma petite idée. Je peux envoyer Benjamin le trouver pour toi, si tu veux.

— S'il te plaît, oui. Je dois lui parler.

Elle se leva pour s'en occuper, non sans m'admonester de nouveau.

— Tu dois boire ta tisane, ne la laisse pas refroidir.

Je m'exécutai, et lorsque l'envie de vomir initiale fut passée, je me sentis effectivement un peu mieux. David arriva peu après. En me voyant, il secoua la tête.

— C'était si horrible que ça ?

— De quoi parles-tu ? demanda Sofia.

Elle était occupée à écraser des feuilles séchées de bourses-à-pasteur au mortier et au pilon. Je reconnus la plante car c'était l'une de celles que j'avais apportées à sa demande. Employée à bon escient, elle limite les saignements et peut être très utile en cas de plaies.

David s'assit et étira ses longues jambes. Il n'était pas rasé et ses yeux étaient rouges, signe que lui aussi était resté debout toute la nuit. Quant à Benjamin, il s'était accroupi près de la porte. Je le soupçonnais de vouloir se faire aussi discret que possible pour pouvoir rester à nous écouter, mais je n'avais pas la force de le congédier.

— Le dîner du Cardinal, répliqua David. Il n'a pas perdu de temps pour dépenser notre argent. (Il me regarda.) Est-ce vrai ce qu'on raconte, une grande partie du Sacré Collège était là ?

— Oui. Et Morozzi aussi.

Le regard de David devint glacial.

— Pourquoi diable Borgia le tolérerait-il sous son toit ?

— Il voulait savoir ce qu'il valait quand on le mettait sous pression, je crois. Mais ne nous soucions plus de cela. Il y a plus grave. (Je pris le temps de respirer calmement avant de faire mon annonce.) Torquemada est en route pour Rome.

Sofia et David échangèrent un regard.

— Oui, dit-il, nous avons appris cela.

Je n'en fus pas vraiment surprise. Borgia avait son réseau d'espions mais les juifs, eux, avaient des milliers d'exilés qui fuyaient l'Espagne en ce moment même. Il était logique que la nouvelle de la venue du Grand Inquisiteur voyage avec eux.

— Borgia conseille de faire preuve de patience. (Pour être plus précis il l'avait ordonné, mais je ne voyais pas de raison de souligner ce point de détail.) Il vous met en garde contre toute action qui pourrait faire le jeu de Torquemada.

David resta un long moment silencieux. Finalement, il me regarda droit dans les yeux et s'exclama :

— Nous ne sommes pas à La Guardia. Le Cardinal doit le comprendre. En aucun cas nous ne tolérerons que Torquemada réitère ce qu'il a fait là-bas.

Malgré la chaleur de la journée, un frisson me parcourut l'échine. La Guardia était la ville espagnole où le Grand Inquisiteur avait prétendu avoir découvert la crucifixion d'un enfant chrétien par des juifs, qui auraient eu l'intention de se servir de son cœur dans un rituel destiné à empoisonner la source en eau potable. N'ayant aucune preuve concrète, le tribunal de l'Inquisition avait obtenu les aveux des accusés sous la pire des tortures, avant de les faire périr dans les flammes. Torquemada s'était également servi de ce soi-disant crime pour convaincre Leurs Majestés très catholiques, Ferdinand et Isabelle, de publier leur édit. À la vérité, tous les juifs d'Espagne étaient des victimes de La Guardia – sans parler de Torquemada.

— Vous devez avoir foi en Borgia, insistai-je, davantage pour moi que pour eux. Il comprend parfaitement la gravité de la situation, et fera tout ce qu'il faut pour emporter la victoire.

Y compris, songeai-je, en poussant sa fille au mariage dans une famille rivale et en accueillant ses ennemis jurés en son sein.

— Tant mieux, fit David. Il a été rétribué on ne peut plus généreusement. À lui de mériter notre argent, maintenant. (Il me fixa droit dans les yeux.) Dis-lui ça, Francesca, et assure-toi qu'il ait bien compris. Il n'accédera pas à la papauté en faisant couler notre sang. Si on tombe, il tombe avec nous.

Peut-être était-ce dû à l'infecte tisane de Sofia, qui ne m'avait pas totalement débarrassée de mes nausées ; ou bien ma mauvaise humeur était à mettre sur le compte du manque de sommeil. Toujours est-il que je lui répondis sèchement :

— C'est déjà suffisamment pénible comme ça d'être la messagère de Borgia, je ne vais pas en plus être la tienne. Dis-lui toi-même.

— Et comment suis-je censé m'y prendre ? rétorqua David. Suggères-tu que j'entre dans ses bureaux à la curie comme toi tu le peux, ou peut-être aimerait-il m'inviter à dîner à son palazzo ? Ou mieux encore, je pourrais l'inviter ici. Sofia, qu'en penses-tu ? Je suis sûr que tu saurais préparer un petit quelque chose en vitesse pour le Cardinal, non ?

— David…, commença-t-elle, mais je l'interrompis : ma patience, que je n'avais jamais eue en grande quantité, était à bout.

— Tu as dit ce que tu avais à dire, lui lançai-je. À mon tour. Quoi que tu penses de Borgia, il a raison sur ce point. Torquemada vient empêcher l'élection d'un pape qui serait bien disposé envers les juifs. Il n'aurait jamais quitté l'Espagne pour moins. La question est, vu qu'il reste si peu de temps avant le début du conclave, comment compte-t-il s'y prendre pour garantir la défaite de Borgia ?

— Tu vas nous dire qu'il a l'intention de nous inciter…, dit David.

Mais en fait, non. Toutes les pensées qui m'avaient traversé l'esprit depuis que j'avais appris l'arrivée imminente du Grand Inquisiteur revenaient au premier plan, à présent que j'avais enfin l'occasion de leur donner l'attention qu'elles méritaient.

— Mais pour quelle raison penserait-il pouvoir vous inciter à quoi que ce soit ? demandai-je. (Sans m'en rendre compte, j'avais épousé l'habitude de Borgia de poser des questions pour mieux trouver des réponses.) Les juifs se sont-ils jamais soulevés, comme vous menacez de le faire ici ?

David secoua lentement la tête.

— Il y a eu des discussions…

— Mais aucun passage à l'acte. Depuis des siècles, dans toute l'Europe, les juifs gardent la tête baissée et souffrent en silence, peu importe ce qu'on leur fait. Mais toi, tu veux changer tout ça, n'est-ce pas ? Tu veux leur montrer que tuer les juifs a un prix. C'est bien cela ?

— Tu sais bien que oui, mais…

— Je crois que je comprends ce que Francesca essaie de nous dire, interrompit Sofia. Borgia connaît nos intentions mais ils ne sont qu'une poignée, tout au mieux, dans ce cas. Jamais Torquemada n'y croirait, lui. Au vu de son expérience avec nous, s'il apprenait qu'on a l'intention de se défendre maintenant, il est fort probable qu'il éclaterait de rire.

— Alors, pourquoi est-il ici ? poursuivis-je. S'il ne cherche pas à pousser le ghetto à la révolte…

— Il cherche à soulever les chrétiens, en conclut David. Exactement comme il l'a fait à La Guardia. Le résultat sera le même. Nous ne permettrons pas que cela arrive ici.

— Mais c'est impossible, raisonna Sofia. Torquemada a mis presque deux ans pour arriver à ses fins à La Guardia. C'est le temps qu'il lui a fallu pour convaincre le tribunal de condamner ceux qu'il prétendait être coupables, et il n'y est parvenu qu'en soumettant les accusés à de longues séances de torture. Manifestement il n'a pas le temps, ici.

— Mais alors, qu'espère-t-il réussir à… ? commença David.

— Que lui manquait-il, à La Guardia ? le coupai-je en répondant à ma question d'un même souffle. Il n'y avait pas de corps. Il avait beau prétendre qu'un petit chrétien avait été crucifié, il n'y avait aucune preuve. Aucun enfant n'était même porté disparu.

Mon regard se tourna vers Benjamin, qui nous observait tous trois avec une grande attention. Benjamin, qui tentait de se faire une place dans les rues comme tant d'autres petits abandonnés ou orphelins, garçons et filles ; mais l'ironie du sort voulait qu'en ce cas précis il soit protégé par la marque de l'alliance d'Abraham, qu'il portait sur son corps. Jamais on ne le prendrait pour un enfant chrétien, et c'était précisément ce dont Torquemada avait besoin.

— Mon Dieu… murmura Sofia en approchant une main à ses lèvres.

Même David en pâlit. Un prêtre capable d'orchestrer le meurtre rituel d'un enfant pour parvenir à ses fins diaboliques, c'en était trop pour lui.

Mais pas pour moi, qui trouvais l'idée d'une limpidité confinant à l'irréfutable.

— Même quelqu'un comme Torquemada serait incapable de simplement arriver à Rome et en quelques jours perpétrer un tel crime, dis-je, les pensées se bousculant dans ma tête. Il a nécessairement un allié, quelqu'un sur place prêt à agir.

David et Sofia s'exclamèrent de concert :

— Morozzi.

J'acquiesçai d'un signe de tête.

— C'est forcément cela. Avec tout ce qu'il a à faire en ce moment en Espagne, quelles sont les chances que le Grand Inquisiteur fasse le long voyage jusqu'à Rome de sa propre initiative ? Morozzi doit être en contact avec lui.

— Si le nouvel édit avait été signé, Torquemada serait ici pour célébrer l'événement, continua David lentement. Entre ça et le récent édit espagnol, le triomphe aurait été total pour tous ceux qui cherchent à nous détruire. Mais étant donné que rien n'est encore fait…

— Et que tout dépend du prochain pape, précisai-je, Morozzi a toutes les raisons de vouloir le plus célèbre ennemi des juifs de notre temps à ses côtés, pour pousser Borgia à la défaite grâce à son nom et son prestige.

Je me levai, comprenant clairement ce qu'il n'allait pas manquer d'arriver très rapidement.

— Je dois faire prévenir Rocco. Il se mettra en contact avec frère Guillaume. Torquemada va loger au chapitre dominicain pendant son séjour. D'une manière ou d'une autre, nous devons découvrir exactement ce que Morozzi et lui mijotent, si on veut les arrêter.

David s'était lui aussi dressé d'un bond. Il semblait s'être à peu près remis du choc et réfléchissait déjà à quoi faire de son côté.

— Nous aussi on a nos sources, lança-t-il évasivement.

Je compris qu'il voulait parler des *conversi* vivant un peu partout dans Rome et pouvant être contraints, s'ils tenaient à garder l'anonymat, à coopérer avec lui.

— Je vais tenter d'obtenir le plus d'informations possibles.

Benjamin se tenait à ses côtés et me regardait solennellement.

— Moi aussi. (Il hocha la tête en direction de l'entrée du ghetto.) Là-bas, personne ne sait que je suis juif. Autour du Campo, partout, ils pensent tous que je suis un garçon des rues comme eux. Si quelqu'un manque à l'appel, je le saurai.

— C'est Morozzi qui trouvait les garçons à saigner pour Innocent, fis-je. S'il était capable de faire cela, il peut…

— Tu penses que Vittoro pourrait poster un garde à l'intérieur de l'école des *cantoretti*, afin de garder un œil sur les enfants ? demanda David.

— Si lui ne peut pas, répliquai-je, Borgia devra s'en charger lui-même.

Au loin, j'entendis les cloches sonner l'heure de la tierce. La matinée avançait et ne serait bientôt plus. Dans quatre jours, il était prévu que les cardinaux soient enfermés dans le conclave. Avant cela, Morozzi devait convaincre le peuple de Rome de se soulever contre les juifs.

Et pour ce faire, il lui fallait tuer un enfant.

— Nous n'avons pas de temps à perdre, m'exclamai-je avant de les quitter précipitamment, suivie d'un Jofre interloqué, pour retourner au plus vite au palazzo.

28

Le soir venu, nous avions appris beaucoup de choses ; mais pas encore assez.

Grâce à frère Guillaume, nous savions désormais que Torquemada était à Rome. Le Grand Inquisiteur était arrivé discrètement le matin même et avait pris ses quartiers au chapitre de Sainte-Marie-de-la-Minerve, là même où (ironie suprême du sort) David et moi avions trouvé refuge après notre fuite du *castel*.

C'est Rocco lui-même qui m'apporta la nouvelle. Il me trouva dans la cour, près des quartiers de la garde, où j'étais venue discuter avec Vittoro. L'effervescence des préparatifs continuait, entre ses hommes et les domestiques qui allaient et venaient l'air soucieux, mais nous parvînmes à trouver un peu d'intimité dans l'ombre de la loggia.

Je n'avais pas revu Rocco depuis notre dernière rencontre au palazzo. Le souvenir du baiser que nous avions échangé me fit rater le début de sa phrase.

— ... arrivé discrètement à Rome avec une dizaine de compagnons seulement. Ils s'étaient déguisés en frères venus pour le conclave. Il ne s'est pas aventuré dehors depuis, mais en revanche il a reçu plusieurs visiteurs.

— Morozzi en était-il ? demandai-je en revenant tout à coup à la réalité.

— Non, mais Guillaume a reconnu deux membres de la maison de della Rovere.

Je me raidis. Si le grand rival de Borgia s'alliait à Torquemada, Il Cardinale était encore plus en danger que je ne l'avais craint.

— Je dois prévenir Son Éminence, fis-je.

Mais avant cela je m'attardai un peu, examinant l'homme qui avait accepté de courir un si grand danger pour des individus dont il n'avait aucune raison particulière de se soucier et parmi lesquels figurait la femme qui l'avait rejeté.

— Tu en as déjà beaucoup fait, lui dis-je. Il serait peut-être temps pour toi de rejoindre Nando à la campagne.

Je remerciais Dieu que Rocco ait eu la sagesse d'envoyer son fils en sécurité.

Il me sourit et me toucha doucement la joue de sa main. Je ne songeai même pas à m'écarter, tant je l'observais avec attention. Il était véritablement bel homme – non à la manière de César aux humeurs changeantes, ou de Morozzi dont la beauté n'était qu'illusion, mais grâce à cette force tranquille qui lui seyait tant et se révélait dans tout ce qu'il faisait. Les créations auxquelles il donnait vie dans son échoppe de verrier étaient d'une grande délicatesse, mais j'étais en train de prendre conscience que cet homme était un roc que rien ni personne ne pourrait ébranler.

— Nando n'est qu'un enfant, Francesca. Je suis un homme. Je resterai ici jusqu'au bout.

Plutôt que d'ouvrir la bouche et risquer de me ridiculiser, je lui serrai chaleureusement la main et hochai la tête en guise de réponse. Nous nous attardâmes encore un instant, avant que la réalité de ce monde aux implacables exigences nous entraîne loin l'un de l'autre. Cela ne m'empêcha pas de le regarder s'éloigner dans la cour jusqu'à ce qu'il soit totalement hors de vue. À ce moment-là seulement me mis-je en quête de Borgia, afin de lui annoncer ce que je venais d'apprendre.

— Maudit Giuliano ! s'écria le Cardinal lorsque je lui fis part des visites qu'avait reçues Torquemada. Ne s'arrêtera-t-il donc à aucune bassesse ?

Remarque qui venait de la part d'un homme ayant allègrement réclamé la mort d'un pape.

Par nécessité, j'avais fait part à Il Cardinale de mes soupçons concernant les intentions de Torquemada et de Morozzi. Il m'écouta en silence, se bornant à grommeler une fois ou deux, avant de prononcer son verdict.

— Ton père serait fier de toi.

Étonnée, je lui répliquai :

— En quoi, exactement ? Il n'a jamais voulu de cette vie pour moi.

Bien au contraire, il aurait souhaité me voir accepter le mari qu'il m'avait choisi et mettre au monde des petits-enfants qu'il se serait empressé de gâter. Non seulement il n'avait obtenu ni l'un ni l'autre mais en plus il était mort, abattu dans une ruelle crasseuse de Rome – un bien triste exemple de l'ironie cruelle avec laquelle la vie nous malmène, parfois.

— Il possédait davantage de clairvoyance que la plupart des gens, renchérit Borgia. Peut-être car il nourrissait très peu d'illusions.

À part celle, malencontreuse, qu'il saurait empêcher sa fille unique de marcher sur ses traces.

— Que faire, à présent ? demandai-je à Borgia, car c'était lui qui était là et non mon père, à qui j'aurais grandement préféré demander conseil.

Borgia haussa les épaules.

— Que pouvons-nous faire ? Je crois que tu as raison concernant le complot que Morozzi et Torquemada sont en train d'ourdir. C'est la seule explication à la présence du Grand Inquisiteur ici, précisément maintenant. Reste encore à voir si nous parviendrons à les stopper à temps.

— Mais si nous n'y arrivons pas…

— Alors nous aurons un Saint Enfant de Rome, conclut-il, en référence à cet enfant prétendument crucifié à La Guardia.

Le lieu de pèlerinage qui était en train d'être érigé à « sa » mémoire promettait d'attirer des foules de fidèles.

— Dieu nous en préserve, répliquai-je sincèrement.

Si une telle chose arrivait à Rome, la candidature de Borgia à la papauté serait condamnée, et les juifs avec. Pour l'instant, malgré le fait que della Rovere le taxait à l'envi de *marrano*, l'opinion publique restait en faveur d'Il Cardinale grâce à son image d'homme pragmatique à même de résoudre les problèmes plutôt que d'en causer, et n'hésitant pas à ouvrir les cordons de la bourse lorsque nécessaire. Il faudrait véritablement un événement du genre de ce qui s'était passé à La Guardia pour retourner la populace contre lui ; or, dans ce cas-là, il ne s'agirait pas seulement de Rome mais de la chrétienté tout entière.

— Pour autant que l'on sache, repris-je, aucun enfant des rues n'a disparu.

C'était Benjamin lui-même qui était venu me le dire après sa sortie en ville. Se faisant passer pour un chrétien, il était allé traîner du côté du Campo puis avait traversé le Tibre et s'était rendu quasiment aux portes du Vatican, pendant tout ce temps écoutant, observant, murmurant une question ici et là dans les bonnes oreilles. Rome avait plus que sa part d'enfants des rues, qui ne restaient anonymes que si on le voulait bien. Car entre eux ils formaient une sorte de tribu, au sein de laquelle ils se connaissaient tous. En d'autres termes, si l'un des enfants avait disparu, son absence aurait été remarquée.

Quant à l'école des *cantoretti*, Vittoro avait confirmé qu'aucun garçon ne manquait à l'appel, à part ceux aimablement fournis par Morozzi à Innocent pour les saignées. Je craignais encore pour le sort de ces derniers, mais j'étais convaincue qu'aucun d'entre eux ne tomberait aux mains de Torquemada. Dans d'autres circonstances, l'état de leur corps (en particulier la preuve tangible qu'ils avaient été saignés sur une longue période) aurait aidé à porter les plus ignobles accusations contre les juifs. Mais nous étions à Rome, cité des rumeurs autant que de la finesse. Cela faisait des mois que la ville entière bruissait de la dernière tentative désespérée du pape pour tromper la mort. Si le corps d'un garçon visiblement saigné à répétition devait faire surface, on ne verrait pas cela comme le signe de la dépravation des juifs, mais bien de celle de l'Église. Non, décidément, l'enfant devait venir d'ailleurs.

Là où Morozzi se trouvait en ce moment même, à mon avis, car nous n'avions aucune nouvelle de lui.

— Personne ne l'a vu depuis la fin de la soirée, expliquai-je à Borgia lors d'une seconde entrevue dans son bureau en début de soirée. Il n'est pas au *castel*, ni au Vatican. Il semble s'être évaporé.

— Ce n'est pas bon signe, fit remarquer le Cardinal. Il faut le retrouver.

Je n'aurais su en convenir davantage, mais à moins d'en appeler aux anges du Paradis, je n'avais aucune idée de la façon de m'y prendre. Le prêtre fou pouvait être n'importe où.

— Nous pourrions faire surveiller Torquemada, suggérai-je. Au cas où Morozzi irait le voir.

Borgia hocha la tête.

— Vittoro s'en est déjà occupé, mais pourquoi auraient-ils besoin de se voir maintenant ? Lorsqu'on aura retrouvé l'enfant mort, Torquemada sera immédiatement prévenu. Ensuite il fera son apparition, en déclarant probablement que Dieu a miraculeusement guidé ses pas jusque-là, et n'aura plus qu'à persuader la population de se soulever contre les juifs.

Il poussa un profond soupir et l'espace d'un instant il eut l'air vieux et las, comme si l'inépuisable propension de l'humanité au péché (en plus de la sienne) l'épuisait.

— À moins d'assigner un garde à la protection de chaque petit chrétien de Rome et des alentours, conclut-il, je ne vois pas bien ce que l'on peut faire.

Avec le temps, j'ai fini par accepter que ce sont les ténèbres logées dans mon esprit qui me permettent d'y voir si clair, parfois. Mais Borgia le savait déjà, lui.

Dans tous les cas, il ne se montra pas le moins du monde choqué en m'entendant déclarer :

— Le fait est que dans le pire des cas, nous n'avons pas besoin de trouver l'enfant. Il nous suffit de trouver le corps avant tout le monde.

— Mais assurément tu préférerais empêcher son meurtre, n'est-ce pas ? s'enquit le Cardinal en me scrutant attentivement.

— Bien entendu. C'est Morozzi le monstre, pas moi. Mais si on ne parvient pas…

— Si on ne parvient pas... (Borgia laissa sa phrase en suspens et se perdit un moment dans ses pensées.) Si tu étais Morozzi, quel lieu choisirais-tu pour monter un coup tel que celui-ci ?

— Comment ça ?

Si j'étais Morozzi ? Était-il en train d'établir une comparaison entre nous deux, comme des êtres à qui l'idée de tuer ne posait aucun problème ?

— Le succès de l'entreprise reposerait sur la découverte du corps, expliqua Borgia, et le fait d'arriver à faire instantanément pointer les juifs du doigt. Le cadre est donc capital. Où cela pourrait-il être ?

Je voyais où il voulait en venir, bien qu'à contrecœur. Si nous parvenions à deviner où le crime allait être découvert, nous réussirions peut-être, avec beaucoup de chance, à le stopper avant même qu'il n'ait lieu.

— Je ne sais pas, répliquai-je lentement. Près du ghetto, peut-être ?

Borgia secoua la tête.

— Trop évident. Les Romains sont nettement plus subtils que la populace de La Guardia. Ils ne comprendraient pas pourquoi les juifs se seraient donné tant de mal pour se retrouver impliqués dans le meurtre. Non, c'est forcément ailleurs.

— Où l'enfant avait-il soi-disant été tué, à La Guardia ? m'enquis-je.

— Sur une colline des environs. En l'occurrence, cela ne nous aide pas.

Certes non... Rome avait été bâtie sur sept collines. Il y avait plus d'un flanc pentu, dans la ville comme alentour. Comment en distinguer un spécialement comme cadre idéal où commettre une telle atrocité ?

Malgré tous mes efforts et la gravité de la situation, je ne pus réprimer un bâillement. Borgia me regarda, l'air mécontent.

— Quand as-tu dormi pour la dernière fois ?

— Il y a un moment, mais c'est sans importance...

— Ne dis pas de sottises. Va t'allonger. S'il se passe quoi que ce soit, je te le ferai savoir.

J'hésitai, réticente à l'idée d'être renvoyée dans mes quartiers où, je le savais d'avance, je ne ferais que me tourner et me retourner dans mon lit. Mais le Cardinal n'aurait su tolérer que l'on ergote avec lui. Je pris donc congé en m'entendant rappeler sèchement que je ne lui serais d'aucune utilité si je n'arrivais pas à garder les yeux ouverts.

Je trouvai un compromis en ôtant mes chaussures mais en m'allongeant tout habillée sur les couvertures. Je fixai le plafond un temps, repassant dans ma tête les événements des derniers jours. Ce n'était guère le meilleur moyen de s'endormir ; pourtant, au bout d'un moment je m'assoupis, d'un sommeil si léger que j'étais consciente d'être à mi-chemin entre l'état de veille et le rêve.

Le vrai sommeil, celui que l'on qualifie de « réparateur », se dérobait à moi. Morphée est un dieu capricieux ; il vient facilement à certains, et avec la plus grande difficulté à d'autres. Pour l'attirer, la meilleure chose à faire est de feindre le désintérêt. De se lancer en esprit dans une activité qui n'a rien à voir avec ce que l'on désire vraiment, et de ne se laisser distraire sous aucun prétexte. Dans mon cas, il n'y a rien de tel pour me bercer qu'une promenade à travers Rome.

Mon père était un grand marcheur ; il m'emmenait souvent avec lui lorsqu'il partait en exploration. Je découvris la Ville éternelle à travers ses yeux avant de la voir à travers les miens. Sans vouloir faire la fanfaronne, vous pourriez m'emmener dans n'importe quel quartier de la ville, je saurais me repérer rien qu'aux odeurs et aux bruits. En une occasion, au moins (plusieurs années après les événements relatés ici), ce don m'a sauvé la vie. Mais je digresse.

Courtisant ainsi en secret le sommeil, je me lançai dans une promenade imaginaire au départ du palazzo, en direction de l'est ; je passai l'ancienne muraille servienne et entrai dans la vieille ville. Au loin, je vis le Quirinal, la colline où Romulus avait retenu les Sabines captives. Le coffre de mariage de ma mère, que mon père avait conservé pour moi et qui est toujours en ma possession, est orné de scènes de leur enlèvement. Si vous trouvez ce choix étrange pour une jeune mariée, sachez que le grand Tite-Live (qui fait tout de même autorité en la matière) nous dit qu'en échange d'accepter des époux romains, les Sabines accédèrent à des droits qui feraient la joie des femmes d'aujourd'hui.

Si je le pouvais, je demanderais à ma mère quels espoirs elle avait nourris en se mariant, et s'ils avaient été comblés dans le bref intervalle de temps où mon père et elle étaient restés ensemble. Mais pour moi elle n'est qu'une ombre sans visage ni voix, qui apparaît de temps à autre dans mes rêves pour disparaître à l'instant même où je tends la main vers elle.

S'agissant de mon père, les choses sont différentes. Dans le rêve qui m'emporta brièvement ce soir-là, il marchait à mes côtés, une présence tranquille que je n'osais regarder en face de crainte que lui aussi ne disparaisse. Depuis sa mort, tout ce dont j'avais rêvé, c'était du corps mutilé et ensanglanté sur lequel j'avais pleuré. Quelle douce délivrance de sentir ce qui semblait être sa présence vivante. Jamais je n'aurais fait quoi que ce soit qui puisse le troubler.

Nous passâmes en silence le Viminal, la plus petite des collines de Rome (et la moins intéressante), en chemin vers l'Esquilin, qui s'élève majestueusement au-dessus des restes du Colisée. Ici se dresse la basilique Sainte-Marie-Majeure, où mon père et moi étions si souvent venus admirer l'intérieur et allumer un cierge devant l'icône de la Vierge Marie, dont on disait que saint Luc lui-même l'avait peinte. Alors que je m'attardais devant en esprit, la flamme vacillante du cierge grossit jusqu'à devenir le soleil levant entamant sa course au-dessus du Capitole.

— La plus haute colline de Rome, celle qui fait sa gloire, dit mon père.

D'un bras presque diaphane, il balaya d'un geste ce que j'avais sous les yeux. Un peu plus loin se situait la basilique Sainte-Marie d'Aracœli, en haut de la colline où, selon la légende, une sibylle aurait prédit la venue du Christ.

Je restai en arrière, ne tenant pas à monter les hautes marches menant à l'église. À ses pieds, les condamnés étaient exécutés directement en vue du Paradis qu'ils n'atteindraient jamais, prétendait-on.

Mon père, ou disons plutôt son ombre, n'insista pas. Nous reprîmes notre marche, contournant le Cælius et ses anciennes ruines, et nous dirigeant vers le sud et le Palatin, où les jumeaux Romulus et Remus avaient été découverts à la naissance et où la ville de Rome trouvait son origine. Comme cela arrive souvent dans les rêves nous nous retrouvâmes tout à coup ailleurs, en haut de l'Aventin, où selon la légende, peu de temps avant que son frère ne le tue, Remus aurait tiré un mauvais présage du comportement des oiseaux.

— Rome a été fondée dans le sang, entendis-je mon père proclamer, et cette tache sera sienne pour l'éternité.

Vers l'ouest, je vis le fleuve s'empourprer au soleil couchant. Il me semble avoir crié, bien que je ne puisse en être certaine. J'essayai bien de me réveiller mais un poids semblait m'attirer vers le bas, vouloir me retenir dans le monde des rêves.

— N'aie pas peur, Francesca, me dit mon père.

Je me retournai tout à coup et le vis apparaître devant moi non comme un fantôme mais comme un homme. Il semblait si réel, dans sa tunique et ses chausses habituelles, exactement tel que je l'avais vu au dernier matin de sa vie – comme s'il n'était pas sur le point d'ouvrir cette porte et de m'abandonner pour toujours.

— Pardonne-moi, lui dis-je, mais je doute qu'il m'ait entendue. Le monde dans lequel il était toujours vivant et en bonne santé était en train de s'effacer sous mes yeux. Je me retrouvai bientôt dans celui qui était devenu mien, depuis que j'avais suivi ce chemin qu'il n'avait jamais voulu pour moi, un chemin dont il savait, j'en suis sûre, qu'il ne pouvait mener qu'aux ténèbres.

À un moment donné dans la nuit j'avais dû m'éveiller suffisamment pour ôter mes vêtements, même si je n'en avais aucun souvenir. Je dormis par intermittence, comme dans un rêve enfiévré ; je vis les garçons de l'école des *cantoretti* tendre leurs bras balafrés comme pour exhiber des stigmates, mais bientôt ils s'évanouirent et apparut à la place une vision de Nando tenant une croix en verre qui se cassait au moment où il me la présentait, les tessons s'enfonçant dans sa chair ensanglantée.

Je me réveillai tremblante de froid alors que le jour promettait déjà d'être chaud. Mais je me réveillai surtout en entendant quelqu'un donner de grands coups à ma porte : la voix de Vittoro, pressante, qui répétait instamment mon nom.

29

Dans la chambre planait une odeur de vomissure et de peur. Les volets des hautes fenêtres donnant sur le fleuve n'avaient pas été fermés et laissaient donc entrer une légère brise, mais cela ne suffisait pas à atténuer l'oppressante puanteur. La jeune servante au teint pâle qui secouait un encensoir rempli de bois de santal n'avait guère plus de succès.

Il y avait bien trop de monde dans cette chambre, et la plupart des personnes présentes n'avaient pas lieu de rester. Mais ainsi en va-t-il toujours dans ces cas-là.

Lucrèce se pencha au-dessus du lit pour tenter de repousser les bichons maltais qui s'étaient tapis dans les couvertures en poussant de petits cris plaintifs. Elle s'écarta vivement lorsque La Bella se redressa pour régurgiter de nouveau dans la bassine que tenait pour elle une autre malheureuse. Dans un gémissement, la maîtresse de Borgia se cala de nouveau contre ses coussins trempés de sueur.

Les sages-femmes rôdaient autour d'elle, bien qu'elles ne puissent plus rien faire. Les médecins en robe noire, qui comme la grande masse de leurs confrères détestaient être appelés dans ce genre de cas, jetaient des regards furtifs vers la porte en spéculant sur le meilleur moyen de prendre la fuite.

Quant à moi, je ne pouvais quitter des yeux la preuve tangible de mon déplorable échec, tout en me demandant désespérément comment j'allais sortir en vie de ce cauchemar éveillé.

La Bella était pâle ; elle avait les yeux profondément creusés, la respiration saccadée, le pouls faible. Elle était consciente, sans toutefois comprendre vraiment (j'imagine que c'était une bénédiction) ce qui était en train de lui arriver. J'aurais pu imputer son état à toutes sortes de causes ; mais les lésions rougeâtres sur ses membres et son buste ne trompaient pas.

Il était impossible qu'un agent naturel en soit la cause. Je soupçonnais du tartre émétique, également connu sous le nom d'antimoine ; soit cela, soit de l'arsenic, leurs symptômes étant similaires. Mais ni l'un ni l'autre pris seul n'aurait su expliquer la rapidité de l'avortement qui lui avait ravi son enfant. J'étais donc d'avis qu'on y avait ajouté de la tanaisie, car donnée sous la bonne forme et au bon dosage, elle s'avère être un puissant abortif.

J'avais administré du jus d'émétine peu après mon arrivée, ayant eu la présence d'esprit d'en attraper une fiole avant de sortir de ma chambre, puisque Vittoro m'avait annoncé sur place le grand malheur qui venait de frapper la maîtresse de Borgia. Cela peut paraître étrange de faire boire une potion destinée à provoquer des vomissements sur quelqu'un qui en souffre déjà, mais mon instinct me disait que la priorité était de lui vider l'estomac. Le résultat fut violent ; il ne restait plus qu'à espérer qu'il soit suffisant.

Les médecins firent claquer leur langue et secouèrent la tête en me voyant faire, mais gardèrent le silence. Ils restaient car ils n'osaient désobéir à Madonna Adriana, qui les avait fait venir ; celle-ci se tenait un peu à l'écart, les mains dissimulées sous les manches de sa robe comme pour éviter toute contamination. Ils étaient donc présents (et n'omettraient pas de présenter ensuite leur note d'honoraires), mais aucun n'allait dire ou faire quoi que ce soit qui puisse les mettre en cause lorsque la mort (qu'ils croyaient tous inéluctable) adviendrait.

Ce n'était pas mon cas. Face à un tel désastre, je n'avais plus rien à perdre.

— Il faut la maintenir bien calée contre les coussins, dis-je à Lucrèce.

J'avais le sentiment que la jeune fille était ma seule alliée dans cette chambre, et peut-être bien même la seule de La Bella.

— Si elle est trop avachie, elle aura encore plus de mal à respirer.

Mais ce n'était qu'un détail. Avait-elle suffisamment vomi, pour expulser le plus de poison possible ? Devrais-je lui administrer davantage d'émétine, ou bien tenter de lui faire avaler du liquide maintenant, avant que cette carence ne devienne une autre menace à sa survie ? Les sages-femmes avaient-elles véritablement réussi à stopper les saignements, ou allait-elle mourir de cela avant que le poison ne fasse complètement effet ?

À la vérité, mes connaissances étaient terriblement insuffisantes s'agissant de la façon de neutraliser les effets d'un empoisonnement. Je savais comment en empêcher un (du moins m'en targuais-je), et comment en infliger un. Mais je n'avais guère plus de compétences que les médecins lorsqu'il s'agissait de sauver quelqu'un victime de l'art de l'empoisonneur.

L'enfant de La Bella (et du Cardinal) avait payé mon erreur de sa vie. Et il restait encore à voir si la jeune femme de dix-huit ans qui se tordait de douleur devant moi allait y survivre.

La tanaisie avait fait son travail. Elle quitterait bientôt son corps et, si elle vivait, La Bella avait au moins une chance de guérir de ses effets. Mais le tartre émétique (ou l'arsenic, voire les deux combinés) était une tout autre affaire. Tout dépendait de la quantité qu'elle avait ingérée ; or je n'avais présentement ni le temps ni les moyens de me hasarder à une estimation.

— On va la faire boire, m'exclamai-je, prenant soudain la décision de ne pas attendre plus longtemps.

Avec un peu de chance, le liquide nettoierait son corps et elle arriverait à expulser le reste du poison avant qu'il ne cause davantage de ravages.

Avec l'aide de Lucrèce, je tins une coupe au bord des lèvres de La Bella et fis lentement couler un peu de thé à la camomille et à la menthe poivrée dans sa bouche. Une grande partie tomba à côté, mais elle en avala suffisamment pour me laisser espérer que nous avions au moins une chance. Mon cœur faillit bien arrêter de battre lorsqu'elle se remit à avoir des nausées, mais malgré plusieurs spasmes, elle ne vomit plus rien.

Pendant le reste de la journée, Lucrèce et moi luttâmes côte à côte avec elle. Tour à tour, nous l'encourageâmes et la forçâmes à boire, nettoyâmes les inévitables conséquences, l'emmitouflâmes lorsqu'elle fut prise de violents frissons et la baignâmes dans de l'eau froide lorsque la fièvre frappa. Personne d'autre ne voulait la toucher, tous craignant d'être frappés à leur tour. Les servantes apportaient sans arrêt des draps propres, les médecins attendaient patiemment que mes efforts échouent et Madonna Adriana restait à son poste en retrait, continuant à observer mais toujours aussi muette.

J'entendis vaguement une litanie de prières en train d'être récitées, et j'étais consciente de la présence de Vittoro devant la chambre ; mais à part cela, je restai tout entière concentrée sur le combat pour sauver Giulia. À mesure que l'heure avança, c'est ce qu'elle devint pour moi : non plus La Bella, si belle que chansons et poèmes avaient été composés pour elle, mais seulement une jeune femme plongée dans une situation périlleuse dont elle n'était pas responsable, et dont elle tentait au mieux de se sortir. Une femme qui s'était reposée sur moi pour sa sécurité.

À la nuit tombée je savais que nous avions gagné la bataille, tout au moins si l'on peut parler de victoire en pareil cas. Giulia dormait profondément et d'une respiration régulière, son pouls montrait des signes de vigueur et elle retrouvait enfin des couleurs. Je remerciai Dieu pour sa jeunesse et sa force physique qui, j'en étais persuadée, l'avaient tout autant sauvée que mes gestes. Par contraste, Lucrèce était pâle et paraissait totalement épuisée. Elle avait des cernes aux yeux et ses lèvres saignaient là où l'anxiété l'avait poussée à se mordre sans s'en rendre compte. Quant à moi, le spectacle que j'offrais devait être bien pire : j'avais l'impression d'avoir été rouée de coups, tant chaque muscle de mon corps était endolori.

Mais nous n'avions pas de temps pour nous remettre de tout cela. Je me levai de mon siège, près du lit, regardai une dernière fois Giulia pour me rassurer et me dire que j'avais raison de croire le pire derrière nous, puis me tournai résolument vers Madonna Adriana.

Elle était restée dans la chambre pendant tout ce temps-là, mais avait fini par s'asseoir. Elle était même à présent confortablement installée dans un fauteuil, d'où elle pouvait sans risque observer les opérations.

Je passai directement à l'attaque, n'ayant pas de temps à perdre en civilités.

— Qu'avez-vous à me dire sur ce qui s'est passé ?

Comprenez-moi bien, je n'avais aucune intention de me soustraire à mes propres responsabilités. Mais malgré mon jeune âge, je savais déjà que les meilleures réponses s'obtiennent lorsque la personne interrogée est prise au dépourvu. Quoi qu'elle ait pu attendre de moi – peut-être que je fasse preuve d'une larmoyante contrition, ou bien que je la supplie à genoux de me protéger de la fureur d'Il Cardinale –, elle n'allait pas l'obtenir.

— Comment cela ? demanda-t-elle à son tour, hérissée.

— J'ai vérifié tout ce qui est entré dans cette maison, la nourriture, le linge, tous les liquides. Tout a été scellé de mes mains, comme du temps de mon père.

Je me disais qu'il n'était pas inutile de lui rappeler les nombreuses années passées par ma famille au service de Borgia.

— Quelque chose m'a échappé, poursuivis-je, reconnaissant l'évidence pour couper court à toute remarque désobligeante. Je dois absolument déterminer ce que c'est, et comment cela s'est passé. Vous êtes la *Domina*, ici. J'ai besoin de votre aide.

J'employai à dessein le titre qui définissait son rôle de chef de famille, avec les droits et les responsabilités que cela impliquait.

Une ombre passa sur son visage, trahissant le plus léger des tressaillements. Je la fixai encore plus durement, tentant de déterminer ce qui avait pu causer une telle réaction. Rapidement, j'eus la conviction que Madonna Adriana n'était pas totalement innocente dans cette affaire. Non pas qu'elle en soit à l'origine d'une quelconque façon ; mais elle savait ce qui avait causé ce grand malheur, ou tout au moins avait de forts soupçons.

— Dites-le-moi, l'intimai-je.

Elle était inquiète, je le sentais, et peut-être y avait-il autre chose ; mais elle restait Madonna Adriana, et n'allait certainement pas se laisser commander par des individus de mon acabit.

— Comment osez-vous… commença-t-elle – mais je n'allais pas me laisser faire.

Nous avions perdu un temps précieux ; consacré à sauver Giulia, certes, mais tout de même perdu. Morozzi était quelque part, dehors, en quête de sa victime expiatoire, ou peut-être même l'avait-il déjà enlevée. Je n'avais pas de temps à perdre.

— J'oserai tout ce qui est nécessaire pour comprendre ce qu'il s'est passé, lui rétorquai-je. Je regarderai dans tous les endroits nécessaires, et poserai des questions à toutes les personnes nécessaires.

Je la fixai à dessein d'un air provocant.

Elle s'empourpra mais, soulignons-le, ne se départit pas de son calme. Je pris cela comme le signe d'une grande crainte, s'il lui fallait se contrôler même avec moi.

Pourtant elle s'entêtait à garder le silence, même si je voyais sa mâchoire travailler – comme si les mots luttaient pour sortir.

Ce fut finalement Lucrèce qui s'en chargea, elle qui était restée près du lit pour surveiller La Bella mais ne perdait pas une miette de la scène qui se jouait sous ses yeux. Dans un souffle, elle dit :

— Les figues…

Je faillis l'ignorer. Certes, les fruits frais peuvent être mortels, car ils causent de violentes excrétions qui privent le corps de fluides vitaux. Les nettoyer, ou encore mieux les peler avant de les manger, semble être une prévention efficace. Cela mis à part, il est quasiment impossible d'introduire du poison dans ce type de produit sans le gâter et laisser un goût amer qui éveille tout de suite les soupçons. Par ailleurs j'avais vérifié tous les fruits de la maison moi-même, avant de les sceller.

Je n'étais donc pas loin de songer que son jeune esprit ne faisait qu'émettre une idée comme une autre pour tenter de nous aider. Mais le regard de Madonna Adriana m'arrêta.

— Quelles figues ? repris-je.

Lucrèce se tourna vers son aînée comme pour l'implorer de répondre. Cette dernière s'exécuta enfin, mais pas avant d'avoir montré la porte d'un petit geste de la main.

— Dehors, tous.

Servantes, sages-femmes et médecins prirent alors leurs jambes à leur cou. Ce fut à qui réussirait à sortir le premier et il y eut donc une bousculade à la porte, mais en fin de compte les médecins (en leur qualité d'hommes, naturellement) forcèrent le passage et passèrent devant tout le monde – à part les plus robustes des sages-femmes – et le reste suivit dans un flot inégal, jusqu'à ce que la dernière et plus petite des servantes ait disparu.

— Fermez la porte, m'ordonna Madonna Adriana.

Je m'exécutai, puis me retournai pour la regarder. Elle s'était levée de son fauteuil et faisait les cent pas près des fenêtres. L'air s'était quelque peu rafraîchi et les rideaux blancs ondulaient à ses pieds, donnant l'impression qu'elle marchait sur les nuages.

Elle les repoussa d'un coup de pied, me dévisagea puis déclara :

— Mon beau-fils n'a rien fait de mal.

Le mari de Giulia – qui avait hérité de ses cornes de cocu grâce au Cardinal, le jour où celui-ci avait jeté son dévolu sur sa jeune épouse. Orsino Orsini avait beau descendre de l'une des plus puissantes familles d'Italie, les qualités que l'on attendait d'un homme dans sa position lui manquaient singulièrement. Cet insignifiant personnage avait-il finalement osé lever la main pour se venger de l'insulte qui lui avait été faite ?

— Il n'a rien à voir avec cela, insista Adriana. Assurément, personne ne peut le blâmer d'avoir des attentions pour Giulia.

— Est-il toujours attaché à elle ? (Je me doutais de la réponse, mais j'avais besoin de l'entendre de la bouche d'Adriana.) Sont-ils en contact ?

— Par lettres, répondit-elle du bout des lèvres et ne développant son propos qu'avec la plus grande réticence. Il lui écrit, de gentilles petites lettres où il lui demande des nouvelles de sa santé et lui parle de ses activités à la campagne.

— Y répond-elle ?

— Bien sûr que oui. Elle ne souhaite pas lui faire davantage de mal, si elle peut l'éviter. Elle fait attendre le messager et renvoie sa réponse par lui. Tout cela est bien innocent.

— Donc Borgia est au courant ?

— Non, il ne l'est pas, rétorqua Adriana sans se donner la peine de cacher son mépris face à une question qu'elle considérait visiblement comme stupide. Pourquoi donc irais-je déranger Il Cardinale avec une affaire aussi triviale ?

Ainsi, la maîtresse du Cardinal et son mari avaient échangé des lettres en secret, sous le nez de la cousine qu'il avait chargée de veiller sur Giulia et sa fille ; et véritablement, il ne leur était jamais venu à l'idée que Borgia aimerait être au courant ?

Je ne pus m'empêcher de secouer la tête face à une telle idiotie, avant de poursuivre pour tenter d'obtenir d'elle le plus d'informations possibles.

— Qu'a-t-il envoyé, à part les lettres ?

Elle serra les lèvres et détourna le regard.

— Bon Dieu, explosai-je, nous n'avons pas le temps de jouer à ça ! Dites-le-moi ou je vous assure que j'irai directement voir le Cardinal et vous impliquerai dans tout ce qui s'est passé.

— Comment osez-vous… répéta-t-elle, seulement cette fois-ci elle était tellement furieuse qu'elle semblait prête à me frapper.

Avant qu'elle ne puisse passer à l'acte, Lucrèce bondit de son poste près du lit et se mit entre nous.

— Arrêtez ! s'écria-t-elle. Un bébé est mort, pour l'amour du ciel, et Giulia a bien failli y rester elle aussi. Francesca essaie seulement d'aider. Nous devons tout lui dire.

Adriana détourna alors le regard, refusant de parler mais n'empêchant pas Lucrèce de le faire. Avec sérieux et calme, la fille de Borgia me dit tout ce que j'avais besoin de savoir.

Lorsqu'elle en eut fini, j'avais compris comment le poison était entré dans *il harem* et avait accompli son affreuse besogne. J'avais également compris que j'aurais à affronter un ennemi plus rusé et déterminé encore que dans mes pires cauchemars.

30

« Des lettres ? répéta Borgia posément. Ils échangeaient des lettres ? »

À son retour de la curie il s'était directement enfermé dans son bureau. Préférant ne pas attendre sa semonce, je l'y avais suivi. Malgré l'heure tardive (les matines étaient passées), ses secrétaires trottaient encore après lui. Ils tentèrent bien de me stopper, mais en entendant ma voix dans l'antichambre il leur cria de me laisser entrer.

Seules quelques lampes étaient restées allumées dans le bureau. Des ombres grimpaient aux murs en se tortillant, mais quasiment toute la pièce était dans la pénombre. Je fus presque prise de regret à l'idée d'avoir forcé Il Cardinale à me recevoir. Il n'avait pas eu le temps d'ôter sa tenue d'ecclésiastique et me faisait l'effet d'un vieil homme voûté, las de corps et d'esprit. Toutefois, dès que j'ouvris la bouche, une partie de son énergie accoutumée lui revint. Il fit signe à ses secrétaires de sortir, se débarrassa de son épaisse robe et s'assit derrière son bureau pour entendre ce que j'avais à dire.

Il était de mon devoir de lui annoncer qu'il avait malheureusement perdu l'enfant, mais je pus au moins le rassurer sur l'état de santé de Giulia. Ensuite, je lui expliquai ce qu'il s'était passé. Tout en ne cherchant pas à me disculper, j'espérais détourner sa colère de la jeune femme qui avait déjà suffisamment souffert comme cela par son acte irréfléchi.

— Mon impression, précisai-je en pesant mes mots, est que ces courriers étaient échangés en toute amitié et que La Bella y répondait par simple courtoisie.

À la vérité je les avais lus, et avais trouvé la prose d'Orsini plutôt embarrassante – voire affligeante. Il se faisait un souci excessif pour son bien-être, lui confiait son espoir d'être réuni un jour prochain avec elle et parlait sur des paragraphes entiers de la chasse (qui semblait être sa seule activité à la campagne), ainsi que de sa solitude. Tout cela venant d'un homme qui avait les moyens de faire de sa vie ce dont la plupart d'entre nous n'oserions même rêver.

Je n'avais pas eu accès à ses réponses car apparemment elle n'avait pas songé à conserver de copies. Mais je vis bien les petits cadeaux qu'il lui faisait envoyer : un rouleau entier de tissu à broder dont elle ne s'était pas encore servi, un recueil de poèmes qu'elle n'avait même jamais pris la peine d'ouvrir, à première vue, et plus récemment une boîte de figues au miel, dont elle raffolait tout particulièrement.

Le poison se trouvait dans les figues. Une fois revenue dans mes quartiers, j'allumai toutes les bougies et lampes à huile à ma disposition pour avoir le plus de lumière possible, et enfilai des gants. Puis je me mis à ma table de travail. J'enlevai plusieurs figues de la boîte et les ouvrai délicatement. À l'aide d'une lentille que mon père avait fait faire et qui avait pour effet d'agrandir tout ce que l'on regardait à travers, je distinguai des petites particules blanches qui brillaient à l'intérieur du fruit, mais se fondaient si bien avec les grains de la figue que seul un œil averti pouvait les discerner. En poursuivant mon examen minutieux, je découvris également des traces de poudre brune finement concassée, qui devait être la tanaisie.

En plus du miel, les figues avaient été parfumées au safran, à la cannelle et aux amandes. Cela donnait une friandise délicieuse, à laquelle j'avais moi-même eu le plaisir de goûter à l'occasion. Mais toutes ces saveurs étaient également idéales pour masquer le goût amer d'un poison. À en juger par les emplacements vides dans la boîte, Giulia en avait mangé trois. Eût-elle péché par excès de gourmandise qu'elle ne serait plus, à l'heure qu'il était.

— Et il lui envoyait des cadeaux ? demanda Borgia.

— Des petites choses, rien d'extravagant, vraiment.

Peut-être vous interrogez-vous sur les efforts visiblement déployés pour ménager ses sentiments, mais je ne cherchais pas simplement à me soustraire à sa colère. En toute sincérité, je le plaignais. L'expression de profonde mélancolie qu'il arborait et la façon dont ses mains tremblèrent lorsqu'il nous versa à tous deux du vin me laissèrent à penser que ses sentiments pour Giulia allaient bien au-delà du simple plaisir charnel. Il apprenait subitement que le cœur de sa belle lui était disputé, qui plus est par son propre mari, dont on ne pouvait nier les droits moraux et légaux sur son épouse. Il accusait manifestement le coup.

— Et pourtant, reprit Borgia, Orsini n'est pas responsable selon toi ?

C'était le cœur du problème. Le Cardinal dépendait du soutien de la famille Orsini pour obtenir la papauté. S'ils l'avaient trahi, il devait le savoir sur-le-champ. De même, si l'un d'eux avait agi en solitaire, Borgia devait en être informé.

Mais j'étais convaincue qu'il ne s'agissait ni de l'un ni de l'autre.

— Quelqu'un cherche à semer la discorde entre la famille Orsini et vous, lui assurai-je.

L'idée étant également de la semer entre Borgia et moi, mais je n'étais pas prête à le lui avouer. En fait, je crois que j'espérais voir le Cardinal en arriver à cette conclusion par lui-même.

— Orsini envoyait une lettre à Giulia au moins une fois par semaine, expliquai-je. Elles lui étaient toujours remises par un messager portant sa livrée. Il suffisait de faire le guet devant l'entrée du palazzo pour le constater. La lettre arrivée avec les figues semble bel et bien être la sienne, mais il n'y fait aucune mention du cadeau. Mon sentiment est que les fruits empoisonnés ont été joints à la lettre par le même homme qui a pris la place du messager.

— Et d'après toi…, m'encouragea Borgia.

— La servante qui a été en contact avec le messager est une très jeune fille, et toute cette affaire l'a terrifiée. Il a fallu un certain temps pour la convaincre de nous raconter ce qu'elle savait.

En vérité il avait fallu pas loin d'une heure, et nous avions fini par lui faire boire une quantité considérable d'eau-de-vie pour faire cesser sa crise de sanglots incontrôlables ; une fois calmée, elle avait enfin répondu de façon sensée à mes questions.

— Elle a décrit un homme grand et blond, qui d'après elle était très beau.

Borgia se laissa aller brusquement en arrière dans son fauteuil. Malgré ses paupières tombantes, je distinguai l'éclat qui animait ses yeux. Et malgré la chaleur de la soirée, je frissonnai.

— Morozzi, dit-il dans un souffle, comme une affirmation inéluctable.

Je hochai la tête.

— Il semblerait bien. À mon avis, si l'on organisait une battue entre le palazzo Orsini et leur propriété à la campagne, on découvrirait le corps du véritable messager.

Je ne suggérais pas de le faire concrètement, car la distance entre les deux lieux était bien trop grande pour espérer accomplir quoi que ce soit d'utile en si peu de temps. Mais Borgia comprit ce que je voulais dire, et acquiesça.

— Pour que son plan ait aussi bien réussi, reprit le Cardinal, cela devait faire un moment qu'il y songeait.

— Votre relation avec La Bella n'est pas exactement un secret, et sa grossesse ne l'était pas non plus. Il n'aurait guère été difficile à Morozzi de trouver votre point faible.

Ce qui était précisément la raison pour laquelle il m'avait envoyée faire mon travail dans son autre maison, au départ. J'attendis sa réprimande.

— Tu es absolument certaine que le poison provient des figues ?

Je l'en assurai avant d'ajouter :

— Personne d'autre n'en a pris dans la boîte, et personne n'a été malade.

Il regarda dans le vague pendant un long moment, puis dit :

— Lucrèce aime bien les figues.

Je voyais où il voulait en venir. En une seule attaque, Morozzi aurait pu tuer à la fois la maîtresse de Borgia et sa fille unique, tout en laissant à croire que le coupable était un membre de la famille censée apporter un soutien vital à Borgia en vue de la papauté. À la vérité, ce complot était brillant.

— Nous l'avons sous-estimé, en conclut calmement le Cardinal. (Il leva les yeux vers moi.) Comment se fait-il que tu n'étais pas au courant ?

La voilà enfin, la question que je redoutais. Malgré tous mes efforts pour protéger les êtres chers de Borgia, comment les cadeaux que Giulia recevait de son époux avaient-ils pu me passer sous le nez sans que je m'en aperçoive ?

— D'après ce que j'ai compris, répondis-je prudemment, La Bella préférait ne pas vous inquiéter avec cela.

— Elle voulait en faire un secret ?

Lui-même gardait plus souvent qu'à son tour ses pensées pour lui. Mais la règle semblait ne devoir s'appliquer qu'à sa personne. Toute rétention d'information chez autrui était pour lui une trahison méritant une punition en conséquence.

— Il semblerait bien, répondis-je. Elle connaît la loyauté de la famille Orsini envers vous, et je suis certaine qu'elle n'aurait jamais imaginé courir un danger en acceptant ces petits cadeaux.

— Dans ce cas, c'est une idiote.

Certes, il avait raison, mais je fus choquée de l'entendre parler aussi durement de son amante préférée.

Prudemment, je lui dis :

— Elle a déjà payé sa bêtise fort chèrement.

Borgia soupira, but un peu de vin. Il prit le temps de reposer la coupe sur son bureau avant de reprendre la parole :

— L'enfant… sais-tu… était-ce un garçon ?

On dit toujours que les hommes veulent des garçons car ils les estiment davantage que des filles. Mais Borgia avait déjà deux fils (voire trois, si l'on en croyait leur mère), plus d'autres fils plus âgés qu'une maîtresse lui avait donnés dans sa jeunesse. En revanche, il n'avait qu'une seule fille.

— C'était une fille, lui dis-je avec douceur.

Il détourna le regard, mais pas avant que je ne voie des larmes briller dans ses yeux.

Je patientai autant que possible avant de retourner à l'affaire qui nous concernait.

— Morozzi croit à n'en pas douter que vous allez rejeter la faute sur son mari. Il va s'attendre à vous voir l'accabler et, ce faisant, perdre le soutien de la famille Orsini pour votre élection.

L'expression de Borgia était impénétrable.

— Il va également s'attendre à ce que je m'en prenne à toi.

Soudain apparut dans mon esprit une image de la chambre de torture sous le palazzo. Je la chassai comme je pus de mon esprit.

— Oui, vous avez raison, répondis-je avec un calme qui moi-même me surprit.

Avec tout ce qui s'était passé ce jour-là, je me sentais comme engourdie.

— En fait, il compte peut-être même dessus, poursuivis-je. Le conclave est censé commencer dans deux jours…

Un fait qui m'inquiétait au plus haut point, car je n'avais guère eu l'opportunité, jusqu'à présent, de réfléchir à la meilleure façon d'y assurer la sécurité de Borgia.

— Quatre jours, me corrigea-t-il. La curie a reçu un message du patriarche de Venise. Il est en route pour Rome et nous demande instamment de repousser le début du conclave jusqu'à son arrivée. En vertu de son âge et du respect que nous lui portons tous, sa demande a été accordée.

Je tentai de me souvenir de ce que je savais du patriarche, un homme si âgé que la seule mention de son nom s'accompagnait habituellement d'une exclamation de surprise quant au fait qu'il était encore en vie. Si mes souvenirs étaient exacts, il avait plus de quatre-vingts ans et avait attendu sa calotte rouge de cardinal plus longtemps que tout autre prince de l'Église, puisque Innocent ne l'avait nommé que vers la fin de son règne. Le fait que Maffeo Gherardi fasse le long voyage jusqu'à Rome à son âge était déjà en soi surprenant. Mais qu'il compte arriver ici en assez bon état pour faire son devoir, nonobstant un léger retard, était proprement déroutant. Néanmoins, d'où qu'il vienne ce retard m'allait très bien, si tant est que je reste en vie pour en faire bon usage.

— Si Morozzi réussit à me faire congédier… (Quelle délicate façon d'évoquer mon emprisonnement et ma mort probable sous la torture)… il se rapprochera encore davantage du but qu'il s'est fixé.

— Et tu te crois capable de l'arrêter ?

L'étais-je ? Jusque-là, le prêtre fou avait toujours eu un coup d'avance sur moi. J'avais réussi à lui fausser compagnie au *castel*, mais seulement grâce à Vittoro et parce que nous avions eu beaucoup de chance. Je pensais avoir démêlé le plan qu'il avait élaboré avec Torquemada, mais si j'avais tort ? Et s'il était en train d'ourdir un tout autre complot contre le Cardinal ? Il était impossible de comprendre réellement comment un esprit aussi tordu raisonnait. La seule chose à faire était de me concentrer sur le but ultime, à savoir l'élévation de Borgia à la papauté. Après cela, s'il plaisait à Dieu, il serait encore temps de régler les comptes en instance avec Morozzi, auxquels il fallait à présent ajouter l'avortement forcé de Giulia.

— Je dois essayer, déclarai-je. Par égard pour nous tous, vous devez me laisser tenter.

Dire à Borgia quoi faire n'était probablement pas le plus sage des actes, mais en cet instant-là je n'avais que faire de manquer de tact. J'attendis… qu'il explose de rage, qu'il appelle la garde, qu'il fasse ce que son cœur lui dictait de faire.

Pendant longtemps il garda le silence, se contentant de rester dans son fauteuil, l'air perdu dans ses pensées. Je ne l'avais jamais vu aussi abattu. J'étais en train de me demander s'il comptait même me répondre lorsqu'une voix par trop familière s'éleva dans la pénombre, près de la porte.

— Elle a raison, tu sais, dit simplement César en entrant dans la lumière.

31

Le fils aîné de Borgia, celui qu'il destinait à l'Église, était prêt pour la bataille. Il tenait son casque à la main, mais avait gardé sur lui son plastron de cuirasse en acier brillant. L'épée à sa ceinture était sans ornement, ayant pour seule fonction de tuer. Sous son armure, tous ses vêtements étaient d'un noir austère, chemise, pourpoint, chausses : des habits choisis pour ne pas le gêner pendant le combat. Quand l'envie lui en prenait, il savait s'habiller de façon aussi extravagante que n'importe quel prince ou prélat. Mais pendant la période où je le connus, sa préférence en matière d'habits alla toujours à la tenue de combat – car n'en déplaise à son père, c'était un guerrier-né.

L'irruption soudaine de son fils ne sembla pas surprendre Borgia outre mesure. Il lui fit signe de s'asseoir dans le fauteuil voisin du mien, remplit une autre coupe, la fit glisser vers lui. César but, s'essuya la bouche du revers de la main et annonça :

— J'ai eu ton message. Trois cents hommes d'armes ont marché avec moi depuis Sienne, et deux cents de plus sont à disposition si nécessaire. J'en ai laissé cinquante ici, et j'ai envoyé le reste en ville pour tenter de débusquer ce prêtre fou. A-t-il refait surface ?

Ces préparatifs belliqueux ne me surprenaient pas, et à dire vrai, ils me soulageaient. Mais je redoutais d'autant plus l'issue de toute cette affaire, maintenant.

— Pas encore, répondit Borgia. Mais il y a autre chose.

Calmement, il lui relata les événements des heures écoulées. Je me tenais raide dans mon fauteuil, prête à essuyer les reproches que César n'allait pas manquer de me faire ; il regarda à plusieurs reprises dans ma direction, mais attendit que son père en ait fini pour prendre la parole.

— Je suis désolé pour l'enfant. (Le sentiment approprié ayant été exprimé entre les deux hommes, César passa curieusement sur ma défaillance patente et poursuivit.) Morozzi sait que nous sommes à ses trousses. Où pourrait-il se réfugier ?

— Auprès de Torquemada, suggéra Borgia, si prestement qu'il devait sans nul doute fonder beaucoup d'espoirs sur cette théorie. Éliminer deux ennemis d'un coup serait assurément un bon présage pour la glorieuse papauté qu'il se figurait déjà avoir.

Mais prenons le temps ici de dire un mot sur le Grand Inquisiteur. Vous aurez certainement entendu parler, vous aussi, de cette rumeur selon laquelle Torquemada lui-même descendrait de *conversi*. Si ses partisans (et ne vous méprenez pas, il en a toujours) le nient farouchement, ceux qui sont bien placés pour le savoir n'hésitent pas à affirmer haut et fort que du sang juif coule dans ses veines. Selon eux sa grand-mère elle-même serait une *converso*, étant née dans une famille juive de Castille.

À partir de là nous pourrions, pour expliquer son comportement, faire des conjectures – évoquer par exemple la pression terrible qu'ont subie les *conversi*, en particulier depuis le soulèvement contre eux en Espagne quelques décennies plus tôt, à l'époque de la naissance de Torquemada. Mais j'avoue que je ne goûte pas ce genre d'exercice. Je m'en tiendrai donc à ce dont je reste persuadée : le Grand Inquisiteur était un homme profondément troublé qui cherchait par tous les moyens à se protéger et à expier sa propre culpabilité, dans cette vie comme dans la suivante, en en expédiant d'autres que lui dans les flammes.

Mais revenons-en à notre affaire. Malgré le soulagement teinté de regret qui me serrait la poitrine, je me sentis obligée d'intervenir :

— Le Grand Inquisiteur donnera peut-être asile à Morozzi, mais nous, nous avons un ami parmi les dominicains. Si les deux hommes se retrouvent au chapitre, nous le saurons.

César se borna à hocher la tête.

— Bien. Qu'en est-il de della Rovere ? Morozzi n'irait-il pas le voir lui, plutôt ?

En entendant prononcer le nom de son grand rival pour le trône de Saint-Pierre, Borgia prit un air pensif.

— Peut-être… Mais pour autant que Morozzi et lui aient un but commun, cela m'étonnerait que Giuliano prenne le risque de voir sa réputation ternie en s'acoquinant avec lui. À mon avis, il va tenter de garder ses distances tout en manœuvrant pour tirer le plus d'avantages possibles de la situation.

— Ce ne sera pas chose facile, reprit César. Les juifs ont tenu parole : la somme dont vous aviez convenu ensemble est bien là. S'agissant des finances, le problème est réglé.

Par la suite on a raconté que les juifs avaient versé pas moins de quatre cent mille ducats d'argent à Borgia, une somme fabuleuse pour donner, en échange, une forme de sérénité à un peuple vilipendé de toutes parts. Je ne peux confirmer la véracité de ces propos, mais le fait que Borgia ait jugé bon d'envoyer César surveiller de près l'encaissement était en tout cas révélateur.

Le bruit a également couru que c'est la méfiance de Borgia à l'égard des Médicis qui l'avait poussé à confier cet argent aux bons soins des banquiers siennois Spannocchi, plutôt que de l'avoir à portée de main à Rome. Les Médicis régnaient en effet depuis longtemps sur le secteur bancaire, non seulement dans leur cité mais également dans la Ville éternelle. Je ne pourrais pas non plus me porter garant de cette affirmation ; mais si c'est bien la vérité, permettez-moi de remarquer que c'était une sage précaution de sa part, au vu des ennuis que les Médicis allaient lui causer plus tard. Même en ce temps-là, alors que Laurent le Magnifique était enterré depuis quelques mois à peine, la puissante famille florentine était l'opposante la plus fervente des ambitieux Borgia.

— Nous avons Sforza avec nous, annonça Il Cardinale. Il nous a coûté cher, mais il est dans notre camp maintenant.

César leva sa coupe vers son père en signe de salut.

— Combien ?

Lorsque Borgia le lui dit, j'en eus le souffle coupé. Le moins que l'on puisse dire, c'était que le cardinal milanais n'avait pas bradé ses propres aspirations à la papauté, d'autant que pour lui, ce n'était que partie remise. Indépendamment de cinquante mille ducats d'argent et d'une foule de bénéfices et de charges ecclésiastiques (dont la vice-chancellerie) qui lui rapporteraient aisément dix fois plus, Sforza allait devenir le nouveau propriétaire de ce qui faisait la fierté de Borgia : son palazzo. À aucun moment il n'évoqua les fiançailles entre Lucrèce et Giovanni, le cousin de Sforza seigneur de Pesaro et Gradara, mais cela ne signifiait pas pour autant que l'union n'était pas déjà scellée. Borgia était en effet peu enclin à mentionner ce point de détail à son fils, qui désapprouvait tous les prétendants éventuels de sa sœur Lucrèce, comme il allait amplement le démontrer plus tard.

César émit un sifflement.

— Si cela se sait, les vautours vont commencer à te tourner autour pour demander le même genre de rétribution.

— Ils ne l'obtiendront pas, tout au moins la plupart d'entre eux, répondit Borgia avec assurance. Dès que le vote tournera en ma faveur, ils devront se contenter des miettes qui resteront.

Si le vote tournait en sa faveur, avais-je envie de dire, mais naturellement je m'abstins. En fait, à l'instar de Benjamin il n'y avait pas si longtemps que cela, je tentais de me faire aussi discrète que possible. Combien de personnes, en dehors de La Famiglia, avaient déjà eu l'occasion de voir à l'œuvre le plus grand comploteur de tous et son meilleur élève ? J'en apprendrais plus sur l'art raffiné de la tactique en une heure passée avec Borgia *padre e figlio* que dans n'importe quel livre, quand bien même je passerais des heures à l'étudier.

La discrétion que l'on exige d'une professionnelle telle que moi m'empêche de révéler en détail ce que j'entendis cette nuit-là. Je me bornerai donc à vous dire qu'Il Cardinale comprenait mieux que quiconque la parfaite vénalité qui préside à tous les actes des princes de notre Mère la sainte Église. Il connaissait chacun d'entre eux, probablement mieux qu'ils ne se connaissaient eux-mêmes. Quel était le désir le plus ardent de chacun ? Quelles étaient ses peurs ? Que convoitait-il dans le secret de son âme ? Des décennies de travail zélé l'avaient préparé à ce moment précis, lorsqu'il ferait sien le trône de Saint-Pierre.

Si Dieu aime l'ambition impitoyable et la froide intelligence chez l'homme, alors Il devait véritablement adorer Rodrigo Borgia.

Au bout d'une heure, pendant laquelle père et fils échangèrent des informations et peaufinèrent leur stratégie à l'aide de plusieurs fiasques de vin, César s'exclama :

— Francesca est en train de s'endormir.

— Bien sûr que non, articulai-je, mais non sans difficulté, et pour être honnête je m'étais assoupie une fois ou deux.

— Emmène-la se coucher, proposa Borgia, et César sembla y réfléchir.

Il se pencha vers moi, me prit la main et la porta à ses lèvres. Son souffle était chaud, son regard impérieux. Le temps sembla ralentir et l'espace d'un instant, je fus tentée. Si la vie d'un enfant et l'avenir tout entier de la chrétienté n'avaient pas été en jeu…

Je retirai ma main, arrachant un soupir à César qui me fit l'effet d'une vague allant s'écraser sur le rivage. Mes sens paraissaient étrangement aiguisés, tout à coup.

Autour de nous l'air était lourd du parfum de la cire des bougies et du vin, et pourtant, pendant un bref instant, j'aurais juré avoir senti dans mes narines et sur ma langue l'odeur de cuivre caractéristique du sang. Cette étrange sensation me sortit définitivement de ma léthargie.

— Morozzi, lui, ne prendra pas de repos, m'entendis-je dire comme à distance. Nous devons le retrouver avant qu'il ne passe à l'acte.

— Si les anges sont avec nous, il viendra aux obsèques, soupira Borgia.

Je me souvins alors que la messe à la mémoire d'Innocent était prévue pour le lendemain matin. Les cardinaux déjà présents à Rome y assisteraient, ainsi que tous les autres prélats et nobles au grand complet. Borgia lui-même y jouerait un rôle important en sa qualité de vice-chancelier de la curie. Mais à mon avis il ne fallait guère espérer de l'homme le plus recherché de Rome qu'il soit stupide au point de se montrer à ce genre de rassemblement.

Alors, où irait-il ? Certainement pas au *castel*, maintenant qu'Innocent n'était plus. Au chapitre, dans ce cas ? Ou bien chez della Rovere, en dépit de ce que croyait Borgia ? Où pouvait bien être Morozzi, bon sang, pour que les fameux espions d'Il Cardinale ne l'aient pas encore repéré ?

Rome est un dédale de rues anciennes comme récentes, une cacophonie de bâtiments sans cesse démolis et reconstruits, un chaos parfait les jours où tout va bien. C'est aussi une cité immémoriale, habitée depuis des milliers d'années, en temps de gloire comme de déclin. Sous le palais de Borgia étaient enterrées les vestiges d'une cité bien plus ancienne. Et c'est également vrai du reste de la ville : il suffit d'enfoncer une pelle dans le sol romain pour mettre au jour un monde caché, qui a pour autre nom le passé.

Mais plus que tout c'est le lieu de tous les secrets, d'autant plus nécessaires que les Romains vouent un amour immodéré à la rumeur. La ville se dérobe en grande partie aux regards en érigeant de hauts murs, en protégeant les chemins privés d'immenses portails, en rendant de nombreux passages accessibles uniquement par des bâtiments qui ne paient pas de mine – ce qui fait d'elle la cachette idéale pour celui qui ne veut pas être retrouvé.

Mais enfin, si j'étais Morozzi, où irais-je ?

À peine cette question me vint à l'esprit que je la rejetai : je n'étais pas Morozzi, certainement pas. Il était fou, et moi…

L'odeur de sang se fit plus forte, à tel point que je regardai autour de moi en m'attendant presque à voir quelqu'un en train de saigner. Je regardai mais ne vis rien – à part des souvenirs.

Giulia se tordant dans son lit… le garçonnet tendant ses bras mutilés vers moi… l'homme dans la chambre de torture se vidant de son sang par un seul et bref mouvement de ma main… l'Espagnol et ses lèvres maculées d'écume noire… mon père gisant sans vie dans la ruelle, le crâne fracassé…

— Francesca...

J'étais de retour derrière le mur, regardant désespérément le torrent de sang et sentant le monde pencher jusqu'à tomber dans le précipice.

L'odeur de cuivre s'estompa et je sentis alors des bougies – beaucoup, beaucoup de bougies, bien davantage qu'il n'y en avait dans la pièce où j'étais toujours assise, tout en étant consciente d'être ailleurs. En lieu et place je vis une mer de lumières vacillantes, et au loin j'entendis le chant de la prière.

J'étais à genoux, levant les yeux vers la statue d'une femme qui me regardait à son tour, sourcils froncés dans un visage sinon lisse, comme si j'avais fait quelque chose qui la troublait.

— Pour l'amour du ciel, Francesca !

Une vague odeur de camphre et d'agrumes flottait dans l'air. Je regardai par-dessus mon épaule et vis Morozzi, l'ange déchu, qui me fixait.

— Signorina Giordano ?

— Oui ?

César était agenouillé auprès de moi, ses mains sur mes épaules. Il me secouait avec insistance.

— Francesca, est-ce que tu vas bien ?

Je clignai des yeux une fois, puis deux, et les vis en train de me dévisager d'un air grave. J'avais la gorge très sèche et le plus grand mal à parler ; lorsque je m'y essayai, ma voix me parut tout à la fois aiguë et fluette.

— Je vais bien.

C'était un mensonge. Les cauchemars étaient déjà difficilement supportables. Mais ces visions, comme on peut les appeler j'imagine, étaient une tout autre affaire. Tout le monde fait de mauvais rêves de temps en temps, certains plus souvent que d'autres. Mais être enlevée de ce monde si radicalement et percevoir des images, des sons, et même des odeurs et des goûts appartenant à une réalité totalement autre...

Rocco était convaincu que Dieu avait une raison de vouloir me faire éradiquer l'être malfaisant qu'était devenu Innocent. J'avais désespérément envie de le croire, mais mon cœur redoutait qu'il ne se trompe.

Parmi toutes les âmes qui vivaient ici-bas, pourquoi le Tout-Puissant tendrait-Il la main à une créature aussi imparfaite que moi ? Vous me direz que Son Fils avait tendu la sienne à une putain. Mais à en croire l'Église, tout ce dont Marie-Madeleine était coupable, c'était de coucher avec des hommes ; alors que moi on me poussait à les tuer. Tout de même, des deux, j'étais la plus grande pécheresse. Non ?

— Je ne te crois pas, déclara Borgia. Toute cette tension, c'en est trop pour toi. J'aurais dû le savoir…

— Non ! (Je me relevai si prestement que César dut en faire de même. Le mouvement soudain me donna le vertige, mais je passai outre.) Ne dites pas que je suis incapable de faire ce que je dois !

Par-dessus tout, je ne supportais pas l'idée qu'il me croie en proie à quelque maladie et tente d'expliquer ainsi ces moments où j'avais l'impression de sortir de moi-même pour devenir une autre, une créature aux sens et aux perceptions aiguisés qui, loin d'avoir de l'aversion pour le sang, était attirée par lui.

S'il disait cela, il exprimerait à voix haute ma peur la plus profondément enfouie, qui semblait s'intensifier chaque jour un peu plus, ces derniers temps. La peur d'être véritablement damnée, non simplement à cause de mes actes mais à cause de la noirceur de mon âme, une tache que toutes les absolutions de la sainte Église ne sauraient enlever.

Avant que l'emprise de cette peur sur moi ne s'accentue encore, je pris une profonde inspiration et me forçai à parler calmement.

— Je vous assure, tout va bien pour moi. Vraiment. Ce qui ne va pas, c'est de rester assis comme cela à parler quand Morozzi est dehors, quelque part, en train de s'organiser à sa guise.

— Nous avons déployé des centaines d'hommes pour fouiller la ville, fit observer César à raison. En plus de l'armée d'espions de mon père. Crois-tu vraiment pouvoir faire mieux qu'eux ?

— Je ne sais pas, admis-je. Mais deux paires d'yeux et d'oreilles en plus ne feront pas de mal.

Sur un coup de tête, et parce que rien d'autre ne me venait, j'ajoutai :

— Nous pourrions commencer par la basilique.

— Pourquoi là-bas ? demanda Borgia.

Pourquoi, en effet ? J'avais parcouru la ville entière en pensée dans le but de deviner où Morozzi allait frapper, pour me retrouver au final agenouillée une nouvelle fois devant l'autel consacré à sainte Catherine, comme le jour où le prêtre fou m'avait suivie. Sainte Catherine avec qui j'avais désormais un point en commun, grâce à ces visions – même si les miennes n'avaient rien de sacré.

— Parce qu'à La Guardia, Torquemada a prétendu que l'enfant avait été crucifié sur une colline, lui rappelai-je. Si Morozzi cherche réellement à recréer ce crime, certes il a le choix, ici, entre le Capitole, le Palatin, l'Aventin… Tous ces lieux ont une grande signification pour les Romains, mais n'oublions pas que le Vatican a été érigé sur une colline et que Morozzi est un prêtre. Pour lui, il ne peut y avoir de lieu plus symbolique que le rocher de Saint-Pierre.

César avait l'air sceptique.

— Je crois bien que je préférerais arracher Torquemada de son lit pour voir ce qu'il nous avouerait sous la contrainte.

— Comme c'est tentant…, fit Borgia, sans toutefois donner son approbation.

À défaut, il me regarda.

— Tu es au courant qu'il y a des centaines de gardes dans tout le Vatican, donc également dans la basilique. Comment Morozzi aurait-il pu tous les esquiver ?

— Je ne sais pas, admis-je de nouveau. Mais l'autre fois il a disparu quasiment sous mes yeux, près de l'autel de sainte Catherine de Sienne. Nous pourrions peut-être commencer par là.

— S'il est capable de disparaître ainsi, répliqua César nerveusement, il est peut-être davantage démon qu'homme.

Instinctivement, il se signa.

— Prends ceci, dit Borgia en tendant à son fils (dont il cernait fort bien la nature) le crucifix en or qu'il portait toujours sous sa chemise.

César s'en saisit et le mit à son cou. Sa foi, si elle s'éloignait furieusement du dogme prôné par l'Église, fut toujours bien plus profonde que la mienne – et voyez comment il en fut récompensé par la suite.

— Va avec elle et ne la quitte pas des yeux, ordonna Borgia. (Il s'était levé, ayant un soudain regain d'énergie.) Trouve Morozzi. Prends-le vivant si tu peux, tue-le si tu le dois. Mais je compte sur toi pour t'assurer qu'il ne me cause plus de tracas.

César inclina la tête une fois, en signe d'acquiescement, et d'un même geste mit son casque. Il posa une main sur le crucifix et l'autre sur le manche de son épée et, sur ce, sortit de la pièce.

J'en aurais fait autant, si Borgia ne m'avait arrêtée.

— Qu'as-tu vu, Francesca ? demanda-t-il, si doucement qu'au départ je ne fus pas certaine qu'il ait parlé.

Je me retournai et le regardai l'air délibérément innocent, alors que mon cœur battait soudain la chamade.

— Quand cela, Éminence ?

— Il y a quelques instants, quand tu n'étais plus avec nous. Quelle vision t'a-t-elle été révélée ?

Je pris une lente inspiration. Il m'observait de près. Je craignais qu'il ne voie bien trop de choses en moi.

— Sauf votre respect, précisai-je (car je n'allais rien lui apprendre), seuls ceux qui se sont attiré les bonnes grâces du Seigneur peuvent espérer voir au-delà du voile qui recouvre le monde.

Il se pencha en arrière dans son fauteuil, un vague sourire au coin des lèvres. Je ne le dupais pas un instant.

— Tu crois vraiment ce que tu dis ? s'enquit-il.

— C'est bien ce que nous enseigne la sainte Église, non ?

— Et la sainte Église n'a jamais tort, c'est ça ?

Un phalène, attiré par la lumière vacillante des bougies, entra dans la pièce. Il voleta en cercle autour d'une flamme, si près que je crus qu'il allait s'y brûler les ailes.

— Vous êtes bien plus à même de répondre à cette question que moi, Éminence.

D'une voix douce, il répliqua :

— Effectivement je devrais l'être, Francesca. Je te connais depuis ton enfance, je t'ai vue grandir dans ma maison, j'ai pris note de tes talents un peu spéciaux et, dirons-nous, de ta vulnérabilité. Et pourtant je dois admettre que lorsqu'il s'agit de toi, je suis toujours en proie à une certaine confusion.

— Vous ne devriez pas, répliquai-je, déconcertée à l'idée qu'il ait pu m'observer aussi attentivement. Je suis, par-dessus tout, votre fidèle servante.

Avant qu'il ne puisse répondre, j'ajoutai :

— Faites quelque chose pour moi, si vous le voulez bien. Envoyez des hommes à l'échoppe du verrier Rocco Moroni, dans la Via dei Vertrarari. Il a eu affaire à Morozzi et aura peut-être une idée de l'endroit où il pourrait se cacher.

J'espérais que cette visite à une heure indue ne perturberait point trop Rocco, mais j'étais persuadée qu'il en comprendrait la nécessité. Si je me fourvoyais concernant la cachette de Morozzi, je devais le savoir le plus vite possible.

— Très bien, répliqua Borgia.

Il semblait sur le point d'ajouter autre chose, mais je ne lui en laissai pas le temps. Je le remerciai dans un murmure et sortis prestement de son bureau, dévalant les larges escaliers plongés dans la nuit.

En bas César m'attendait en faisant les cent pas, l'air impatient, tel un superbe fauve qui n'attendait comme moi qu'une seule chose : être lâché pour partir à la chasse.

32

Rome avait été bâtie sur sept collines, certes, mais de nos jours pourtant seul le Capitole semblait véritablement mériter ce nom, car les six autres avaient été grandement diminuées par l'assèchement des marécages qui les entouraient autrefois, puis l'édification de divers bâtiments. Mais avant que le Christ ne marche sur terre, avant même qu'il n'y ait une sainte Mère l'Église, il existait une huitième colline, que les anciens avaient nommée Vaticum. Là vivaient des esprits maléfiques, non loin de la porte des Enfers ; là se tenaient les courses de chars et les exécutions décidées par l'empereur fou, Néron ; et là les pauvres enterraient leurs morts. L'une de ces modestes tombes reçut d'ailleurs les restes mortels de l'apôtre Pierre, le compagnon et disciple de notre Seigneur, mort en martyr.

On raconte, et je ne vois pas de raison d'en douter, qu'à peine le corps de Pierre porté en terre, ses disciples commencèrent à vénérer sa tombe. Ils se relayaient pour la surveiller, enterraient leurs morts à côté, et faisaient tout pour que la tranquillité des lieux ne soit pas troublée.

Manifestement, tout cela s'étant passé il y a plusieurs siècles, beaucoup d'éléments ont été perdus dans l'époque sombre et agitée qui s'en est suivie. Mais le grand empereur Constantin a veillé à laisser des traces écrites de l'église qu'il a bâtie il y a plus de mille ans, sur le modèle des anciennes basiliques romaines, pour abriter la tombe de Pierre. On raconte aussi, mais à voix basse cette fois-ci, que pour ériger le monument à sa propre grandeur tout autant qu'à celle de sa foi, Constantin n'a pas hésité à détruire quantité d'anciennes tombes chrétiennes et à jeter les restes des fidèles aux loups. Mais mieux vaut taire cela.

La seule chose à savoir, c'est que de sa vision il y a si longtemps est sorti de terre cet immense tas de roches qui, aujourd'hui, se désagrège et menace de tous nous écraser.

César et moi entrâmes par l'atrium, vîmes au passage la mosaïque de la *Navicella* et pénétrâmes dans la basilique. En dépit de l'heure tardive, nous n'étions pas seuls dans le vaste et vénérable lieu. Aux dizaines d'hommes d'armes que nous avions emmenés avec nous venaient s'ajouter les gardes du Vatican, qui étaient partout et bien en vue. Si notre arrivée attira quelque peu leur attention, la livrée de la maison des Borgia découragea quiconque de poser des questions.

L'intérieur était éclairé par des cierges et des lampes perpétuelles brûlant devant les autels latéraux. Quand bien même, l'endroit était très sombre. Sans l'aide des torches que nos hommes portaient pour nous, j'aurais bien été en peine d'y voir à plus de quelques mètres devant moi.

— J'étais agenouillée ici, expliquai-je en indiquant le petit autel consacré à sainte Catherine. Et Morozzi est apparu là.

Je pointai du doigt derrière moi, à gauche.

— As-tu vu d'où il venait ? demanda César.

Je secouai la tête.

— J'ai cru qu'il m'avait suivie depuis le palazzo, mais à dire vrai je ne l'ai pas vu jusqu'à ce qu'il apparaisse devant moi.

— Combien de temps avez-vous discuté ?

— Quelques minutes tout au plus. J'ai détourné le regard un instant. Quand j'ai reporté mon attention vers lui, il n'était plus là.

— N'importe qui pourrait se fondre dans cette pénombre.

À l'entendre parler, il avait envie de croire que les choses s'étaient réellement passées ainsi, mais malgré tout sa main tenait fermement la croix qui pendait à son cou.

— Nous nous sommes vus de jour.

Je levai les yeux vers les fenêtres à claire-voie sous l'avant-toit. La nuit, elles ajoutaient encore à l'obscurité ; mais pendant la journée elles laissaient passer suffisamment de lumière pour que la majeure partie de l'intérieur soit visible.

César regarda autour de lui avec inquiétude.

— Alors, par où a-t-il bien pu partir ?

— Les fondations de la basilique sont justes en dessous, répliquai-je.

Tout à coup me revenait ce que mon père, ayant eu le privilège de les voir, m'avait dit à leur propos : sous nos pieds se trouvait en fait un vaste dédale de structures et de décombres que l'on s'était contenté de recouvrir lorsque l'édification de l'église de Constantin avait commencé.

— Peut-être est-il passé par là, ajoutai-je.

Même si, il fallait bien l'admettre, je ne voyais pas bien comment il aurait pu y accéder aussi rapidement, tout au moins pour le moment.

— Ou peut-être qu'il s'est évaporé dans les airs, proposa César. Si c'est réellement un serviteur du Diable, il pourrait fort bien posséder ce genre de pouvoir.

Ce qui ferait de lui un ennemi impossible à vaincre. C'était une idée que je ne pouvais accepter, pas plus que de voir César transi par d'aussi sinistres peurs.

— Si c'est un démon, lui fis-je remarquer pour le raisonner, comment aurait-il pu entrer dans ce lieu sacré ? Assurément, il aurait été frappé à la minute même où il en franchissait les portes.

— Pas s'il a pris soin de ne pas toucher à l'eau bénite, répliqua César avec le plus grand sérieux. Du moment qu'il a évité de s'en oindre, il est possible qu'il ne lui soit rien arrivé.

Je n'avais jamais rien entendu de la sorte, mais en même temps je ne suis pas experte en démons. En revanche je possède un minimum de bon sens, qui présentement allait me servir.

— César, c'est un prêtre. Sa charge requiert de lui qu'il dise la messe tous les jours. Comment parviendrait-il à transformer le vin et le pain si c'était un démon ?

— Il doit simuler, c'est sûr. Et je te rappelle que c'est toi qui as dit l'avoir vu disparaître quasiment sous tes yeux. Si tu as une meilleure explication, je t'en prie, vas-y.

Je n'en avais pas, mais j'étais désormais encore plus déterminée à en trouver une qui ancrerait fermement Morozzi dans le royaume des mortels, c'est-à-dire à notre portée. Car dans le cas contraire, nous étions vaincus avant même d'avoir commencé.

Faisant signe à un homme d'armes de me suivre avec sa torche, j'avançai lentement vers l'autel de sainte Catherine et m'agenouillai devant. Ayant retrouvé la position exacte dans laquelle j'étais lorsque j'avais senti la présence de Morozzi, je me retournai et regardai dans la direction où il était apparu. En ne la quittant pas des yeux, je me levai et fis quelques pas, comme la fois précédente.

César m'observait attentivement – tout comme ses hommes, qui ne cherchaient pas à dissimuler leur gêne. C'est curieux comme les gens se sentent souvent mal à l'aise dans les lieux sacrés, en particulier la nuit. Je ne sais ce qu'ils imaginent tapi entre les bancs, mais visiblement ils n'ont pas envie de le découvrir.

— Nous perdons notre temps, dit César d'un ton nerveux. Torquemada...

Je l'ignorai et tendis mes mains devant moi à l'endroit exact où Morozzi avait disparu. Un pas... un autre... je touchai une surface dure.

— Apportez la torche, m'exclamai-je.

Dissimulée entre deux piliers, dans la pénombre, se trouvait une petite porte. Elle était recouverte des mêmes panneaux que les murs contigus, de façon à être quasiment invisible à l'œil nu. Mais lorsque je posai la paume de ma main contre le bois et poussai légèrement, elle s'ouvrit sans un bruit. Manifestement, les gonds étaient huilés régulièrement. Juste derrière, je distinguai au mur une boîte à frotter posée dans une petite niche, ainsi qu'une fixation en fer destinée à accueillir une torche – vide.

— Qu'est-ce que tu disais, déjà, sur les pouvoirs démoniaques de Morozzi ? lançai-je, sourire aux lèvres.

César eut l'élégance de paraître confus.

— C'est un vestiaire, suggéra-t-il en songeant à la pièce où les prêtres revêtent leur tenue avant de dire la messe.

Mais j'avais entraperçu des marches descendant dans le noir, et je savais que c'était bien davantage que cela.

César – je le précise car c'est tout à son honneur – lâcha sa croix et insista pour prendre la tête de notre troupe. Je suivis avec ses hommes, qui levaient leurs torches bien haut pour éclairer le sombre passage.

La sensation de froid et d'humidité fut instantanée. Lorsque je pris une inspiration, un air vicié entra dans ma poitrine. Les murs visiblement très anciens suintaient, et le sol en pierre était glissant à cause du lichen qui y avait poussé. Je reconnus une odeur d'argile humide, ce qui me fit songer à la colline dans laquelle on avait creusé la basilique, et je priai pour que Constantin ait vraiment pris le temps de vider l'ancien cimetière avant de s'attaquer à la construction.

Nous poursuivîmes notre chemin, le passage étroit descendant lentement mais régulièrement, jusqu'à ce qu'il s'élargisse tout à coup. À la lumière vacillante des torches, je vis des ouvertures en voûte dans les murs, des deux côtés, qui révélaient à chaque fois un petit espace rempli de décombres. Quelque chose dans cette scène me paraissait étrangement familier, et je m'arrêtai pour y réfléchir.

— Où sommes-nous ? demanda César dans un murmure, ce qui semblait approprié en ces lieux.

— Toujours sous la basilique, je crois...

Dans le noir, avec pour seul éclairage une frêle flamme, j'avais perdu la notion de la distance que nous avions parcourue. Tentant de m'orienter, je plissai les yeux et regardai droit devant moi dans le passage, aussi loin que possible.

— On dirait presque une rue, fis-je. Avec des échoppes de chaque côté, mais complètement enfouie sous le sol. Comment est-ce possible ?

César se tenait suffisamment près de moi pour que je voie la sueur perler sur son front, en dépit de l'air frais.

— Qui sait ? Et qui cela intéresse-t-il ? Tu crois toujours que Morozzi se trouve ici quelque part ?

— S'il a enlevé un enfant, il doit le cacher jusqu'au moment de mettre à exécution son plan, quel qu'il soit. Les obsèques débutent dans quelques heures. À mon avis il n'attendra pas la fin pour passer à l'acte, mais il n'y a pas mieux qu'ici pour se cacher en attendant, non ?

Il ne contesta pas mon raisonnement, mais fit tout de même observer ce dont j'étais moi-même en train de prendre conscience.

— La basilique est immense. Si ce passage se prolongeait sur une grande partie de sa surface, il disposerait de centaines de cachettes, peut-être davantage.

Et s'il se prolongeait plus loin encore, au-delà des limites de l'église, nous pourrions chercher pendant des jours sans jamais trouver trace de Morozzi.

Plutôt que de me laisser aller à ces moroses pensées, je m'exclamai :

— Il faut essayer. S'il est venu ici, nous trouverons sûrement un signe de sa présence.

— Il serait aussi très facile de se perdre, remarqua César.

Il disait vrai, indéniablement. Même avec les torches, il nous suffirait de prendre quelques tournants pour ne plus bien savoir comment retrouver notre chemin. Et si nous nous retrouvions piégés suffisamment longtemps pour que les torches s'éteignent…

— Toi, là, ordonna César en pointant du doigt l'un de ses hommes. Dégaine ton épée et grave le signe de la croix sur le mur à ta droite tous les cinq mètres. Fais-la large et profonde pour que nous puissions la retrouver au toucher, si nécessaire. Si tu tiens à la vie, applique-toi. Compris ?

Le jeune homme déglutit avec difficulté, puis acquiesça d'un signe de tête. Il tira son épée et se pressa de graver la première croix.

Satisfait, César regarda vers le passage qui plongeait dans le noir. Sans hésiter, il déclara :

— Allons-y, et que notre bon Seigneur nous protège.

Au contraire de son père qui, j'en suis convaincue, était un véritable païen, César avait sincèrement la foi. Pourtant, il n'eut jamais la prétention d'adhérer strictement aux enseignements de la sainte Église, pas même lorsqu'il hérita de la calotte rouge de cardinal. Quant à celui à qui il songeait vraiment lorsqu'il invoquait la protection du Seigneur, je dirai seulement qu'il existe à Rome (et ailleurs) des lieux secrets, cachés sous terre, où reposent les images d'un jeune dieu guerrier dont on prétend qu'il serait né d'une mère vierge, aurait accompli des miracles et serait monté au Paradis dans un char doré. Je n'ai jamais entendu César prononcer son nom, mais je suis persuadée que dans son cœur, il le connaissait.

Nous reprîmes notre chemin dans ces petits cercles de lumière entourés de toutes parts d'une obscurité impénétrable. J'étais soulagée de voir les torches continuer à brûler vigoureusement. Je ne sais l'expliquer, mais lorsqu'on allume une flamme dans un lieu où il n'y a pas suffisamment d'air, elle finit par s'éteindre. Heureusement, même aussi profondément sous terre, je sentais un léger souffle m'effleurer le visage, ce qui laissait à penser qu'il devait y avoir des ouvertures quelque part menant à la surface.

Regardant le sol à mes pieds, je vis qu'il était recouvert de tourbillons de poussière qui avaient dû se former avec le temps. En me penchant, je me rendis compte que la poussière avait visiblement été déplacée à cet endroit, et je voulus soudain croire que d'autres que nous, peut-être même Morozzi, étaient récemment passés par là.

Tout à coup le passage s'élargit de nouveau et nous nous retrouvâmes dans un vaste espace dont les dimensions nous échappaient, tant il s'étendait au-delà du cercle de lumière projetée par nos torches. Mais je remarquai tout de même que les murs que nous devinions de chaque côté étaient incurvés et que, au contraire du passage où le sol était en pierre, nous étions ici sur de la terre battue. Le long d'un mur, je distinguai ce qui semblait être des restes de gradins, qui s'arrêtaient brusquement là où on avait construit par-dessus.

Un peu plus loin nous retrouvâmes le passage, pour être de nouveau stoppés quelques minutes après lorsqu'il se sépara en deux, un chemin continuant tout droit et l'autre allant vers la droite. César fronça les sourcils.

— Par où est-il allé ?

Sa question ne semblait pas appeler spécifiquement de réponse, mais je pris tout de même sur moi de la trouver. Scrutant le sol, je continuai droit devant et remarquai une couche de poussière qui ne semblait pas avoir été déplacée, à part les minuscules sillons laissés par le passage de l'air avec le temps. Une fois revenue sur mes pas, je marchai vers la droite et constatai immédiatement que quelqu'un était passé avant nous très récemment.

— Par-là, lançai-je en pointant du doigt vers la droite.

— Comment le sais-tu ?

Lorsque je le lui montrai, César rougit à l'idée qu'un détail aussi flagrant ait pu lui échapper.

Pour l'apaiser, je lui expliquai :

— Mon père m'a appris à observer toute chose avec minutie. Je pense que c'était la nature de son travail qui l'avait rendu si attentif.

C'était peu de le dire. Par essence, le poison se dissimule dans les recoins les plus banals, là où on songe rarement à regarder. La tâche de l'empoisonneur consiste justement à inspecter l'évident et à deviner ce qui s'y cache.

Apaisé, César hocha la tête et nous continuâmes notre progression, mais pas pour longtemps. Quasiment tout de suite, le passage fut bloqué par ce qui semblait être au premier abord des gravats. César s'empara de l'une des torches et avança de quelques pas. À son retour, il avait une curieuse expression sur le visage.

— Il y a assez de place pour passer.

— C'est une bonne…, commençai-je.

— Mais ça ne va pas être agréable.

Sans attendre ma réponse, il se tourna vers ses hommes.

— Souvenez-vous de qui vous êtes, et de ce que je ferai à celui qui manque à son devoir.

Je n'eus pas le temps de me demander pourquoi il jugeait bon de faire une telle mise en garde qu'il me prenait déjà par la main et, la torche bien en l'air, s'enfonçait avec moi dans le passage.

33

Je ne criai pas. Aujourd'hui encore, cela fait ma fierté, mais c'est parce que je ne dis pas tout : pour être franche, je fus si totalement terrifiée que lorsque j'ouvris la bouche, seul un minuscule couinement en sortit.

Ce que j'avais pris pour des gravats bloquant presque entièrement le passage étaient en fait un immense ossuaire se déversant des deux côtés, de plusieurs pièces, dont les murs paraissaient s'être effondrés sous tant de pression. Fémurs, humérus, bassins, cages thoraciques complètes ou partielles, certaines encore attachées à une partie de la colonne, et, par-dessus tout, crânes. Il y avait là des milliers et des milliers d'os de toutes tailles, certains très bien conservés, d'autres se désagrégeant en poussière, mais tous reconnaissables sans l'ombre d'un doute comme étant humains. Apparemment, Constantin avait réellement vidé l'ancien cimetière chrétien – pour jeter là leurs misérables restes, comme autant de débris à déblayer.

Ce tas d'ordures de la mort était si énorme qu'il s'élevait bien au-dessus de nos têtes, jusqu'au plafond. Le couloir par lequel nous devions passer faisant à peine plus de trente centimètres de largeur, nous n'eûmes d'autre choix que de nous mettre de biais pour avancer, et de supporter ensuite sans mot dire l'horreur des os craquant sous nos pieds, s'enfonçant dans la chair de nos bras, se prenant dans nos vêtements.

Le pire, c'étaient les crânes, avec leur sourire mauvais et leurs yeux dépourvus d'orbites. Certains dépassant du tas, je dus passer si près que mon nez frôla l'emplacement où le leur s'était trouvé autrefois. Que Dieu me pardonne, je sais que fut un temps ces ossements jaunâtres avaient été des hommes et des femmes, mais j'en tremblai de dégoût. Derrière moi, j'entendis au moins l'un des hommes d'armes avoir la nausée, et vraiment je n'aurais su l'en blâmer. Cela n'empestait pas la putréfaction (les os étant bien trop vieux pour cela), mais l'odeur pesante de la mort se dégageait toujours de ces cadavres tombant en poussière, qui constituaient un rappel bien trop saisissant de notre propre mortalité.

J'ai entendu dire que certains peuples, dans les contrées lointaines, brûlent leurs morts. Ici l'Église l'interdit, mais pourtant cela semble être une pratique sensée, pour laquelle moi-même j'opterais volontiers. À condition, bien entendu, que je sois morte avant le début de l'embrasement.

Je serrai fort la main de César, qui continua à avancer sans jamais chanceler. Quelle que soit la nature de ses propres peurs, il comprenait parfaitement les responsabilités qui incombent à un chef. Jamais il ne montrerait à ses hommes autre chose que courage et détermination. Il est donc juste de dire que si nous nous en sommes tous sortis c'est grâce à lui, qui nous mena en lieu sûr de l'autre côté.

À peine étions-nous arrivés là où le passage s'élargissait de nouveau que nous stoppâmes tous de concert et, obéissant à l'instinct le plus vital, commençâmes à nous secouer frénétiquement. Je retins mon souffle, de peur d'inhaler davantage encore de poussière de mort.

César nous laissa faire un instant, puis nous interrompit.

— Allons-y, lança-t-il, et il continua dans le passage.

Nous suivîmes, pour nous apercevoir rapidement que nous n'étions pas les seuls à avoir découvert la cité de la mort sous la basilique.

Il paraît injustifié de dire que Rome est une ville où l'ordre ne règne pas, car dans certains cas il est on ne peut plus en évidence. Dites une parole malencontreuse au sujet de notre sainte Mère l'Église, par exemple, et préparez-vous à affronter le bûcher. Mais comme tant d'autres choses dans la vie, l'important est de parvenir à bien jauger les risques et les bénéfices à tirer de son action.

De temps à autre, l'effort est fait de soumettre à l'impôt divers articles que les Romains considèrent comme essentiels au bien-être de l'homme. Ceux-ci sont principalement à ranger dans la catégorie des tissus luxueux, des vins fins, ou encore des denrées rares. Mais il est arrivé que le fromage soit assujetti à l'impôt, et je me souviens d'une fâcheuse tentative pour en créer un sur le blé.

Tout cela pour en venir au fait que les Romains aspirent tous à connaître un bon contrebandier. Moi-même je ne fais pas exception à la règle. Cependant, je n'avais jamais réellement songé à la manière dont ils s'y prennent concrètement pour opérer. Manifestement, il leur faut un repaire dans lequel entreposer les marchandises avant de pouvoir les remettre aux clients. Après la traversée éprouvante de cette montagne d'ossements humains, nous nous retrouvâmes devant toute une série de pièces qui avaient été vidées de leurs décombres et protégées par des portes en fer visiblement en bon état. À l'intérieur nous aperçûmes des coffres, caisses et barils laissant présager de toutes sortes d'objets luxueux.

— L'adresse est à retenir, lança César, un sourire vorace aux lèvres.

— Les gens doivent bien gagner leur vie, le sermonnai-je.

S'ils devaient obtenir le pouvoir suprême, il ne me restait plus qu'à espérer que les Borgia sauraient se contenir. L'espoir nous fait tous vivre, n'est-ce pas, même si l'on se fourvoie au final.

À ce stade, nous étions restés suffisamment longtemps là-dessous pour que je commence à m'inquiéter de n'avoir vu toujours aucune preuve concrète du passage de Morozzi. Le temps filait. Je ne pus m'empêcher de me demander combien d'efforts nous allions encore devoir faire avant d'en conclure qu'ils étaient vains.

J'étais sur le point de m'en ouvrir à César lorsque le passage tourna de nouveau. Juste après nous tombâmes sur une pièce qui, à l'instar des autres, avait été utilisée à des fins de contrebande, mais dans ce cas précis la chaîne attachée au cadenas avait été coupée et la porte en métal était légèrement entrouverte. Cela m'interpella au point d'aller voir de plus près.

— Pourquoi quelqu'un s'amuserait-il à faire cela ? demandai-je à César en lui montrant la chaîne cisaillée.

Il haussa les épaules et me suivit à l'intérieur. Au fond de la pièce se trouvaient plusieurs anneaux en fer fichés dans le mur. À l'un d'eux pendait une corde. Ce n'était pas une vieille corde usée ; au contraire elle avait l'air toute neuve, et l'extrémité en avait été récemment coupée.

— Quelqu'un était retenu ici, en conclut César en l'examinant.

J'acquiesçai en silence, mais me forçai à ne pas en tirer de conclusions hâtives.

— Une dispute entre contrebandiers ? suggérai-je.

— Peut-être… mais pourquoi une corde ?

— Est-ce important ?

— Possible… parfois les menottes en nécessitent une.

Le but des menottes est d'être suffisamment petites pour retenir un prisonnier. Mais ce qui vaut pour un adulte ne vaut pas pour un enfant qui, grâce à ses petites mains, se dégagerait facilement.

— Oh, mon Dieu…

César se remit à examiner la corde, avec sur le visage ce qu'un innocent aurait pu prendre pour un sourire.

— Elle vient juste d'être coupée. Avec un peu de chance, il n'a pas beaucoup d'avance sur nous.

Il plongea dans le passage, ses hommes se précipitant à sa suite. Je les suivis de près, maudissant les jupons qui entravaient ma course. Nous courûmes… je ne saurais dire combien de temps. À plusieurs reprises, je crus entendre des bruits devant nous, mais nous-mêmes en faisions beaucoup et je ne pouvais en être certaine. Le passage se mit à remonter. Soudain, je sentis une odeur d'encens dans l'air.

César ouvrit une porte à la volée, et nous nous jetâmes tous à sa suite. J'entendis un cri, puis le fracas du métal heurtant la pierre. Devant moi, un mur de condottieri me bloquait le passage. J'avais beau me hisser sur la pointe des pieds, je n'y voyais rien derrière leurs larges épaules. Je m'armai de courage et réussis à me glisser entre eux, pour me rendre compte que nous avions débarqué dans la sacristie, au beau milieu des prêtres en train de mettre la dernière touche aux obsèques d'Innocent.

L'apparition subite en ces lieux respectés d'hommes en armes, brandissant des torches fumantes d'un œil hagard comme s'ils surgissaient de l'enfer, sembla mettre la foi de plus d'un à l'épreuve. Un tumulte plutôt inconvenant s'ensuivit lorsque les saints hommes tentèrent de s'échapper en criant bruyamment à l'aide.

Toute cette agitation prit fin quand César brandit son épée en hurlant : « Halte ! » En entendant cet ordre, ses hommes se déployèrent pour bloquer la sortie.

— Nous sommes à la poursuite d'un prêtre qui détient un enfant, annonça-t-il. Par où sont-ils allés ?

Le silence accueillit sa requête, rapidement suivi de plusieurs réponses bredouillées en même temps, certaines craintives, d'autres indignées, mais aucune utile bien évidemment – jusqu'à ce qu'un vieux prêtre, rassemblant ce qu'il lui restait de dignité, se mesure directement à César.

— Qui êtes-vous, monsieur ? demanda-t-il. De quel droit venez-vous ici ?

L'espace d'un instant, César eut l'air hésitant. De quel droit, en effet ? Le droit de l'épée, manifestement, mais souhaitait-il réellement la brandir en pareil lieu ? La bienséance ne voudrait-elle pas qu'à tout le moins il feigne de respecter l'autorité de la sainte Église, l'arbitre suprême devant lequel même les plus puissants des guerriers doivent s'agenouiller un jour ?

— Je suis César Borgia, fils du Cardinal Rodrigo Borgia ! Vous allez m'obéir tout de suite, ou bien vous aurez à affronter ma fureur !

Voilà qui était admirablement récompenser Il Cardinale, lui qui s'était donné tant de mal pour rester discret quant à sa filiation, à une époque où la tendance allait à l'inverse.

Le vieux prêtre pâlit, mais ne céda pas. Les autres s'en tinrent à nous vilipender à voix basse comme si nous n'étions pas là, mais lui se redressa pour braver César.

— Vous êtes dans un lieu sacré, ici ! Rengaine ton épée, fils de Borgia, et qu'elle reste dans son fourreau tant que tu es sous ce toit !

Par moments, j'ose croire qu'il y a encore de l'espoir pour notre sainte Mère l'Église.

Craignant la réaction de César face à de telles paroles de défi, je voulus l'apaiser en lui expliquant que ce qu'avait dit le prêtre partait d'un bon sentiment, que c'était un vieil homme, qu'il ne fallait pas en prendre ombrage et ainsi de suite, mais avant même que j'aie pu prononcer un seul mot, un tollé s'éleva, éclipsant tout le reste.

— Une femme !

— Comment ose-t-elle… !

— Sacrilège !

— *Strega !*

Sorcière. Pour avoir osé mettre le pied dans la sainte sacristie de Dieu. Ma seule présence était une source de pollution si infâme qu'ils se seraient fait un plaisir de me mener eux-mêmes au bûcher.

Mais le vieux prêtre, et c'est tout à son honneur, ignora ses frères dans la foi. Son ton se fit sérieux lorsqu'il nous dit :

— Je vous aiderais si je le pouvais, mais la vérité est que personne n'est venu ici à part vos compagnons et vous. À présent, vous devez partir.

Le dégoût de César était palpable. Il regarda tour à tour ces saints hommes drapés dans leur affectation dévote, et pendant un instant je craignis véritablement qu'il ne réagisse mal. Je lui serrai le bras de façon insistante et le traînai vers la porte.

— Nous perdons notre temps, lui chuchotai-je. Morozzi a dû prendre une autre sortie.

Mais il tardait à sortir, continuant à les scruter tous autant qu'ils étaient. Aucun, pas même le vieux prêtre, n'avait posé de questions concernant l'enfant. Aucun n'avait exprimé de sollicitude au-delà de sa petite personne. Plus tard, lorsque César allait être si sévèrement critiqué pour ses actes envers l'Église, je me souviendrais de cet instant-là et m'étonnerais qu'il n'ait pas fait preuve de davantage de cruauté encore.

Nous quittâmes enfin la sacristie, et nous retrouvâmes près du maître-autel. Pendant que nous étions en dessous, la lumière grise annonciatrice de l'aube avait furtivement commencé à imprégner la basilique. Je remarquai que nous nous trouvions à une dizaine de mètres seulement de notre point de départ. Quant à Morozzi, il aurait pu être partout.

— Combien de temps nous reste-t-il ? m'enquis-je.

César rengaina son épée et regarda autour de nous les préparatifs qui allaient bon train. Déjà, les domestiques étaient en train de disposer dans la vaste nef les bancs destinés aux ecclésiastiques suffisamment élevés dans la hiérarchie pour mériter de s'asseoir. La bière qui allait accueillir les restes d'Innocent était installée devant le maître-autel. Au-dessus, dans la tribune, le chœur se préparait à répéter. Les bannières papales, ainsi que celles du Sacré Collège, pendaient d'entre les piliers séparant les nefs principale et transversale. D'énormes cierges (un homme svelte aurait pu loger dans certains) étaient amenés.

Au milieu de tout cela, quelques ecclésiastiques étaient d'ores et déjà occupés à s'entretenir les uns avec les autres. Certains des invités laïques étaient arrivés tôt dans le même but.

— Deux ou trois heures, répondit César.

Même si nous n'avions pas réussi à trouver Morozzi, j'étais plus que jamais convaincue qu'il ne laisserait pas passer une telle occasion. Prélats comme laïcs ne manqueraient pas d'être outragés à la vue d'une telle atrocité soi-disant perpétrée au cœur même de la sainte Église. Ils étaient également les plus aptes à passer en un rien de temps de la fureur aux actes sanglants. Néanmoins, comment pouvait-il réellement espérer passer inaperçu parmi les centaines de gardes postés à l'intérieur et autour du Vatican ? Quand bien même il connaîtrait les moindres recoins du sous-sol de la basilique, il allait bien être obligé d'en sortir à un moment donné.

César avait dû en arriver à peu près à la même conclusion que moi, car il dit :

— Je vais poster des hommes à la porte de l'autel dédié à sainte Catherine, et devant la sacristie. S'il vient de l'une ou l'autre direction, nous l'aurons.

— Mais il y a forcément d'autres entrées et sorties, répliquai-je.

Car assurément, les individus qui s'adonnaient à la contrebande ne pouvaient aller et venir en toute impunité à l'intérieur de la basilique. Bien qu'à y réfléchir, en songeant à la complicité si empressée dont font preuve certains prêtres, il était impossible d'écarter totalement cette possibilité.

— Nous allons tout faire pour les retrouver, dit-il.

Son sourire était sincère, lorsqu'il ajouta :

— Ne désespère pas, Francesca. Je compte sur toi pour m'aider à garder la tête froide.

C'était sa façon bien à lui de reconnaître qu'il s'était laissé emporter par une peur irraisonnée avant de prendre conscience que Morozzi n'était qu'un homme.

Ses paroles me redonnèrent courage, mais la sensation fut de bien courte durée.

Les hommes que Borgia avait envoyés à ma demande chez Rocco étaient revenus, et n'apportaient pas une bonne nouvelle. Le verrier avait disparu. Selon ses voisins de la Via dei Vertrarari il était parti précipitamment la veille, et personne n'avait eu de ses nouvelles depuis.

34

Si je n'osais songer à ce que signifiait la disparition soudaine de Rocco, je ne pouvais m'empêcher de penser que David et moi étions à blâmer pour être allés lui demander de l'aide, cette fameuse nuit après notre fuite du *castel*. J'étais en train de questionner fébrilement les gardes pour tenter d'établir mot pour mot ce que les voisins leur avaient dit lorsque César, ayant fini de donner ses ordres, vint nous rejoindre.

— Pourquoi cette mine renfrognée ? s'enquit-il.

Lui-même semblait de mauvaise humeur, mais cela avait moins à voir avec les circonstances actuelles qu'avec le fait que notre futur cardinal ne s'était jamais senti à l'aise dans aucune église.

— J'ai peur qu'il ne soit arrivé quelque chose à un ami, répondis-je. Il n'est pas à son échoppe, et personne n'a l'air de savoir où il est parti.

Les chances pour que César témoigne d'un quelconque intérêt (sans même parler d'une quelconque préoccupation) à l'égard d'un commerçant étaient prodigieusement faibles, étant donné qu'il connaissait à peine l'existence de cette catégorie d'individus. Mais il me surprit.

— Qui est-ce ?

Lorsque je le lui expliquai, il me dit :

— Et tu penses que Morozzi aurait pu lui faire du mal ?

J'hésitai. Rocco était un homme fort et capable. Contre un guerrier tel que César, il n'aurait peut-être guère de chances, mais contre le prêtre…

— Je ne sais pas… cela paraît improbable, mais…

Mais Rocco n'était pas le genre d'homme à s'en aller sans rien dire à quiconque, d'autant plus dans la situation actuelle.

César me regarda avec un intérêt renouvelé.

— Tu tiens à cet homme ?

Rien qu'à l'idée qu'il puisse être véritablement en danger, je me sentais au plus mal. Je parvins seulement à hocher la tête et à préciser :

— C'est un ami qui m'est très cher.

— Et sa femme aussi t'est très chère ?

— Il est veuf, mais a un jeune fils…

Brusquement, je compris ce qu'il avait en tête. Cela me laissa si pantoise que je lui décochai les premiers mots qui me vinrent en tête.

— Pour l'amour du ciel, César, tu ne te soucies tout de même pas que je…

Mais il semblerait que si, tout au moins suffisamment pour qu'il me fasse soudain l'effet d'un garçonnet en train de bouder car il allait devoir partager un jouet qu'il pensait être exclusivement à lui, jusqu'alors.

— Ça m'est bien égal, tout ça, s'exclama-t-il. Simplement, ce n'est pas le moment d'être distraite.

— Alors aide-moi, l'implorai-je dans l'espoir d'apaiser son tempérament de feu et de lui faire prendre une direction plus constructive.

Je dus le toucher car il s'adoucit visiblement, et au bout d'un moment, hocha la tête.

— Où ce Rocco Moroni aurait-il bien pu aller ?

Vite, je tentai de penser aux différents lieux où il pourrait se trouver présentement. S'il avait véritablement des ennuis, j'osai croire qu'il serait venu me voir, en admettant qu'il soit libre de ses mouvements. Mais le palazzo comme le Vatican étaient tous deux cernés par les gardes. Il était fort possible qu'on l'ait refoulé à l'entrée. Il n'y avait donc qu'une seule autre possibilité.

— Il a un bon ami au chapitre dominicain, expliquai-je. Frère Guillaume. Lui saurait peut-être nous dire où est Rocco.

— Est-ce le même ami qui selon toi nous préviendrait si Morozzi tentait de trouver refuge auprès de Torquemada ?

Lorsque j'acquiesçai d'un simple signe de tête, César se tourna vers ses hommes, les faisant bondir au garde-à-vous. Il leur expliqua brièvement qui était Rocco, puis leur dit :

— Allez poser quelques questions au chapitre, mais restez discrets. Que personne à part frère Guillaume ne sache la raison de votre venue.

Ils le saluèrent et prirent congé. Je les regardai descendre rapidement la nef, puis sortir dans la lumière éclatante de ce début de matinée, avant de me retourner vers César.

— Je te remercie.

Il haussa les épaules comme si c'était sans importance, mais le regard qu'il me lança suggérait autre chose : comme son père, César ne faisait jamais rien sans rien.

— Bien, dit-il, *si* tu es capable de te concentrer à présent, mes hommes ont trouvé une demi-douzaine d'autres portes dérobées dans la basilique. On dirait bien que les lieux en regorgent. Mais toujours aucun signe de Morozzi.

— Peut-être qu'il n'est pas ici.

Ma plus grande crainte était de m'être trompée concernant les intentions du prêtre fou. Torquemada et lui avaient peut-être un plan totalement différent, qui m'avait échappé.

Ma seconde plus grande crainte était de ne pas m'être trompée.

Si j'étais Morozzi…

À peine cette pensée me traversa-t-elle l'esprit que je dus résister à l'envie de l'écarter. La basilique était immense, sans compter les bâtiments adjacents. Si nous voulions avoir un quelconque espoir de retrouver le prêtre avant qu'il ne frappe à nouveau, je devais m'armer de courage et faire appel à ma raison pour démasquer son plan.

En supposant, bien entendu, que la raison puisse fonctionner lorsqu'il y a folie. Mais je laisse ce problème aux philosophes. J'avais pour ma part des préoccupations bien plus concrètes.

— Nous ne devons pas commettre l'erreur de le sous-estimer une nouvelle fois, repris-je. C'est un malin, il est téméraire et il frappe là où on ne l'attend pas.

— Tu penses à Giulia, fit César d'un air sombre.

Je hochai la tête.

— Tout ce qui intéresse Morozzi, c'est la destruction du peuple juif. Sur ce plan-là, il est largement aussi fanatique que Torquemada. Et il n'a aucune conscience ou moralité pour le freiner. Nous devons partir du principe qu'il est capable d'absolument tout pour parvenir à ses fins.

— Il avait un véritable allié en Innocent. Mon père pense que si le pape n'était pas mort rapidement, il aurait signé l'édit. Cet échec a dû avoir sur lui l'effet d'un aiguillon qui le pousse d'autant plus à agir maintenant.

— Tu as raison, assurément, répondis-je. Mais Morozzi a refusé de voir la mort d'Innocent comme une défaite. Il est revenu tout de suite à la charge avec un plan garantissant en cas de réussite que le seul homme à sa connaissance refusant de signer l'édit passe à côté de la papauté.

— En semant la discorde entre mon père et la famille Orsini, dont il a besoin comme appui s'il veut avoir une chance de l'emporter.

— Exactement. Si Morozzi était parvenu à le retourner contre eux, en toute probabilité l'élection de della Rovere aurait été assurée ou, tout au moins, celle de quelqu'un disposé à signer ce fameux édit.

— Mais son plan a échoué, fit observer César.

— Certes, mais c'est précisément cet échec qui m'a empêchée de me rendre compte tout de suite que pour agir comme il l'a fait, Morozzi devait forcément avoir connaissance de certains éléments en amont.

J'étais en train de réfléchir à voix haute, à vrai dire, mais au moins je réfléchissais enfin, et voyais ce que le choc et l'épuisement m'avaient dissimulé jusqu'alors.

— Il était au courant des lettres entre Giulia et son mari, poursuivis-je. Il connaissait même son amour pour les figues. Je crois qu'il avait planifié depuis tout ce temps-là ce qu'il ferait au cas où Innocent mourrait avant et que ton père deviendrait *papabile*.

César hocha la tête lentement. Je voyais bien que même si je tâtonnais, ce que je disais avait du sens pour lui.

— Et voilà qu'il s'est ressaisi, continua-t-il. Cette fois-ci, il projette de soulever la populace contre les juifs.

— Et on peut être sûrs qu'une fois encore, cela fait bien longtemps qu'il sait précisément comment il va procéder, répliquai-je. C'est pour cela que Torquemada est ici, pour être présent au moment où le « crime » sera révélé et pouvoir ainsi proclamer devant tout le monde que les juifs en sont responsables. De fait, aucun cardinal réputé pour sa tolérance vis-à-vis d'eux ne saurait ensuite être élu.

Le visage de César s'était considérablement assombri. Par contraste, les articulations de ses doigts qui enserraient le pommeau de son épée étaient toutes blanches.

— Della Rovere fait déjà courir le bruit que mon père est un *marrano*.

— Il est probable qu'il sache ce que Morozzi et Torquemada sont en train de comploter, même s'il tentera par tous les moyens de garder ses distances à l'égard des deux hommes. Dans tous les cas, della Rovere n'est pas important : ton père peut se charger de lui. C'est bien Morozzi que nous devons arrêter coûte que coûte.

— Mais comment ? s'enflamma César. Je peux faire venir davantage de gardes et fouiller la basilique de fond en comble, mais nous avons si peu de temps…

— En faisant cela tu risques d'alarmer tout le monde. Les gens vont croire que si le Cardinal Borgia devient pape, toute sa famille abusera de son nouveau pouvoir.

Je ne lui parlai pas du bruit qui, je le savais, était en train de gronder dans la rue, selon lequel Borgia était véritablement le loup venu dévorer l'agneau. Jamais on n'avait vu homme plus ambitieux et âpre au gain tenter de s'emparer du trône de Saint-Pierre. Naturellement, toutes ces rumeurs étaient à mettre sur le compte des rivaux de Borgia. Jusqu'ici elles étaient tournées en ridicule par les Romains qui, eux aussi, avaient une influence sur cette élection par le simple fait que s'ils le décidaient, ils pouvaient faire basculer la ville dans le chaos. Il me restait à espérer que rien n'arriverait qui puisse les faire changer d'avis – ou d'allégeance.

Je n'avais jamais vu César si lugubre ou, à y songer, si près du désespoir.

— Alors, nous sommes finis, dit-il, et Morozzi a gagné.

— Non ! Il nous reste encore du temps, certes peu, mais nous devons tirer parti de chaque minute.

Je regardai autour de moi, poussée par la sensation qu'un détail m'échappait, un angle que je n'aurais pas encore envisagé. Depuis, j'ai remarqué combien il m'est utile, lorsque je suis confrontée à un problème compliqué, de considérer non seulement ce qui *est*, mais également ce qui *n'est pas*. C'est parfois dans les espaces vides que se cache la vérité qui va nous sauter aux yeux.

Parmi tous les préparatifs pour les obsèques, qu'est-ce qui manquait, présentement, dans la basilique ?

— Le corps d'Innocent repose toujours dans la chapelle, dis-je lentement.

César acquiesça d'un signe de tête.

— On le fera entrer en procession une fois les fidèles rassemblés.

Lors de cette procession, le corps du pape serait escorté des plus hauts prélats de l'Église et des plus éminents princes laïques. Tous partiraient de la chapelle Sixtine.

— Nous cherchons peut-être au mauvais endroit, fis-je.

César, plusieurs de ses hommes et moi sortîmes alors de la basilique, avant de traverser le palais apostolique. On ne peut pas vraiment dire que l'on passa inaperçus. Déjà, on commençait à entendre dire que le fils de Borgia était sur les lieux, et qu'il n'était pas venu en paix. Nous fûmes accueillis par des regards furieux de la part des prêtres comme des clercs, et ils furent un certain nombre à faire exprès de s'écarter sur notre passage, comme pour éviter d'être contaminés à notre contact.

César ne se borna pas seulement à les ignorer, il semblait totalement oublier leur existence. Tout en essayant de ne pas me laisser distancer, je lui enviai en mon for intérieur cette facilité. La force de sa présence était telle que lorsque le capitaine de la garde fit mine à notre arrivée de nous bloquer le passage, le fils de Borgia le figea sur place d'un seul regard.

Rétrospectivement, je pense que César n'était peut-être bien jamais entré dans la chapelle Sixtine ; ce serait en tout cas cohérent avec la politique de discrétion instaurée par Borgia au sujet de ses enfants, jusqu'à ce qu'il devienne pape et que tout change de façon si spectaculaire. Ce qui est sûr, c'est que le jeune homme s'immobilisa tout à coup et se mit à tourner lentement sur lui-même, visiblement fasciné par les fresques aux murs.

La tentation du Christ sembla retenir tout particulièrement son attention.

— Qui est-ce qui a peint ça ? s'enquit-il.

— Sandro Botticelli, répondis-je.

Je ne saurais dire ce que César pensait du Diable ou du somptueux trésor que l'Ange déchu présentait au Fils de Dieu. Il semblait surtout attiré par un détail de la fresque, à savoir un prêtre tenant un bol rempli de sang.

— Que se passe-t-il, là ? me demanda-t-il.

J'avais posé la même question à mon père des années plus tôt, et lui fis la même réponse.

— Regarde ces gens, dis-je. (Je dirigeai son attention vers un petit groupe de personnages en train de s'approcher du prêtre avec des animaux.) Ce sont des juifs prêts à offrir leurs bêtes en sacrifice. La scène vient nous rappeler que Dieu a permis à Abraham d'épargner son fils, Isaac, en offrant un bélier en sacrifice à sa place. Mais aussi que Dieu a sacrifié Son propre Fils pour racheter nos péchés.

Jamais je ne saurai ce que tout cela inspira à César, cette histoire de pères et de fils, et de sacrifices que l'on choisissait de faire ou pas. Toujours est-il qu'il examina longuement cette fresque avant de tourner son attention vers le reste de la chapelle.

De mon côté, je me mis à caresser l'idée que cette scène avait peut-être quelque signification pour Morozzi, et pourrait même lui servir de cadre pour son propre sacrifice. Je vous l'accorde, c'était une piste bien mince, mais elle me redonna suffisamment courage pour continuer.

L'intérieur de la chapelle était vide à part le corps d'Innocent, les gardes qui le surveillaient, et nous-mêmes. De Morozzi, toujours point de trace.

— Au-dessus de nous se trouve la salle des gardes suisses, expliquai-je à César. Nous devrions y jeter un œil.

Je me souvenais de la façon dont Morozzi était apparu devant Vittoro et moi sur la passerelle, à l'étage de la chapelle.

— Si tu crois que ça en vaut la peine, répliqua-t-il sans enthousiasme.

Je n'aurais su l'en blâmer. Le temps passait à une vitesse effrayante, et nos recherches n'avaient guère avancé, pour ne pas dire pas du tout.

Qu'à cela ne tienne, je m'apprêtai à monter l'escalier fixé dans le mur à l'extrémité nord de la chapelle lorsque la brusque apparition de plusieurs hommes m'arrêta.

Les gardes que César avait envoyés au chapitre dominicain étaient revenus. Et ils amenaient Rocco avec eux.

35

J'ai connu la peur suffisamment de fois dans ma vie pour la considérer comme une vieille amie, et je ne suis point étrangère au désespoir. Mais ce que je vis si crûment écrit sur le visage de Rocco tandis qu'il traversait la chapelle au pas de course pour nous rejoindre me fit l'effet d'avoir été emportée par une bourrasque de vent menaçant de tous nous projeter dans le gouffre.

— Est-ce vrai ? articula-t-il. Ce que les gardes m'ont dit ? Morozzi aurait enlevé un enfant ?

Il était si agité que César se mit entre nous. Je saisis le bras de mon improbable protecteur et m'efforçai de le retenir.

— Peut-être. Nous n'en sommes pas certains, répondis-je prudemment. Que s'est-il passé ?

Il tenta bien de m'expliquer, mais sa respiration se fit soudain haletante et il ne put parler. Au final, il prononça un seul mot, d'une voix entrecoupée.

— Nando.

Je vous épargnerai les détails pour vous dire seulement que la veille, Rocco avait reçu un mot de sa mère expliquant que son fils était allé pêcher à la rivière d'à côté et n'était pas revenu. Craignant qu'il lui soit arrivé quelque chose (un accident, ainsi qu'il le croyait à ce moment-là), Rocco était parti précipitamment pour La Giustiana, son village natal, situé à quelques heures au nord de Rome. Lorsque les recherches pour retrouver le petit garçon s'étaient avérées vaines, il était revenu en ville dans l'idée de me demander de l'aide mais s'était fait refouler devant le palazzo, comme je le pensais. Il était ensuite allé chercher frère Guillaume. Ils étaient tous deux en train de se demander quoi faire lorsque les hommes de César étaient arrivés.

— Nando a disparu ?

Je ne pus mieux faire, tant la stupéfaction m'avait assommée.

— C'est un bon garçon, fit Rocco. (Ses yeux brillaient de larmes n'attendant que de couler, lorsque la tragédie qui se rapprochait dangereusement viendrait lui être confirmée.) Il ne partirait jamais sans rien dire à personne. Quelque chose lui est arrivé.

À présent qu'il était trop tard, je me souvins que La Giustiana se trouvait sur la même route que la résidence de campagne de la famille Orsini. Il aurait été aisé pour un homme tel que Morozzi (qui nous avait déjà amplement démontré combien il savait faire preuve d'initiative) d'intercepter le messager apportant la dernière missive en date de son mari cocu à La Bella et, dans le même temps, d'enlever l'enfant de l'homme qu'il savait être en lien avec tous ceux qu'il méprisait et redoutait.

— Je suis sincèrement désolée.

Mes mots étaient d'une platitude lamentable, mais la douleur coupable qui résonnait présentement en moi n'était que trop réelle.

— Je ferai tout ce que je peux pour le retrouver sain et sauf.

Plutôt que cloué sur une croix dans une parodie grotesque de la mort de notre Seigneur, son souffle de vie en train de le quitter.

Que Dieu me vienne en aide.

Je vous dis cela littéralement. En cet instant-là, je conjurai véritablement le Tout-Puissant de me venir en aide ; mais comme d'habitude, Il devait être occupé ailleurs.

— Qui est Nando ? demanda César.

— Le fils de Rocco, répliquai-je. Il n'a que six ans.

Ne vous méprenez pas, César était bel et bien un impitoyable égoïste. Sa vie entière vient le prouver. Mais malgré tous ses défauts, il savait être à l'occasion un vrai homme – et par cela je ne veux pas dire qu'il possédait des testicules et un pénis comme le plus grossier des cochons en train de barboter dans la fange. De fait, il se souciait d'instinct des plus faibles que lui, en particulier des enfants, qu'il aimait et estimait bien plus que la plupart des adultes.

Mais en cet instant-là il était encore très jeune, et il lui manquait le fin (voire quasiment diaphane, dans son cas précis) vernis de civilité que les hommes parviennent dans la plupart des cas à acquérir, l'âge venant.

C'est ainsi qu'il dit tout haut ce que (en toute honnêteté) j'avais pensé tout bas en entendant la nouvelle de Rocco.

— *Merda.*

Cela soulageait quelque peu.

Peu après, nous nous retrouvâmes à fouiller frénétiquement la salle des gardes suisses, mais une fois de plus en vain. Alors nous revînmes à notre point de départ, c'est-à-dire dans la basilique.

— Je ne comprends pas, fit Rocco. Pourquoi aurait-il pris Nando ?

Nous nous tenions devant le maître-autel, non loin de là où le corps d'Innocent allait être placé peu après le début des rites funèbres. C'était une question raisonnable au vu des circonstances, mais je n'avais pas pour autant envie d'y répondre.

— Il est fou, répondis-je en espérant que cela lui suffirait.

Certes, mais il n'en restait pas moins homme : nous n'avions pas affaire ici à un mage. Pour arriver à ce que je croyais être ses fins, Morozzi allait devoir faire apparaître un enfant crucifié devant une large foule. Comment diable allait-t-il s'y prendre pour s'en tirer sans se faire repérer ?

Un enfant, une croix. Un homme seul obligé d'opérer à la fois dans un vaste espace et sous les yeux de centaines d'individus.

J'avais dû braver l'horreur du sous-sol de la basilique pour établir que Morozzi y avait en toute probabilité caché Nando brièvement. Mais de l'enfant lui-même, ou de la croix sur laquelle il allait nécessairement devoir être attaché, je n'avais aperçu aucun signe.

Mais où étaient-ils donc ?

S'ils n'étaient pas en dessous, alors…

Je regardai en l'air, vers l'obscurité dans laquelle était plongé le plafond de la basilique.

— Qu'y a-t-il au-dessus ? demandai-je.

César n'en savait rien, et les autres non plus. Mais le même prêtre qui avait osé nous défier dans la sacristie eut l'obligeance, lorsque César ordonna qu'on l'amène séance tenante devant lui, de nous fournir la réponse.

— Un grenier, dit-il d'une voix haletante. En piteux état. Personne ne va là.

— Comment fait-on pour y accéder ? insistai-je.

J'étais si fébrile que je dus me retenir de secouer le vieil homme par les épaules pour obtenir le renseignement.

Il avait beau être plus tolérant que la plupart de ses frères, qu'une femme de médiocre extraction s'adresse ainsi à lui, sans le moindre égard, était par trop insupportable. Un tic nerveux apparut au coin de son œil droit. Me lançant un regard furieux, il se détourna de moi pour s'adresser distinctement à César.

— Signore, nous sommes sur le point d'inhumer le Saint-Père ! Assurément, vous pouvez comprendre que votre présence ici n'est pas convenable, sans parler de celle de votre…

Il s'interrompit, réfléchissant à n'en pas douter à la façon dont il aimerait s'adresser à moi. Mais son instinct de survie dut l'emporter au dernier moment car il se contenta de dire :

— … compagne.

Si César avait de nombreux talents (auxquels j'ai déjà fait allusion ici), il manquait en revanche singulièrement de tact. Ses notions en diplomatie, par exemple, se résumaient à la conviction que le chemin le plus rapide pour obtenir la paix (ou ce qu'il voulait) était de balayer ses ennemis de la surface de la terre.

Mais il se trouvait dans la basilique Saint-Pierre, le lieu le plus sacré de toute la chrétienté après Jérusalem. Et s'il avait le malheur de véritablement causer des problèmes, son père se ferait un plaisir de le lui rappeler régulièrement.

Par conséquent, il serra les dents et s'exclama :

— Ne te fous pas de ma gueule, le prêtre. Contente-toi de nous montrer comment on entre dans ce grenier.

Le vieil homme devint blanc comme un linge, avant de s'empourprer. En dépit de son apparente suffocation, il parvint à nous montrer la direction du doigt.

Peu après, je pus constater par moi-même que le prêtre avait dit vrai concernant l'état des combles de Saint-Pierre. Sombres, humides, sentant le renfermé et le moisi au point que je dus lutter pour respirer normalement, ils paraissaient contenir les exhalaisons conjuguées d'un millier d'années de sueur, de dur labeur, de prières, de souffrances. À nos pieds s'étalait un véritable océan de poussière ; il y en avait tellement que cela m'arrivait aux chevilles. Face à nous se dressaient de véritables murs de toiles d'araignée, tant elles étaient épaisses. Et la saleté – pour résumer, les lieux avaient servi de sépulture aux reliques de générations d'individus qui, à première vue, avaient surtout trouvé ce grenier commode pour s'adonner à toutes sortes de divertissements illicites. Dieu seul sait ce que l'on aurait respiré si les trous béants dans le toit n'avaient laissé passer un peu d'air frais.

Nous étions montés par un escalier étroit, dissimulé derrière un pilier de l'angle sud-est de la basilique. Le prêtre nous avait accompagnés pour nous le montrer, mais il n'alla pas plus loin. Il ne nous souhaita pas non plus bonne chance, mais j'imagine que l'on peut lui pardonner cet écart de conduite. César passa en premier, suivi de près par Rocco, et j'étais sur leurs talons avec les hommes d'armes.

Alors que nous nous remettions de ce premier contact saisissant avec les lieux, Rocco demanda :

— Pourquoi Morozzi viendrait-il ici ? Il doit y avoir de bien meilleures cachettes.

J'étais toujours réticente à l'idée de lui avouer nos craintes. Ainsi, je me bornai à lui dire :

— Nous avons déjà regardé en bas. Par ailleurs, Morozzi aime être là où on ne l'attend pas.

Rocco acquiesça mais ne semblait guère convaincu. En revanche, il paraissait plus désespéré à chaque minute qui passait. Il avait les yeux rouges, la barbe qui commençait à repousser, et s'était méchamment mordu les lèvres, comme s'il avait voulu s'empêcher de hurler.

Pour lui donner quelque chose de concret à faire, tout autant que pour accélérer les recherches, je lançai :

— On irait plus vite en se séparant.

— Très bien, répliqua César. Le verrier, deux de mes hommes vont t'accompagner. Francesca, tu viens avec moi.

Avec précaution, nous avançâmes le long de l'épine dorsale de la basilique. Le grenier n'était pas un vaste espace ouvert comme on aurait d'emblée pu le croire, mais bien plutôt un immense labyrinthe de niches et de recoins alternant avec de longues allées, ce qui était peut-être inévitable dans un bâtiment si ancien. J'imagine que dans un lointain passé l'endroit avait servi à entreposer toutes sortes de choses. Mais à mesure que le temps avait fait son œuvre, le plancher était devenu trop instable pour supporter quoi que ce soit de lourd.

Voire, en toute probabilité, le poids d'une seule personne.

— Attention, lança César en m'aidant à reprendre mon équilibre. Sous mes pieds, le bois semblait ployer de façon plutôt alarmante.

— Je ne l'aurais jamais cru en si piteux état, fis-je.

S'il m'était réellement arrivé de voir des morceaux de pierre et de brique tomber de la basilique, et d'entendre un certain nombre d'histoires de visiteurs ayant eu la malchance de se trouver dessous, je n'avais pas réellement apprécié l'ampleur du délabrement dans lequel l'immense édifice se trouvait. Quelle qu'en soit la cause (invasions barbares à répétition, déplacement de l'autorité impériale à Byzance, déclin dramatique de Rome pendant le Grand Schisme), la nécessité d'entretenir une telle structure n'avait visiblement pas traversé l'esprit des successeurs de Pierre, qui l'avaient de toute évidence laissée pourrir. Mais plutôt que de le déplorer en se hasardant à la métaphore évidente que la basilique reflétait l'état de la sainte Église, je me contenterai de dire que l'endroit était un piège mortel.

Pour ne rien arranger l'emploi des torches était hors de question, car là où le bois ne pourrissait pas, il était très sec. Nous dûmes donc avancer à tâtons en nous aidant des puits de jour qui pénétraient à travers les trous dans le toit. Certains n'étaient guère plus qu'un rai de lumière, quand d'autres étaient aussi larges qu'un prêtre bien en chair. Comme on pouvait s'y attendre, les pigeons avaient fait des lieux leur nichoir. Présentement la plupart étaient en dessous, sur la place, à chercher de la nourriture ; mais les quelques rares qui étaient restés s'envolèrent dans de grands battements d'ailes, en nous laissant le soin d'éviter de notre mieux leurs abondantes fientes.

La basilique faisait plus de cent mètres en longueur – je le savais car mon père s'était intéressé au bâtiment au point de le mesurer avec un ami mathématicien. Le grenier couvrait quasiment toute cette surface, et nous-mêmes étions arrivés par l'entrée la plus éloignée du maître-autel. Tout en continuant à cheminer laborieusement, j'entendis le chœur commencer ses répétitions en dessous.

— Assurément, il ne reste plus beaucoup de temps, dis-je.

La poussière et la saleté me piquaient les yeux. Je les clignai plusieurs fois pour tenter d'y voir plus clair et pendant le plus infime des instants, je distinguai ce qui me parut être un mouvement, vers le fond du grenier. Se pouvait-il que ce soit l'exaucement de mon vœu le plus cher ?

— Qu'est-ce que c'est que ça ? murmurai-je d'un ton pressant.

César regarda dans la même direction que moi. L'obscurité était grande. Tout compte fait, cela pouvait fort bien être d'autres pigeons en train de s'envoler, ou bien de la poussière en train de tomber.

— Des ombres, rien de plus ? répondit-il sans conviction.

Mon désespoir était tel que je m'accrochai à son hésitation pour me convaincre que quoi que j'aie vu, cela valait au moins la peine d'aller vérifier. Tirant impatiemment sur les jupons qui me ralentissaient, je pressai le pas.

Et n'avais pas fait cinq mètres que César me tirait d'un geste brusque en arrière. Au même moment, il leva une main et ses hommes s'arrêtèrent net.

Tout doucement, il dit :

— Pas un bruit. Tu as raison, il y a quelqu'un là-bas.

— Où ça ? chuchotai-je en plissant les yeux pour tenter de mieux distinguer.

— À cinquante mètres devant nous, peut-être moins. Si mes calculs sont bons, cela le placerait directement au-dessus du maître-autel.

— C'est forcément Morozzi !

César hocha la tête en silence. Je discernai un sourire sinistre sur ses lèvres.

— Je m'en charge.

Je secouai vigoureusement la tête.

— Dès qu'il te verra, il se saura en danger. Et Dieu seul sait alors comment il réagira. Par contre, il croira n'avoir rien à craindre face à une femme.

Mon raisonnement était sensé, mais pour être tout à fait franche je dois avouer que j'avais aussi envie d'affronter Morozzi. Appelez cela de l'orgueil, de la vanité ou ce que vous voulez, je ne pouvais me satisfaire de rester cachée derrière César.

— Je n'ai besoin que d'un instant, le suppliai-je. Je peux le prendre par surprise. Ensuite, tu arrives et tu le maîtrises.

— Je pourrais aussi bien le maîtriser sans toi, protesta César.

— Il ne s'agit pas de tes prouesses, ici ! Il a un enfant avec lui, pour l'amour du ciel ! On ne peut pas prendre le risque de voir Nando blessé.

En partant du principe, bien entendu, qu'il ne l'était pas déjà ; mais je préférais ne pas y penser. Je dus me raisonner pour ne pas me dégager violemment de l'étreinte de César et foncer tête baissée dans le noir.

Mais c'était compter sans l'épaisse masse de toiles d'araignée qui m'avait empêchée d'y voir à mi-distance quelques minutes plus tôt, et me barrait à présent le chemin. À ma grande horreur elles se collèrent à mon nez et à ma bouche, m'empêchèrent de respirer, s'emmêlèrent dans mes cheveux et parurent s'agripper à tout ce qu'elles pouvaient, comme un millier de doigts décharnés courant sur moi. J'étais visiblement à bout de nerfs – et encore, il ne me semblait pas avoir croisé les propriétaires des toiles. Une araignée n'est rien d'autre qu'une araignée, à écraser si elle est dangereuse et à laisser tranquille dans les autres cas. Je m'efforçai de m'en convaincre et continuai à avancer jusqu'à ce que finalement, haletante et crasseuse, je me sois libérée.

Comme tant d'autres choses dans la vie, c'était à la fois un bienfait et un méfait. Car si j'y voyais plus clair devant moi, cela signifiait également que l'on pouvait me voir.

La silhouette qui se trouvait toujours à une cinquantaine de mètres devant se tourna brusquement et regarda dans ma direction. Elle était penchée en avant, comme si elle cachait quelque chose ; je la vis se redresser et laisser tomber à terre ce qu'elle avait dans les bras.

La seconde d'après, elle se dirigeait vers moi.

Je possède un instinct de survie comme tout le monde, du moins je crois, mais il y a des moments où je ne peux faire autrement que de passer outre. C'en était un.

Je ne pensai pas, je n'hésitai pas, je ne me souciai pas du cri poussé par César derrière moi : je me mis à courir. Par deux fois mon pied passa à travers le plancher, et je trébuchai à plusieurs reprises, au point de me voir déjà à terre, mais à chaque fois je réussis à me redresser au dernier moment.

Rapidement, je vis à mon immense soulagement que la silhouette était bien celle de Morozzi. Il portait sa soutane, à n'en pas douter pour pouvoir circuler dans la basilique sans être questionné. En outre, il n'était pas seul : je distinguai un petit enfant blotti à terre, là où il l'avait lâché.

— Salaud ! hurlai-je à pleins poumons, avant (peut-être y a-t-il sincèrement quelque chose qui cloche dans ma tête) de m'élancer à corps perdu sur lui.

Nous nous heurtâmes de plein fouet, et l'impact nous envoya tous deux à terre.

— Monstre !

Je l'empoignai par sa chevelure dorée, frappant sa tête contre le plancher. En toute honnêteté, j'aurais pu répéter ce geste inlassablement, jusqu'à voir gicler son cerveau sur mes vêtements, si Morozzi n'avait eu une autre idée en tête.

— *Strega !* s'époumona-t-il, avant de me saisir par les épaules et de me jeter au loin, avec une force qui me coupa le souffle.

Alors que je tentai de me relever pour redescendre dans l'arène, j'eus la joie de voir César, épée tirée, se diriger droit sur Morozzi. Mais le prêtre fou se releva aussi et prit aussitôt la fuite, non sans avoir auparavant empoigné Nando.

Tout ce tumulte avait attiré l'attention de Rocco. Comprenant ce qu'il se passait, il imita César en poursuivant Morozzi. Je tentai d'en faire de même mais ne réussis qu'à trébucher et à tomber, m'étalant face contre terre sur un objet dur mais étrangement familier. En me relevant pour voir ce qui se trouvait sous moi, je me rendis compte avec horreur que j'étais étendue sur une croix en bois de la taille d'un enfant, à peu près.

Poussant un cri, je me remis debout comme je pus et repris ma course – tout en songeant que vu la configuration du grenier, assurément, Morozzi était fait comme un rat : il faudrait qu'il s'envole comme l'archange saint Michel pour nous échapper !

Du moins le crus-je. Un prêtre fou, un petit garçon terrifié, un père tout aussi effrayé, un guerrier, une demi-douzaine d'hommes d'armes, et moi… Tous lâchés dans le labyrinthe des combles de Saint-Pierre. Tous courant (sauf Nando) sur un plancher dangereusement branlant, tandis qu'en bas…

Qui sait ce qui se passait en bas justement, pendant ce temps-là ? Levèrent-ils les yeux en se demandant quels étaient ces bruits étranges qui semblaient provenir du ciel étoilé ? S'imaginèrent-ils que des démons avaient élu domicile là ? Je n'en ai aucune idée, et n'eus pas le temps d'y songer, à vrai dire. Mon attention tout entière était tournée vers Nando et la meilleure façon de l'arracher à la poigne du prêtre fou. Même sa capture était secondaire.

Bien que cela me soit pénible, il faut reconnaître à Morozzi qu'il n'avait pas un temps d'avance sur moi comme je l'avais cru, mais bien davantage. Avec le temps, je compris qu'il avait toujours une multitude de plans sous la main, à mettre à exécution si nécessaire. Si seulement il s'était servi de ses facultés à des fins plus utiles…

Mais ce genre de conjectures ne rimait à rien. Il avait perdu la raison, et à ce titre, ne se souciait que de sa propre survie. Confronté à la fois à César et Rocco, il tournait et virait comme un animal aux abois, son beau visage déformé en un grondement haineux.

— Vous allez périr par le bûcher ! Dévorés par les feux de l'enfer !

Peut-être bien, mais avant cela Morozzi devrait affronter l'épée de César. Ainsi que la colère de Rocco.

Ce dernier faillit bien l'atteindre en premier. Il se trouvait à quelques pas lorsque le prêtre fou lança son fardeau vers lui et décampa. Je ne regardai pas la direction qu'il prit, car mon attention était tout entière tournée vers Nando. Dans sa chute, le plancher s'effondra sous lui.

Le temps sembla alors s'arrêter. Je vis les bouts de bois délabré se dresser brusquement à angle droit, se détacher au fur et à mesure, aller s'effondrer contre ce qu'il y avait en dessous et donner cette impression soudaine d'un espace béant ouvert sur le rez-de-chaussée.

Rocco détourna les yeux de Morozzi pour regarder son fils, mais il se trouvait trop loin pour arrêter la chute de Nando. Je n'eus d'autre choix que de m'élancer de toutes mes forces vers le plancher et plonger mon bras dans l'ouverture, saisissant la chemise du petit garçon au vol.

Ensemble, nous glissâmes vers l'abîme.

— Francesca !

Rocco cria mon nom, mais je l'entendis à peine. Plus rien n'existait autour de moi que ma respiration et les battements effrénés de mon cœur, cela et la poigne par laquelle je tenais farouchement l'enfant au-dessus du vide. Une cinquantaine de mètres devait nous séparer du sol de la basilique.

J'imagine que tout le monde nous vit, à cet instant-là. J'imagine que les yeux se tournèrent vers nous, et qu'un murmure parcourut l'assemblée.

J'imagine, car à la vérité je n'en sais rien. Personne n'en a jamais parlé. Peut-être que finalement on ne nous a pas vus du tout. Peut-être qu'au-dessous de nous se trouvait une autre couche de plâtre dissimulant notre présence. Peut-être y a-t-il eu une conspiration du silence, et que personne ne veut reconnaître ce qui faillit bien arriver ce jour-là à Saint-Pierre.

Toujours est-il que nous glissions, Nando et moi, vers le trou béant qui s'était ouvert dans le plancher. Je m'accrochai à lui d'une main et tentai désespérément de l'autre d'empoigner quelque chose, n'importe quoi qui arrêterait notre chute.

C'est ainsi que je trouvai le bras de Rocco.

— Francesca, répéta-t-il, ne le lâche pas !

Je me souviens d'avoir été étonnée puis, de façon plutôt absurde étant donné les circonstances, offusquée à l'idée qu'il me croie capable d'une chose pareille. Avait-il si peu confiance en moi ? Moi, qui l'avais attiré dans ce jeu de dupes autour de la mort d'Innocent et, ce faisant, avais mis en péril la vie de son fils ? Finalement, comment pouvait-il s'attendre à autre chose qu'au pire, venant de moi ?

— Sauve-le ! criai-je, de très loin me sembla-t-il. Ne le laisse pas tomber !

Mais à la vérité, nous étions tous deux en passe de subir le même sort. Je sentais mes doigts commencer à faiblir (d'un côté comme de l'autre), et je sus que ce n'était qu'une question de secondes avant que tout soit perdu.

— Sauve-le ! criai-je de nouveau en me tortillant pour tenter de rapprocher au mieux Nando de son père.

Un bref instant, mes yeux croisèrent ceux de Rocco. Je le vis hésiter, tenter de réfléchir au meilleur moyen de nous récupérer tous deux, mais c'était hors de question. De toutes mes forces, du moins ce qu'il en restait, je tirai l'enfant vers le haut et son père.

Rocco me quitta des yeux et tendit la main, attrapant son fils de sa poigne forte. J'entendis le garçon gémir, j'entendis le père prononcer son nom dans un souffle, j'entendis, enfin, mon propre cri étouffé en sentant mes mains se dérober. En quelques secondes, je rendis un enfant à la vie et remis mon sort entre les mains de Dieu.

36

César me sauva.

Au dernier moment il renonça à poursuivre Morozzi, s'élança brusquement vers le trou, plongea la main et m'empoigna – m'arrachant ainsi à une mort certaine.

Alors qu'il me hissait, tremblante et haletante, j'aperçus la silhouette de Morozzi disparaître dans la pénombre. Je tentai bien de crier, d'attirer son attention… mais la terreur me serrait la gorge, sans compter la poussière qui l'obstruait. De toute façon, il était trop tard. Les hommes de César avaient eu beau se ruer après lui, le prêtre fou nous avait encore une fois échappé.

Heureusement, Nando était vivant et en sécurité dans les bras de son père. Le petit garçon semblait hébété mais sinon indemne. Serrant fort son fils, Rocco me regarda droit dans les yeux par-dessus sa tête ébouriffée. Le soulagement et la joie qui montaient en moi s'évanouirent à la vue de son air sombre. Il me dévisagea avec ce que je pris pour une condamnation bien méritée. Puis, sans un mot, il me tourna le dos et emmena précipitamment Nando.

Je me souviens vaguement de César me portant dans ses bras pour descendre du grenier. En chemin je l'entendis faire une tirade sur la sottise des femmes en général, et d'une en particulier. Mais c'est à peine si j'écoutai, tant je me sentais profondément blessée par la perte de l'amitié de Rocco, et (pardonnez mon cœur faible) peut-être davantage. Ainsi les désirs que nous avons peur de nous avouer disparaissent-ils dans les sombres tunnels de l'oubli.

Quant à César et moi, nous émergeâmes dans la basilique alors qu'elle se remplissait lentement de prélats et de nobles venus pour les obsèques. Le spectacle d'un guerrier à l'œil mauvais portant dans ses bras une femme éperdue nous attira quelques regards interloqués. Il les ignora et se fraya un chemin à travers la foule, jusqu'à ce qu'enfin nous sentions l'air merveilleusement frais du dehors sur nous.

César me posa quelques mètres plus loin, sur le muret d'une petite fontaine. Là, je serrai mes bras contre ma poitrine dans un vain effort pour stopper les tremblements convulsifs qui s'étaient emparés de moi. Il s'agenouilla, trempa un mouchoir dans l'eau fraîche et lentement, ôta l'épaisse couche de crasse qui me couvrait le visage. Son contact apaisant semblait ne rien exiger en retour, ce qui ne lui ressemblait guère.

— Es-tu blessée ? demanda-t-il lorsque, le plus gros de la poussière et de la saleté étant enlevé, je pus respirer plus facilement et ouvrir les yeux sans faire la grimace.

Je secouai la tête. Rocco m'avait brisé le cœur d'un seul regard, mais à part cela j'étais étonnamment intacte, comme si la Nature elle-même m'avait rejetée.

— Tu as l'air blessée.

Je ne dis rien, me contentant de secouer de nouveau la tête ; mais César, sur qui on pouvait normalement compter pour ne se soucier de rien sinon de lui-même, choisit cet instant précis pour devenir perspicace.

— C'est ce verrier, n'est-ce pas ?

De nouveau je tentai de nier en bloc, et y serais peut-être parvenue si des larmes n'étaient venues creuser un sillon sur mes joues sales.

— Ha, Francesca, *il mio dio* !

— C'est sans importance, rétorquai-je prestement, avant de serrer les poings pour mieux sécher mes stupides larmes. À un moment donné, depuis le jour où j'étais allée voir Rocco pour lui demander de l'aide, j'avais succombé à l'illusion que ma vie pourrait être différente de ce qu'elle n'était en réalité. Que le mur qui m'enfermait pourrait s'ouvrir et qu'enfin j'émergerais, non dans la scène de mon cauchemar mais dans la lumière.

À la place, j'avais incité un homme bon à risquer non seulement sa vie mais également celle de son fils. Je n'imaginais pas un seul instant que Rocco puisse jamais me pardonner, et ne croyais pas non plus mériter un tel pardon. Au contraire, il fallait regarder la vérité en face : Morozzi et moi étions semblables, des créatures des ténèbres condamnées à lutter jusqu'à ce que l'un de nous deux (tout au moins) trépasse.

César se redressa et me tendit une main. Alors que je la prenais pour me relever, il me demanda à contrecœur :

— Est-ce que ça va aller ?

Je devais vraiment faire pitié, pour que César Borgia se sente obligé de s'enquérir de mon petit cœur meurtri. Sa remarque me piqua au vif, et je me réfugiai avec joie dans cet accès de fierté.

— Moins on nous verra ici, lui lançai-je, mieux cela vaudra. Nous devons retourner au palazzo.

Tout comme je devais retourner à ce que j'étais véritablement. Nous avions réussi à déjouer les plans de Morozzi pour le moment, mais mon père était loin d'être vengé et, tout aussi important, la calamité qu'il avait tenté d'empêcher au prix de sa vie se déchaînerait quand même si Borgia ne devait pas remporter la papauté.

Les hommes de César formèrent un cercle autour de nous pour ouvrir un chemin à travers la foule qui s'était rassemblée sur la place devant la basilique Saint-Pierre. Seule une petite partie serait admise dans la basilique pour les obsèques, mais ils étaient des milliers à vouloir s'approcher au plus près de ce haut lieu de pouvoir. Et nous, nous cherchions à aller contre le flot incessant de fidèles. Cependant, nous n'étions visiblement pas les seuls à avoir hâte de quitter les lieux. Un contingent de gardes s'annonça derrière nous en martelant des pieds ; dans son sillage, il escortait un vieil homme portant la tenue noire et blanche des frères dominicains. Ce dernier semblait bien pressé, pour quelqu'un de son âge.

César s'arrêta brusquement, son regard fixe attirant mon attention sur le frère.

— Torquemada, dit-il dans un souffle.

J'examinai alors l'homme grand et pâle en train de passer à ma hauteur. Il avait un nez volumineux, comme s'il s'était exercé au pugilat, et portait une tonsure qui faisait une sorte de rappel incongru avec ses sourcils touffus. L'expression qu'il arborait était si féroce que je l'aurais remarqué en toute circonstance.

— Es-tu sûr de toi ? demandai-je à César.

— Je l'ai vu une fois à Valence, quand j'étais petit. Mon père me l'a montré. Je me souviens qu'il m'a dit ce jour-là que rien de bon ne sortirait de la détermination de Ferdinand et Isabelle à accuser les juifs de tous les maux. Mais jamais il n'aurait imaginé qu'ils tombent aussi bas.

Incapable de me retenir, je fixai sans vergogne celui qui hantait les cauchemars de tant d'innocents.

Il tourna la tête à ce moment-là et pendant le plus bref des instants, nos regards se croisèrent. J'aimerais vous dire que je vis en lui le mal incarné, mais le Grand Inquisiteur ressemblait en fait à nombre de ses frères au service de la sainte Église : un administrateur pour qui les souffrances de l'humanité sont sans importance, en comparaison de ce qu'il imagine être la volonté de Dieu. On dit que le diable avance masqué, mais les hommes tels que Torquemada ne paraissent jamais envisager les choses sous cet angle. Il est mort, à l'heure où je raconte cette histoire. Je me demande si Celui qu'il servait avec tant de zèle lui a fait un accueil aussi chaleureux qu'on pourrait le croire.

Mais, toujours de ce monde, il se hâta de poursuivre son chemin, visiblement impatient de s'éclipser à présent que l'événement qu'on lui avait fait miroiter n'aurait plus lieu. Sans enfant crucifié à brandir comme preuve de la perfidie des juifs, il n'avait plus rien à espérer des citoyens de Rome à part de la méfiance et une possible humiliation. J'étais d'avis que Morozzi s'était fait un nouvel ennemi. Si Borgia en réchappait et devenait pape, le prêtre fou ne pourrait se tourner vers l'Espagne pour demander asile. Et s'il plaisait à Dieu, il en irait de même partout ailleurs.

Alors que nous quittions le quartier du Vatican, nous entendîmes les cloches de Saint-Pierre sonner, leur cadence plaintive annonçant le début des obsèques. Une nuée de pigeons alarmés s'éleva dans le ciel, anéantissant l'espace d'un instant le soleil matinal.

Mais non, c'était impossible. Seuls les poètes croient les oiseaux capables de faire pareille chose. C'étaient les ténèbres en moi qui s'étaient élevées et pendant un temps avaient voilé toute lumière et tout espoir. Si une telle chose était possible, je crus bien qu'une vague venue tout droit du Styx allait déferler sur moi et m'emporter, en cet instant-là.

Ce genre de poésie vous sied-elle mieux ? Je fus obligée de revenir à des considérations plus pratiques en sentant César me hisser sur sa monture, sauter en selle derrière moi et d'un coup d'éperon nous ramener au trot au palazzo.

À notre arrivée, Renaldo nous attendait.

— Mais où étiez-vous donc passés ? nous demanda l'intendant avec une mauvaise humeur qui me parut excessive. Son Éminence m'envoie vous dire que le patriarche de Venise est arrivé. Le conclave débute après-demain. Nous avons encore beaucoup de choses à régler, et fort peu de temps.

Même si je n'appréciais guère les manières de Renaldo, je savais qu'il avait raison. Et par ailleurs, je n'arriverais jamais à m'arracher à la peine atroce qui était désormais mienne si je ne me plongeais pas corps et âme dans le travail. Avant que César ait eu le temps de me descendre de sa monture, j'avais déjà retrouvé la terre ferme.

— Je veux tout voir, jusqu'à la dernière pièce de linge que Son Éminence a l'intention d'emmener avec lui.

— La moitié de ses affaires est déjà partie. Vous ne pouvez tout de même pas escompter que Son Éminence attende votre bon plaisir et prenne le risque d'arriver comme un gueux avec ses ballots sur le dos.

— Certes, mais je peux escompter qu'il agisse en homme sensé. Il sait ce qui est en jeu. Morozzi…

Le prêtre fou avait su faire ses preuves, et s'il ne maîtrisait pas totalement l'art de l'empoisonneur, il était loin d'en être novice. Avec ses figues vénéneuses, il avait tué le futur enfant de Borgia et sa mère avait frôlé la mort. En choisissant ce biais-là, il donnait également le signal, selon moi, qu'il réservait le losange pour une autre occasion, plus importante.

Il était possible que je me trompe, bien entendu. Il avait peut-être l'intention de tuer Borgia d'une tout autre manière, et je me fourvoyais. Mais tout ce que je savais de lui me portait à croire qu'il ne s'était pas servi du losange sur La Bella car il le destinait à Borgia.

Le seul détail qui m'empêchait de sombrer dans le désespoir le plus total était que la mixture d'aconits, de pois rouges et de dames-d'onze-heures que j'avais concoctée n'était pas un poison de contact. Si on l'étalait sur un tissu ou toute autre surface que Borgia pourrait être amené à toucher, il n'aurait aucun effet. C'était une vétille mais qui, sait-on jamais, pourrait œuvrer en ma faveur. Si j'étais certaine que l'attaque sur Il Cardinale vienne de ce qu'il allait manger ou boire, je pourrais tout au moins concentrer mon attention là où elle serait la plus utile.

— Qu'est-ce qui est parti, exactement ? demandai-je d'un ton impérieux à Renaldo. La nourriture, les liquides, tout ça doit être rapporté sur-le-champ.

— Rien de tout cela n'est concerné, m'assura-t-il. Je parlais de son lit, ses vêtements, certains objets destinés à son confort, le tout venant de ses quartiers ici et par conséquent déjà inspectés par vous. J'ose croire que cela vous semble acceptable ?

Malheureusement, je ne pouvais en être totalement certaine. Je savais seulement qu'il me restait très peu de temps et que j'avais affaire à un ennemi extrêmement dangereux, certainement plus que jamais déterminé à triompher, au vu de son dernier échec en date.

— Venez avec moi, lui dis-je, et je quittai les lieux précipitamment, en oubliant même de saluer César.

Quelque temps après, je me trouvais dans les cuisines à inspecter l'emballage des vivres qui allaient accompagner Borgia lors du conclave lorsque Vittoro fit soudain son apparition.

— Te voilà enfin, fit-il. Qu'est-ce que j'entends, Morozzi s'en est encore tiré ?

J'étais en train de vérifier les scellés des barils de vin pour la millième fois et me contentai de lui rétorquer :

— Au moins, son plan pour soulever les Romains contre les juifs a échoué.

— Alors, c'est la fin de la partie.

Le soupçon de plaisir que je décelai dans sa phrase me fit lever les yeux. C'était un passionné d'échecs et, à ce titre, il était à même d'apprécier pleinement l'évolution de la tactique de Morozzi à chaque nouvel incident.

Mais il n'en restait pas moins que dans moins de deux jours (bien moins même, au vu de la vitesse alarmante avec laquelle le soleil poursuivait sa course), les princes de la sainte Église allaient s'enfermer dans le conclave. Et que quelque temps après – le plus rapidement possible, si l'on voulait éviter le chaos –, un nouveau pape en sortirait sous les acclamations de la chrétienté.

— Ton ami David ben Eliezer est venu me voir, reprit Vittoro lorsqu'il fut certain d'avoir mon attention. Il m'a expliqué que dans le ghetto, le bruit courait que della Rovere était prêt à tout pour mettre Borgia en échec. Quitte à sacrifier sa propre élection à la papauté.

— Je n'en doute pas une seconde.

En dernier ressort, della Rovere était suffisamment jeune pour se permettre d'attendre encore. À coup sûr, il espérait contribuer à élever au titre suprême un pape fait sur le même moule qu'Innocent, dans le but de le contrôler à son propre avantage.

— Moi non plus, répliqua Vittoro, mais il y a autre chose. Selon ben Eliezer, della Rovere a eu vent de l'arrangement de Borgia avec les juifs et tente par tous les moyens de rassembler des preuves pour jeter le discrédit sur le Cardinal une bonne fois pour toutes.

— Et ainsi avoir le champ libre pour agir à sa guise.

— Exactement, répondit Vittoro. Ben Eliezer dit que della Rovere passera seulement à l'acte si l'élection de Borgia est assurée. Alors, il frappera sans merci. S'il a obtenu les preuves, il s'en servira. Sinon…

— Il pourrait fort bien se tourner vers Morozzi, continuai-je. Mais comment ? Les cardinaux seront tous enfermés dans le conclave...

Un soudain raclement de gorge nous arrêta net. J'avais complètement oublié Renaldo. L'intendant paraissait anxieux, comme toujours, mais semblait également avoir le plus grand mal à se contenir.

— Que savez-vous de cela ? le questionnai-je.

— Pourquoi saurais-je quoi que ce soit ? se déroba-t-il.

— Parce que, cher Renaldo, nous savons tous ici que très peu de choses vous échappent. Vous êtes en terrain ami, ici. Dites-nous ce que vous savez.

L'intendant tamponna la sueur qui perlait sur son front, ouvrit grand sa maigre cage thoracique et annonça :

— Il se trouve que j'ai entendu parler d'une ou deux choses.

— Mais encore ?

— Comme vous le savez, chaque prélat sera accompagné de trois assistants. S'agissant de della Rovere, deux d'entre eux ont été annoncés et, sans grande surprise, ce sont ses secrétaires. Quant au troisième, son nom n'a pas encore été donné mais le bruit court...

— Morozzi ! s'exclama-t-on d'un même souffle, Vittoro et moi.

Renaldo confirma d'un simple signe de tête.

Mes pires craintes devenaient réalité. Si Renaldo avait raison, Morozzi avait trouvé le moyen de se placer non seulement là où il pourrait causer le plus de mal, mais également là où moi, en tant que femme, je ne serais pas en mesure de l'atteindre – à l'intérieur même du conclave.

— Il prend un risque, fit observer Vittoro, si par la suite la mort d'Il Cardinale devait éveiller les soupçons.

— Il peut se le permettre, l'interrompis-je, étant donné qu'il a le moyen de faire croire que c'est moi qui ai tué Borgia.

Pour une fois, j'avais réussi à choquer mon bon Vittoro. Il me dévisagea fixement.

— Que dis-tu ?

Brièvement, je lui avouai ma conviction que Morozzi avait l'intention de se servir de mon losange pour rejeter sur moi la responsabilité de la mort de l'homme que j'étais censée protéger.

— Juste ciel, répondit Vittoro dans un souffle, avant de passer une main lasse sur son visage.

Étant donné qu'il n'y avait rien à ajouter à cela, je passai à ce qui me préoccupait le plus.

— Qui Borgia a-t-il intention d'emmener au conclave avec lui ?

— Il ne l'a pas dit… précisément, répliqua Vittoro.

Le vacillement dans son regard ne m'échappa pas.

— Ce qui veut dire… ?

— Ce qui veut dire qu'il revient ici dès que possible, et qu'il veut être sûr que tu seras à disposition car il souhaite te parler.

Cela m'allait parfaitement. Une petite conversation seule à seul avec Borgia allait m'être nécessaire si je voulais le persuader d'accepter le plan qui était en train de prendre forme dans ma tête.

— Fais-moi le plaisir, quand tu en auras fini ici, me déclara Vittoro, d'aller te reposer un peu, de prendre un bain, de te restaurer, mais de ne chercher à t'en aller sous aucun prétexte. J'ai suffisamment à faire ici sans avoir à te courir après. Est-ce que je me fais bien comprendre ?

Je le lui confirmai. Lorsqu'il fut parti, je m'affalai contre un baril de vin et regardai Renaldo.

— Si nous survivons à tout cela, j'offrirai personnellement des prières de remerciements à sainte Catherine de Sienne et sainte Jeanne d'Arc.

— Il serait plus judicieux de leur demander de l'aide maintenant et de garder les remerciements pour plus tard, fit remarquer l'intendant, dont le sens pratique faisait encore une fois des merveilles.

Sans prendre la peine de me demander s'il était compatible de prier tout en inspectant un agneau fraîchement égorgé, des meules de fromage, des bottes d'oignons, et davantage encore de vin, je m'y appliquai avec une ardeur renouvelée.

L'heure avançait. Borgia n'était toujours pas rentré au palazzo. Je supposai qu'il se trouvait à la curie, occupé à rallier par tous les moyens les autres prélats à sa cause. David fit passer un autre message par Benjamin, dans lequel il nous prévenait que della Rovere avait dépêché plusieurs hommes à Sienne. Il ne restait plus qu'à espérer que César ait eu la sagesse de laisser suffisamment de forces dans cette ville pour empêcher della Rovere de découvrir où l'argent des juifs reposait.

À la nuit tombée, l'épuisement menaçait de m'envahir. Je finis par me résoudre à aller m'allonger quelques heures. Ou plutôt Renaldo, me voyant hésiter, me mit dehors en objectant que cela faisait quatre fois que je vérifiais le même bouquet de basilic. D'autant que cette plante n'est pas la meilleure cachette pour le poison, car si son parfum est puissant, la présence d'un produit adultérant est révélée par ses feuilles, même séchées.

Mais je digresse. Encore et toujours, car telle est ma malédiction. Ainsi, je m'en tiendrai à dire que je rentrai dans mes quartiers pour y découvrir (ô miracle !), qu'une bonne âme avait préparé un bain pour moi ; que j'en profitai jusqu'à ce que l'eau soit complètement froide, me séchai tant bien que mal, puis chancelai jusqu'à mon lit en songeant seulement au sommeil divin qui m'attendait.

Pour me rendre compte, une fois-là, que je n'étais pas seule.

37

« Tu es incorrigible », fis-je dans un soupir.

Une simple constatation, à ne pas confondre avec un reproche. J'étais en effet au-delà même de la protestation symbolique, mon corps tout entier étant gagné par cette agréable torpeur qui vient après l'horreur, lorsque l'effroi, mais aussi l'énergie décuplée, laissent place à une étrange paix intérieure, bien qu'un peu chétive. Par ailleurs, il faut bien l'avouer, je n'avais guère envie de me retrouver seule avec moi-même ce soir-là – ni éveillée ni endormie.

César était allongé bras croisés derrière la tête, un drap de lin à peine remonté jusqu'aux hanches. Il venait certainement de prendre son bain, sa sombre chevelure étant encore mouillée. Sa poitrine était nue à part le médaillon en argent de saint Michel qu'il s'était mis à porter récemment, après avoir déclaré fidélité à l'archange guerrier.

Le lit se trouvant dans la pénombre, je ne distinguai pas son expression mais l'entendis éclater de rire.

— Crois-tu que tu voudrais de moi, si je ne l'étais pas ?

Sans un mot je secouai la tête. À la vérité, une fois la surprise initiale passée, je ne ressentis que du soulagement à le voir ici – et le frisson de désir qu'il ne manquait jamais d'éveiller en moi. Je m'avançai vers lui, ou peut-être fut-ce lui d'abord, mais dans tous les cas je me trouvais à présent blottie dans ses bras, en sécurité contre son torse puissant, ses jambes enroulées autour des miennes. Comme c'est étrange que je me souvienne encore de la chaleur de sa peau ; de l'odeur de son savon au bois de santal ; de la rugosité, sous mes doigts curieux, de la cicatrice courant le long de son flanc droit, souvenir d'un combat à l'épée où il avait failli mourir alors qu'il sortait à peine de l'enfance. Je me souviens des moindres détails, comme s'il me suffisait de tendre la main pour pouvoir le toucher. Vraiment, l'esprit est un bien cruel imposteur.

Si l'intention de César était de me rappeler combien nous étions faits l'un pour l'autre, il y réussit admirablement. Le fardeau qui pesait sur mon cœur à la suite de la perte de Rocco ne s'allégea en rien – je ne m'y attendais pas, jamais. Mais il m'aida à accepter le réconfort des bras de mon amant ténébreux.

Plus tard (nous devions être au beau milieu de la nuit, à présent), nous étions étendus, luisant de sueur et tous deux comblés, mais ne voulant pourtant pas céder au sommeil. Nous passions trop peu de temps ensemble pour en concéder en plus à Morphée, ce voleur qui s'approche en catimini.

Je sentis César remuer auprès de moi.

— J'aurais dû prendre Morozzi en chasse. Il représente une menace pour mon père. Mais l'idée que tu puisses mourir…, ajouta-t-il en me caressant les seins.

J'appréciai la noblesse du sentiment, sincèrement ; mais le temps, ce fugitif, n'avait que faire de ces bagatelles, même si elles m'importaient à moi.

— Le conclave…

J'aurais continué plus avant si César n'avait poussé brusquement un grognement en laissant tomber sa tête en avant. Je le soupçonne d'avoir été quelque peu découragé devant mon manque d'intérêt pour ce qui était, venant de lui, une véritable déclaration.

— Oh, bon sang, est-on obligés ? Ne peut-on pas, juste un moment, faire comme si tout cela n'existait pas ?

Il m'arrivait d'oublier qu'il n'avait pas encore dix-sept ans. Lui, en revanche, avait oublié de se raser, et sa barbe me grattait la peau. Sans parler de son poids, si agréable au plus fort de la passion, et qui me donnait à présent la sensation d'être écrasée. Je lui saisis les cheveux des deux mains et le relevai pour l'obliger à me regarder.

— Toi tu peux, mais pas moi. Ton père est sur le point d'être enfermé dans une chapelle avec les plus habiles comploteurs de toute l'Église. Au moins l'un d'entre eux s'est allié à un fou qui possède le moyen de tuer Il Cardinale. Mon devoir est d'empêcher cela, alors j'apprécierais tes conseils.

— Tue della Rovere, répondit-il sans hésitation.

Certains ont fait l'erreur de voir en César un homme simple, mais je serais plutôt encline à penser qu'il avait une clarté d'esprit dont nombre d'entre nous manquons. Pour autant, il lui arrivait d'avoir tort.

— Je ne crois pas que ce soit la solution, répliquai-je pour me dérober.

Il soupira.

— Tu es une empoisonneuse. Pourquoi diable es-tu si réticente à l'idée de tuer les gens ?

— Je ne suis pas…

Le fait est que pour moi il n'était pas simplement question d'exercer mon travail : comme je l'avais récemment découvert, tuer était devenu une source de libération, voire de plaisir. Et quand bien même j'aurais préféré qu'il en soit autrement, j'avais la sagesse de ne pas escompter que la prière (à Dieu, à Borgia, ou à quiconque) soit capable de laver la noirceur de mon âme.

Mais comme je n'avais aucune raison d'expliquer tout cela à César, je me bornai à lui préciser :

— Parce que ce ne serait pas la meilleure façon de régler les choses, présentement.

— Alors dis-moi, que proposes-tu pour nous sortir de là ? Oh je sais, Lucrèce ne m'a-t-elle pas dit que fut un temps tu parlais de fuir en Angleterre, pour devenir mage à la cour de leur roi – quel est son nom déjà, Henri quelque chose ? Cela te tente toujours ?

— Peut-être bien, lui rétorquai-je, refusant de me sentir gênée à cause de mes erreurs de jeunesse. C'est le problème quand on connaît les gens depuis si longtemps : ils ont bien trop de souvenirs.

— Ou mieux encore, ajoutai-je. Nous pourrions faire de ton père le nouveau pape.

— Tu sais qu'il souhaite aussi me voir sur ce trône, un jour ?

Je savais que Borgia destinait son fils aîné à l'Église, mais entendre César parler aussi ouvertement des ambitions dynastiques de son père me surprit.

— Et veux-tu devenir pape ? lui demandai-je.

— Grands dieux, non !

Il était impossible de se méprendre sur sa ferveur, mais au cas où je douterais encore, il ajouta :

— Qu'on me donne un cheval et une épée et je referai le monde, mais pour l'amour du ciel, qu'on laisse Dieu en dehors de tout ça.

— Oui, d'accord. Tu sais aussi que tous les projets de ton père seront réduits à néant si della Rovere parvient à ses fins.

César soupira et se retourna sur le dos. Je sentis en bougeant la sueur qu'il avait fait naître sur ma peau, puis demandai :

— Tu sais ce qu'il a l'intention de faire ?

Il se tourna vers moi, se cala contre son coude et me regarda dans les yeux.

— Qui ? Mon père ou della Rovere ?

— Ton père, bien sûr. Je me fiche de l'autre. Il Cardinale connaît la situation mieux que quiconque. Comment entend-il la gérer ?

— Parce que tu crois que je le sais ? Je reçois ses ordres et je les exécute, en espérant qu'il soit satisfait. Au-delà, il ne me dit rien.

— Tu te sous-estimes. Ton père ne t'a-t-il pas envoyé à Sienne ? Manifestement, il compte sur toi pour régler les questions délicates.

— Il compte surtout sur moi pour maintenir les gens dans le rang par la peur. J'y arrive très bien. Quant au reste… (Il haussa les épaules.) j'imagine qu'il nous mettra au courant en temps voulu. Mais pour l'instant…

Il se mit à se frotter contre moi et je répondis à son étreinte avec joie, car je me disais confusément que si Morozzi l'emportait, je ne prendrais probablement plus jamais un tel plaisir. Ou quoi que ce soit d'autre, d'ailleurs.

Lorsque je me réveillai, le soleil entrait à flots par les fenêtres et César n'était plus là. J'eus à peine le temps de me préparer que Vittoro était déjà sur le pas de ma porte, à me dire qu'Il Cardinale me mandait auprès de lui.

Le conclave débutant incessamment, l'effervescence était à son comble dans le palazzo. Des hommes montaient la garde dans les moindres recoins, les domestiques allaient et venaient au pas de course et un véritable essaim de clercs et de secrétaires semblait avoir fondu sur nous. Toute cette agitation, pour prévisible qu'elle fût, n'en restait pas moins saisissante. J'étais presque contente de me retrouver dans le calme relatif du bureau de Borgia.

Il était occupé à mon arrivée, mais ne me fit pas attendre longtemps. Il était d'une forme étonnante, pour quelqu'un qui n'avait certainement guère eu le temps de prendre de repos ces derniers jours. Les crises paraissaient toujours lui redonner de l'énergie, ce qui était une chance au vu du nombre qu'il traversa dans sa vie. Lorsqu'il me vit, il sourit et leva une main pour congédier ses secrétaires, qui quittèrent les lieux en me lançant des regards renfrognés.

— Francesca, tu l'as l'air de bien aller. Je dois dire que c'est un soulagement, après ce qu'il s'est passé hier, à ce qu'on m'a dit. Tu n'as pas été blessée, donc ?

Il n'était guère surprenant qu'il connaisse en détail l'épisode de la basilique. César lui avait certainement fait son rapport pendant que j'étais occupée à terminer les préparatifs pour le conclave. À présent je priai pour qu'Il Cardinale comprenne la menace que Morozzi représentait toujours.

Je m'assis sur le fauteuil qu'il m'indiqua.

— Pas du tout, Éminence, mais merci de vous soucier de ma santé.

Borgia s'assit à son tour et me regarda longuement par-dessus son immense bureau. Son regard scrutateur me troublait, mais j'espérai réussir à n'en rien montrer.

— Oui, bon, répliqua-t-il. En tout cas, Morozzi a certainement prouvé qu'il ne manquait pas de ressources.

Ainsi résuma-t-il le plan consistant à crucifier un enfant et à soulever une foule enragée contre lui-même et les juifs.

— Et il ne va pas s'arrêter là, j'en ai bien peur, lui dis-je. Avez-vous entendu la rumeur selon laquelle il se trouvera au conclave ?

Je songeai combien les chances étaient infimes que j'aie un renseignement que Borgia n'ait pas, et cette fois-ci non plus je ne fus pas déçue. Il acquiesça d'un signe de tête, mais ne parut pas perturbé outre mesure.

— D'après ce que je comprends. Il a toujours en sa possession ton losange, c'est bien cela ?

Le souvenir de ma bêtise me restait sur le cœur.

— Nous devons partir du principe que oui.

— Dans ce cas, que proposes-tu de faire ?

— Tout ce qui est en mon pouvoir pour vous protéger, Éminence. Mais à vrai dire, si Morozzi se retrouve enfermé avec vous dans le conclave, je crains que les précautions prises jusqu'à présent en votre nom ne soient pas suffisantes. Comme vous l'avez dit, il ne manque pas de ressources. S'il trouve le moyen de substituer un plat ou un verre qui vous est destiné…

— Alors nous aurions un gros problème, n'est-ce pas ?

— Oui, Éminence, lui confirmai-je.

J'étais prête à me lancer dans le discours que j'avais préparé pour convaincre le Cardinal de commettre un acte si audacieux que même lui allait peut-être protester – lorsqu'il me coupa.

— Je ne vois qu'une solution, dit-il.

Je m'insurgeai à l'idée de me couper les cheveux. Même si j'avais été soulagée d'apprendre que Borgia et moi avions eu la même idée à propos des assistants qui l'accompagneraient au conclave, il y avait une limite à tout.

— Je me ferai une natte très serrée et l'enroulerai autour de ma tête. Du moment que je garde mon chapeau, personne ne devinera.

— Et tu comptes dormir avec ? s'enquit Borgia lorsque j'émergeai de derrière le paravent, où j'avais revêtu la livrée rouge et or que portaient les pages et autres domestiques au service d'Il Cardinale.

Il parut amusé en me voyant.

— Pourquoi as-tu l'air si mal à l'aise, Francesca ? Ce n'est pourtant pas la première fois que tu t'habilles en garçon.

Là encore, je ne fus pas étonnée qu'il soit au courant de ma curieuse habitude. Je voyais bien que sa suggestion de me faire entrer clandestinement au conclave ne venait pas de nulle part, mais je me sentis tout de même obligée de le mettre en garde.

— Vous êtes bien conscient que Morozzi a l'intention de vous tuer de façon à me rendre responsable du meurtre, n'est-ce pas ? Si je suis au conclave, il lui sera d'autant plus facile de convaincre les autres et, ce faisant, de couvrir della Rovere.

— Raison de plus pour faire échouer ses plans.

En reconnaissance du fait que nos destins étaient bel et bien inextricablement liés, Borgia attrapa des coupes et nous versa du vin à tous deux.

— Prends courage, Francesca, me dit-il en m'en tendant une. Tu es sur le point d'assister à l'extraordinaire spectacle de Dieu faisant connaître Son choix aux princes de cette Église. S'il est possible que tu ne trouves pas cela exactement édifiant, je peux t'assurer que tu ne l'oublieras jamais.

Je marmonnai que je serais agréablement surprise si je vivais suffisamment longtemps pour m'en souvenir, puis levai ma coupe et bus un grand coup. J'avais l'estomac vide et le vin me secoua, mais au bout d'un moment, mon corps capitula.

Tout comme je capitulai devant les intentions que Dieu avait pour moi, quelles qu'elles soient.

Lorsque le soleil se leva sur un jour nouveau, moi, une simple femme (même habillée en garçon), je rejoignis la procession de prélats et d'assistants qui traversa la place devant Saint-Pierre pour se rendre au palais apostolique, et de là à la chapelle Sixtine. Les voix éclatantes des *cantoretti* nous accompagnèrent en chemin. Des milliers de fidèles rassemblés applaudirent à notre passage, entonnant des prières pour que la volonté du Tout-Puissant soit faite.

Agenouillée sur le sol en pierre de la chapelle, sous les yeux de Moïse, de Jésus, des apôtres et des saints, j'écoutai la messe du Saint-Esprit. En sa qualité de vice-chancelier et de doyen du Sacré Collège, Borgia aurait dû la célébrer ; mais ce fut della Rovere qui monta sur l'autel dans ses habits rouges de cérémonie. Je ne fus pas la seule à m'en étonner. Plusieurs de mes voisins échangèrent des regards interloqués et firent des commentaires à voix basse. Ce non-respect du protocole était-il le signe d'une capitulation de la part de Borgia ? Était-ce une façon de reconnaître le rôle prééminent de son rival parmi les cardinaux ? Ou bien était-ce une habile manœuvre de sa part, une démonstration de ses talents de diplomate et de sa bonne volonté, destinée à mettre en évidence sa vocation à devenir pape ?

Cela causa dans tous les cas un tel tumulte que l'on ne prêta guère attention au service en lui-même, jusqu'au moment de recevoir la communion. Je profitai de me lever pour jeter un rapide coup d'œil autour de moi en espérant voir Morozzi : il n'était nulle part. Mais cela eut tout de même pour effet de me distraire un peu de l'angoisse que j'éprouve en général à ce moment précis de la messe.

S'agissant du corps de notre Seigneur, je m'en tirai plutôt bien, et je parvins à ne boire qu'une seule goutte du vin changé par le miracle de la transsubstantiation en sang de notre Sauveur. Le temps que je revienne à ma place et m'agenouille de nouveau, mes mains étaient tout de même moites. J'avais terriblement peur que mes « visions », comme je les appelais désormais, ne choisissent justement ce moment-là pour me reprendre ; mais Dieu, dans Sa miséricorde, m'épargna.

La messe était finie que l'on entendait toujours chuchoter. L'heure était venue de prononcer le discours solennel. La tradition voulait que dans ce dernier, l'orateur aborde le thème de l'immense responsabilité engendrée par l'élection d'un nouveau pape. Borgia étant investi du pouvoir de désigner celui qui allait s'acquitter de cette tâche, tout le monde tendit le cou pour voir qui il avait choisi d'honorer. Lorsque l'ambassadeur espagnol, un compatriote d'Il Cardinale, se leva pour monter sur l'estrade, un frisson parcourut l'assemblée.

Le discours de l'ambassadeur ne déçut pas. Sans détour, il exhorta les cardinaux à mettre de côté toute considération personnelle, ambition, rivalité, ou mauvaise volonté, afin d'élire l'homme le plus à même, par son tempérament et son talent, à guider notre Mère la sainte Église. L'opposition éminemment personnelle de della Rovere à Borgia n'étant un secret pour personne, tout le monde comprit à qui ses admonestations étaient destinées.

Enfin nous en eûmes terminé, et nous fûmes autorisés à nous relever pour chanter le Te Deum. À la fin, tous ceux qui ne devaient pas rester à l'intérieur du conclave sortirent. Nous entendîmes les lourdes portes en bois être rabattues, puis le cliquetis des chaînes apposées sur les poignées pour plus de sécurité.

C'était fait, nous étions enfermés – vingt-trois cardinaux, près de soixante-dix assistants, un homme fou déterminé à commettre un meurtre, et moi-même.

Et nous allions rester là jusqu'à ce que la volonté de Dieu soit faite.

38

Après la grandiose cérémonie d'ouverture, le reste de cette première journée de conclave fut consacré aux menus détails d'un accord limitant le nombre de cardinaux que le nouveau pape aurait le droit de nommer au cours de son règne. Ce fut en tout point aussi assommant que la description que je viens d'en faire.

Je décidai donc qu'il était grand temps de m'occuper de notre installation. On avait annoncé qu'une sorte de dortoir avait été installé pour loger les cardinaux dans des conditions « spartiates » pendant leurs délibérations. Il semblerait que tout le monde n'ait pas la même définition de ce mot.

Ainsi que Vittoro et moi l'avions vu lors de notre précédente visite à la chapelle Sixtine, la grande salle adjacente avait été transformée en appartements privés. Chacun comprenait trois pièces, la première permettant d'entrer ou de sortir de l'appartement, par une porte que l'on pouvait verrouiller au besoin. C'est là que les assistants dormiraient. La deuxième était une chambre plus grande et élégante, dans laquelle le Cardinal mangerait, dormirait, prierait (à supposer que le cœur lui en dise) et, plus important, aurait ses rendez-vous privés. Bien plus petite mais contiguë à la précédente, la troisième pièce servirait à ce que les visiteurs aillent et viennent en toute discrétion. Je me l'appropriai.

J'aurais été encline à le faire de toute façon ; mais cela devint totalement impératif lorsque, quelques heures après le début du conclave, je découvris que mon badinage amoureux avec César n'avait pas porté ses fruits. Fort heureusement, j'avais eu la bonne idée de parer à cette éventualité en emportant avec moi tout le linge nécessaire. Mais pour être tout à fait honnête, j'avoue que le désagrément invariablement subi par les femmes dans ces cas-là ne fit rien pour égayer mon humeur.

Malgré ma préoccupation de tous les instants concernant Morozzi (où il était, ce qu'il comptait faire), certaines questions plus triviales ne pouvaient être ignorées. Borgia était attendu en entretien une grande partie de la journée, mais il finirait par se retirer dans ses quartiers et à ce moment-là, il voudrait se restaurer. Une nourriture simple, conçue pour évoquer un sentiment d'humilité à celui qui la mangerait, était envoyée des cuisines du Vatican – du pain, un peu de poisson, un potage aux lentilles, le tout glissé à travers une fente dans l'une des portes. Les quelques rares cardinaux réputés pour leur dévotion et n'ayant pas à craindre un empoisonnement s'en satisferaient. Les autres, comme Borgia, avaient fait le nécessaire.

Malgré mon manque de talents domestiques je suis capable, lorsque j'y suis forcée, de mettre un repas sur la table. S'exercer à empoisonner la nourriture n'est probablement pas le moyen le plus orthodoxe d'apprendre à cuisiner, mais présentement cela allait m'être utile. Par ailleurs, c'était une occupation appropriée pour un page qui ne voulait pas attirer les regards.

Les conditions n'étaient pas idéales (je n'avais qu'un petit chaudron pour la cuisson), mais je concoctai un ragoût d'agneau qui me parut plutôt correct. J'allais le goûter et rectifier l'assaisonnement lorsque Borgia arriva.

— Qu'est-ce que tu fais ? me demanda-t-il.

Il avait l'air fatigué mais satisfait, et j'en conclus que tout se passait bien. Ses secrétaires rôdaient dans les parages. S'ils m'avaient reconnue (j'en étais même sûre), ils avaient la sagesse de le garder pour eux.

— En sorte de ne pas vous empoisonner.

Il leva un sourcil.

— En aurais-tu envie ?

— Pas pour l'instant.

Ce n'était pas très diplomate de ma part ; cependant, à ma décharge, je me sentais nerveuse. J'étais sur le point de goûter un plat dont j'étais relativement sûre, mais si je me trompais j'allais très bientôt le savoir. Le genre de chose qui n'aide pas quand on est déjà de mauvaise humeur.

Permettez-moi de préciser en passant que si certains empoisonneurs n'hésitent pas à s'affranchir de leurs responsabilités en confiant la mission du goûteur à de malheureux domestiques, ce n'est pas une pratique si courante que cela. Le seigneur qui confie sa vie et celle de sa famille à un empoisonneur ne tolérera guère longtemps qu'il fasse preuve d'hésitation en la matière.

Je mis une petite louche de ragoût dans un bol et commençai à manger debout.

— Qu'est-ce que ça donne ? s'enquit Borgia au bout d'un moment.

— Pas mauvais. La viande est un peu dure mais c'est mangeable.

Et plus important, je me sentais bien. Aucune brûlure soudaine dans la bouche ou la gorge, aucune convulsion de l'estomac, rien n'indiquant que les ingrédients utilisés n'étaient malencontreusement pas comestibles. Je me détendis quelque peu et parvins même à sourire légèrement.

Borgia s'abstint de commenter le fait que j'étais prête à mourir si nécessaire pour le protéger, mais je n'en attendais pas moins de lui. Il se retira dans sa chambre et quelques instants après, demanda à ce que son dîner lui soit servi. Je le lui amenai et, sur son invitation, restai auprès de lui.

— Ce n'est pas mauvais du tout, annonça-t-il après avoir enfourné plusieurs bouchées. Manifestement, nous ne mourrons pas de faim.

J'inclinai la tête en signe de remerciement et lui resservis du vin.

— Assurez-vous simplement de ne rien manger ni boire en dehors de vos quartiers. Si Morozzi est réellement ici, il s'arrangera pour vous empoisonner aussi loin que possible des quartiers de della Rovere. Et donc…

— Il est ici, me coupa Borgia.

En voyant le regard interloqué que je lui lançai, il ajouta :

— Je l'ai entraperçu il y a plusieurs heures, et à mon avis ce n'était pas un hasard. Il voulait me faire savoir qu'il est tout près.

— Pour vous déconcentrer, vous faire peur, même ?

Il Cardinale grogna et prit une autre gorgée de vin.

— Si c'est ce qu'il cherche, ce freluquet dont la folie n'a d'égale que l'orgueil va être bien déçu. Il m'en faudrait plus pour m'effrayer.

La description était amusante et je faillis sourire, mais je pris sur moi de dire d'un ton sérieux :

— Je vous en supplie, Éminence, ne le sous-estimez pas. Moi-même j'ai commis cette erreur et je le regrette amèrement.

Il me regarda d'un air perspicace par-dessus sa coupe.

— Tu te sens responsable de ce qui est arrivé à la basilique.

— Comment pourrait-il en être autrement ?

Je me gardai bien de lui dire que Rocco songeait de même et que son jugement était mérité.

— Si tu n'avais pas agi avec un tel discernement, à l'heure qu'il est le garçon serait mort et nous serions tous plongés dans le chaos.

— Si j'avais fait preuve de discernement dès le départ, ce petit garçon n'aurait même jamais été en danger et Morozzi aurait cessé depuis longtemps d'être une menace.

Borgia finit son ragoût puis se laissa aller en arrière dans son fauteuil. Il faisait chaud dans la pièce, malgré les épais murs de pierre qui empêchaient la chaleur estivale de pénétrer. Il n'y avait pas d'air. Une goutte de sueur me glissa le long de l'échine.

— Si je ne m'abuse, dit-il, la seule véritable erreur que tu as commise a été de me cacher ta première rencontre avec Morozzi, et pour cela tu peux être pardonnée.

En voyant ma surprise, il ajouta :

— Nous faisons tous des erreurs, Francesca, chacun d'entre nous. La seule chose, c'est d'éviter de les refaire encore et encore.

— J'en suis incapable, répondis-je, non par modestie mais par sincérité. Je n'arrête pas d'en découvrir de nouvelles, tout le temps. Je soupçonne même d'avoir un don pour ça.

Borgia éclata de rire.

— Tu es encore jeune. Avec le temps, tu t'aguerriras.

Il devait vraiment avoir foi en ses capacités, pour partir du principe que j'allais vivre, et même vieillir. Il ne me restait plus qu'à espérer qu'il ait raison. Peu après je pus disposer, ce dont je lui fus reconnaissante. L'angoisse quant à ce que me réservait mon avenir (aussi court fût-il) ne pouvait l'emporter sur l'épuisement, au bout d'un moment. J'avais traîné une paillasse de la chambre des assistants à la petite pièce du fond. Borgia m'ayant certifié que lui aussi allait se reposer, je me laissai tomber dessus et m'endormis presque instantanément.

Je sombrai, jusqu'à ce qu'au cœur de la nuit je me réveille en sursaut, ne sachant plus où je me trouvais. Il me fallut un bon moment avant de comprendre, et une bouffée de peur monta alors en moi. Je cherchai à tâtons le large chapeau de feutre qui dissimulait mes cheveux, et avec lequel il était si incommode de dormir. Rassurée de le savoir toujours en place, je m'assoupis de nouveau mais dormis cette fois-ci d'un sommeil léger, car je n'arrivais à m'ôter de la tête la grande bataille que j'étais sur le point de livrer.

Au deuxième matin, les affaires sérieuses commencèrent. Les marchands de ce monde se réjouiront de savoir que Dieu, apparemment, est l'un des leurs. Tout ce dont j'ai pu être témoin au conclave, qui m'évoquait un peu plus à chaque heure passée un bazar d'Orient, vient le confirmer. Si Dieu s'exprimait réellement à travers les princes de Son Église, alors Dieu était un barguigneur, un négociateur, un habile vendeur tout autant qu'un habile acheteur. Cette expérience m'a amenée à la conclusion que ce sont les marchands, et non les débonnaires, qui hériteront de cette Terre. Quant à ce qu'ils en feront ensuite…

Ce jour-là se résuma à de discrètes conversations, des petits mots passés de main en main, des visites à la dérobée et des réunions en petit comité autour d'une fiasque de vin. En bref, une journée de sourires (froids pour la plupart), de mains serrées et d'apartés. Mais aussi une journée lors de laquelle d'immenses sommes d'argent et de vastes propriétés furent mises sur la table comme autant d'atouts dans une partie de cartes, et ramassées avec la même nonchalance par d'autres mains.

Le soir arrivé, Borgia semblait satisfait, même s'il mangea peu et alla se coucher tôt.

Le lendemain, le premier tour de scrutin eut lieu.

Borgia perdit.

Il bénéficia de sept voix, mais quatorze en tout revinrent à della Rovere et ses représentants. Personne n'ayant atteint la majorité des deux tiers, le conclave continua.

Que dire du lendemain ? Vous parlerais-je de l'angoisse qui monta en moi à mesure que réunions et transactions se poursuivaient, ou bien du nombre de fois où je passai discrètement la tête par la porte de la suite de Borgia pour tenter d'évaluer ce qui se passait « au-dehors » ? Peut-être aimeriez-vous savoir qui je vis aller et venir entre les divers appartements : en règle générale, des assistants obligés de jouer aux messagers, mais aussi de temps à autre un cardinal en personne, rasant les murs en espérant ne pas être vu, ou au contraire paradant d'un air important au vu et au su de tous. Si je m'étais posé des questions en voyant la détermination de Borgia à amasser une si grande richesse en plus de celle qu'il possédait déjà, je comprenais à présent ce qui l'avait poussé à agir ainsi. Je pourrais vous faire l'inventaire des sommes exactes remises à tous ces princes de l'Église, mais leur vénalité étant notoire, cela me paraît sans intérêt.

Je m'en tiendrai donc à dire qu'en quelques heures décisives, les très riches le devinrent davantage encore. Mais cela ne suffisait toujours pas, visiblement.

Le deuxième tour de scrutin eut lieu au soir du troisième jour. Le décompte ne changea guère la donne, à part que Borgia avait gagné une voix. Les négociations se poursuivirent toute la nuit. Le bruit courut qu'elles étaient dans l'impasse. J'imaginais dans quel état devait se trouver la foule rassemblée pendant tout ce temps-là sur la place, dans l'attente de la nouvelle qui allait déclencher (ou pas) le chaos.

Avec toutes ces allées et venues dans la suite d'Il Cardinale, je ne fermai pas l'œil de la nuit. Tôt le lendemain matin, j'allai chercher le pain frais envoyé par les cuisines du Vatican, l'ayant testé la veille pour m'assurer qu'il serait au goût de Borgia. Son Éminence avait le palais fin. J'en choisis plusieurs au hasard, espérant ainsi minimiser les risques, si d'aventure on avait eu l'idée de les empoisonner, qu'un malheur survienne – à lui comme à moi.

Je ramassai en même temps la lettre qu'une main anonyme glissa par la fente de la porte. Comme je l'avais prévu, Il Cardinale s'était arrangé pour continuer à communiquer avec le monde extérieur depuis le conclave. Le contraire m'eût déçue.

J'allai repartir lorsque je m'arrêtai net, mon cœur battant soudain la chamade. Une vague odeur de camphre et d'agrumes flottait dans l'air. En me retournant, je parvins tout juste à étouffer un cri. Morozzi se tenait juste derrière moi.

L'ange à la chevelure dorée avait l'air de se porter comme un charme, ne paraissant pas le moins du monde affecté par son échec cuisant à la basilique. Il m'avait reconnue, cela ne faisait pas l'ombre d'un doute. L'espace d'un instant je craignis qu'il aille me dénoncer, mais il se contenta simplement d'incliner la tête et d'accrocher un sourire agréable à ses lèvres.

— Avez-vous eu l'occasion de goûter le pain ? s'enquit-il. Il est étonnamment bon.

Quiconque serait passé par là en cet instant aurait pris son amabilité envers un simple page pour un bel exemple de charité chrétienne. Mais je n'étais pas dupe.

— Soyez assuré que je vais le faire, lui rétorquai-je avec raideur. Il en va de même pour tout ce qui est destiné au Cardinal.

— Comme c'est responsable de votre part. J'espère qu'il apprécie les risques que vous prenez pour lui.

Souriant toujours, il se pencha en avant et me dit sur le ton de la confidence :

— J'ai entendu dire que son empoisonneuse était une juive possédée par les démons. Si j'étais Borgia, c'est elle dont je me méfierais par-dessus tout.

Tout en parlant il tira mon médaillon de sous sa soutane, de manière à ce que moi seule, parmi tous les assistants qui vaquaient à leurs occupations autour de nous, le voie.

L'instant d'après, il le faisait disparaître comme il était venu, en le replaçant près de ce qui aurait dû être son cœur.

Je sentis la nausée me monter à la gorge. Je m'éloignai d'un pas chancelant, espérant en dépit de tout avoir réussi à dissimuler ma peur mais ne sachant que trop bien, au fond de moi, que c'était tout le contraire.

Mes mains en tremblaient encore lorsque j'apportai à Borgia sa collation du matin et la lettre.

Tout en la décachetant et en la dépliant, il leva les yeux vers moi.

— Quelque chose ne va pas ?

— J'ai fait une rencontre désagréable. Morozzi.

Il hocha la tête mais ne dit rien, tournant son attention vers la missive. Au bout d'un moment, il annonça :

— César exprime son entière confiance en toi s'agissant de ma sécurité.

— Se porte-t-il bien ? demandai-je d'un ton aussi neutre que possible.

— Apparemment, oui. Les hommes de della Rovere ont appris à leurs dépens que Sienne n'était pas une ville très accueillante. Tout le monde refuse de leur parler.

Cela ne me surprit guère car, comme César l'avait dit lui-même, il était très bon pour faire peur aux gens. Toutefois, il y avait le revers de la médaille à considérer.

— Si della Rovere échoue à convaincre les autres cardinaux de ne pas vous élire pape à cause de vos transactions avec les juifs, il ne lui restera plus qu'une seule option.

Borgia termina la lecture de la lettre et acquiesça.

— Il devra laisser Morozzi me tuer.

Pour un homme qui était à deux doigts de mourir, je le trouvais remarquablement calme.

J'étais quant à moi considérablement plus à bout que lui :

— Le prêtre fou est ici, il est en possession d'un poison et il a été on ne peut plus clair sur ses intentions de passer à l'acte !

Pire, il m'avait narguée en me montrant le losange.

— Je n'en doute pas une seconde. La seule question, c'est comment.

— Tout ce que vous mangez, tout ce que vous buvez, je le goûte. Mais il le sait déjà. Peut-être a-t-il intention de se servir d'un poison de contact, finalement.

Cette possibilité me hantait.

— Tu pensais qu'il n'avait pas les compétences nécessaires. S'il se sert d'un tel poison, personne ne fera le lien avec toi. Les soupçons porteront sur mon ennemi notoire, della Rovere.

— À ceci près que je suis ici.

Je ne disais pas cela car je m'inquiétais pour moi, tout au moins pas au premier chef, mais plutôt pour faire observer que ma présence pourrait enhardir le prêtre fou au point qu'il fasse fi de toute prudence et attaque Borgia par tous les moyens, en se disant qu'il me dénoncerait comme meurtrière dans le chaos qui s'ensuivrait.

— Si le pire devait arriver, dit Borgia, cache-toi du mieux que tu peux et attends Vittoro. Il te fera sortir de là.

Je le dévisageai.

— Vous aviez anticipé cette possibilité.

— Je ne vaux peut-être pas grand-chose en tant que prêtre, mais je suis un administrateur hors pair. J'essaie toujours de parer à toutes les éventualités.

Il se leva sans avoir touché à sa nourriture, ce qui me porta à croire qu'il était moins indifférent à la situation qu'il ne voulait bien l'admettre.

— N'oubliez pas vos gants, lui rappelai-je.

J'avais insisté pour qu'il emporte avec lui une demi-douzaine de paires et qu'il en mette dès qu'il sortait de l'appartement. Par ailleurs, je lui avais également donné comme instruction (c'est le mot qui convient) de ne rien accepter directement des mains d'un autre et de tout faire passer par ses secrétaires, qui devaient ensuite venir me voir pour inspection. Par conséquent, eux aussi portaient des gants.

À part cela, il revêtait les habits de cérémonie en dehors de ses quartiers, comme les autres cardinaux. Dieu merci cette tenue lui recouvrait tout le corps, à part la tête.

Par-dessus son épaule, il me répliqua :

— Crois-moi, Francesca, je ne suis pas pressé de quitter ce monde.

Nous étions à présent le 10 août de l'an 1492 après Jésus-Christ. Les cardinaux étaient enfermés dans le conclave depuis quatre jours entiers. Tous commençaient à s'agiter, car ils ne comprenaient que trop bien la nécessité de protéger la stabilité de l'Église, qui se remettait à peine de la blessure ouverte par le Grand Schisme. S'ils mettaient trop longtemps à nommer le nouveau pape, le peuple de Rome ne serait pas le seul à redouter un retour au chaos et à réagir. Les gens effrayés et en colère sont imprévisibles, donc dangereux.

Par conséquent, lorsque le troisième tour de scrutin eut lieu un peu plus tard ce jour-là, je ne fus pas particulièrement surprise d'apprendre qu'un favori se détachait à présent nettement.

Borgia avait obtenu quatorze voix, soit une de moins que les quinze nécessaires pour obtenir la papauté.

Il ne restait plus beaucoup de temps à Morozzi pour mettre son plan à exécution.

— Je compte sur toi pour le garder à distance le temps que je gagne la partie, me déclara Borgia lors d'un bref passage dans ses quartiers.

Sur ce il repartit pour ses derniers rendez-vous, où il allait devoir décider les quelques cardinaux qui n'avaient pas encore pris position.

Ses secrétaires le suivirent, me laissant seule dans l'appartement silencieux pour réfléchir à ce que je devrais faire.

Ou plutôt, à ce que Morozzi ferait.

J'étais toujours aussi réticente à l'idée de me mettre dans la tête du prêtre fou, mais je savais qu'il était vital que j'y parvienne. Je fis les cent pas en tripotant la plume de mon chapeau, je soupirai et je poussai des grognements, je m'assis puis me levai, et à un moment je m'arrachai le couvre-chef que j'étais venue à détester, puis me tirai les cheveux si fort que les larmes m'en vinrent aux yeux.

Finalement, frustrée au plus haut point et profondément inquiète pour Borgia, je quittai l'appartement pour voir si je ne pourrais pas glaner quelque information.

J'étais à mi-chemin du couloir reliant les quartiers des cardinaux à la chapelle elle-même lorsqu'un groupe de prélats et leurs assistants arrivèrent en face de moi. Prestement, je me collai contre le mur et tournai la tête à leur passage, mais j'eus tout de même le temps de voir della Rovere à leur tête. Si vous avez vu le portrait que Raphaël a fait de lui, vous l'imaginez en vieil homme frêle à la barbe blanche et à la mine sombre, et je suppose que c'est effectivement ainsi qu'il était devenu lorsqu'il posa pour le peintre. Mais ce jour-là, il n'avait pas encore cinquante ans et jouissait d'une vigueur que nombre d'hommes lui aurait enviée. Ses traits étaient presque doux, sans la barbe qui lui mangeait une partie du visage ; mais il avait tout de même déjà ces yeux très enfoncés sous des sourcils saillants et cette bouche éternellement figée en une moue désapprobatrice.

Ni lui ni son groupe ne sembla avoir remarqué ma présence. Je soupirai de soulagement et repris mon chemin, dans l'espoir de trouver l'un des secrétaires de Borgia ou, à défaut, de traîner par là, l'oreille tendue, pour recueillir le plus de ragots possibles. J'avais perdu une bonne partie de la journée à ruminer en vain. L'heure des vêpres était déjà passée. D'après ce que je réussis à glaner çà et là, aucun tour de scrutin n'était prévu d'ici au lendemain matin.

Par conséquent, je présumai que Borgia reviendrait bientôt à l'appartement, et s'attendrait à ce que je lui serve à dîner. Je me dépêchai de rentrer pour être là à son arrivée.

L'heure venue, il avait l'air fatigué mais en aucun cas abattu. Il prit le temps d'ôter ses gants, de prendre la coupe de vin que je lui tendais et de s'asseoir dans un fauteuil. Puis, sans préambule, il déclara :

— Je crois que Gherardi est sénile.

Il me fallut quelques secondes pour comprendre qu'il faisait référence au vieux patriarche de Venise, pour qui on avait accepté de retarder le conclave.

— La moitié du temps, il retombe en enfance et semble se croire à Venise.

— Avez-vous obtenu sa voix ?

Vous vous dites peut-être qu'avec le métier que je fais, je devrais être passée maîtresse dans l'art de la circonspection. C'était le cas de mon père, mais ce talent continue à se dérober lamentablement à moi.

Fort heureusement mon franc-parler n'eut pas l'air de décontenancer Borgia. Il allait même me confier plus tard que c'était la qualité qu'il appréciait le plus, chez moi.

— Quand il est avec nous, j'ai l'impression que oui.

Je fis un pas en arrière et le dévisageai. Mon cœur battait très fort.

— Alors les jeux sont faits ?

Il haussa les épaules et but une gorgée de vin.

— Si telle est la volonté de Dieu.

Je ne fus pas dupe de sa nonchalance. Je le connaissais trop bien pour ne pas voir que tout en étant profondément heureux, il restait inquiet. Comment pourrait-il en être autrement ? Il était si près du but, et pourtant…

— Della Rovere le sait, fis-je, ou tout au moins il a des soupçons.

— Qu'est-ce qui te fait dire ça ?

— Je l'ai croisé dans le couloir il y a peu. Il avait l'air… contrarié.

— Tu sais qu'il est sujet à la constipation ? C'était peut-être ça.

Je souris malgré moi.

— Non, je pense que c'était plus grave que cela.

— Le prochain tour de scrutin aura lieu à l'aube, annonça Borgia. Juste avant, j'irai voir de nouveau Gherardi, en espérant le trouver dans le même état d'esprit que tout à l'heure. En attendant, je te fais confiance, tout comme à ce solide verrou sur ma porte, pour qu'il ne m'arrive rien de mal.

Je hochai la tête et m'attelai à la tâche de lui préparer son repas, mais en pensée j'étais ailleurs. Quel que soit l'état de ses intestins, della Rovere savait que le couperet était sur le point de tomber. J'en aurais mis ma main au feu. Et pourtant, Morozzi semblait si sûr de parvenir à commettre un meurtre et de s'en tirer en faisant passer une autre pour responsable.

— Della Rovere sait forcément que le seul moyen de vous empêcher de devenir pape, désormais, c'est de laisser Morozzi vous tuer, dis-je en servant le repas.

— On dirait bien… marmonna Borgia.

Il ne semblait guère enclin à reparler une fois de plus de la périlleuse situation dans laquelle il se trouvait.

— Mais, continuai-je autant pour moi que pour lui, pour autant qu'ils se soient alliés, della Rovere et Morozzi n'ont pas vraiment le même but.

J'avais déjà réfléchi à cette question, sans y prêter réellement attention. À présent je me forçai à le faire, la tournant dans un sens, puis dans l'autre, à mesure que montait en moi la conviction que ce qui séparait les deux hommes était au moins aussi important que ce qui les unissait.

Le Cardinal me scruta du regard.

— Qu'es-tu en train de me dire ?

Je le regardai, non pas lui mais *à travers* lui, et vis le sombre et tortueux labyrinthe dans lequel j'étais entrée depuis le jour où j'avais rencontré le prêtre fou et tenté de sonder ses intentions. D'une voix qui me semblait venir de très loin, je m'entendis parler.

— Della Rovere veut être pape, mais il se contentera au besoin d'élire un homme qu'il peut contrôler. Morozzi, lui, souhaite seulement garantir l'élection d'un pape qu'il pourra convaincre de signer l'édit contre les juifs. Cela pourrait être n'importe qui – pas seulement della Rovere ou sa marionnette, n'importe qui sauf vous.

— Je ne vois pas quelle différence cela fait. Les deux sont déterminés à contrarier mes projets.

— Certes, mais vous-même avez dit que Morozzi n'était pas la créature de della Rovere. Pourtant, assurément, il lui a fait croire le contraire, sinon le cardinal ne l'aurait jamais emmené avec lui au conclave.

Lorsque je prononçai ces mots, la dernière pièce tomba en place et le casse-tête s'ouvrit sous mes yeux surpris, révélant tous les éléments qui s'étaient dérobés à moi jusqu'à présent.

Vite je fis volte-face, ne pensant plus à rien, sentant que chaque seconde comptait et redoutant qu'il ne soit déjà trop tard.

39

Borgia me suivit. Il m'avoua par la suite avoir véritablement cru que j'avais perdu la raison, d'autant plus lorsque je fis irruption dans les appartements de della Rovere et repoussai violemment ses assistants. Les pauvres avaient ouvert la porte en m'entendant dire que j'apportais un message de la plus vitale importance. Une fois à l'intérieur je me précipitai vers la chambre, indifférente à mon chapeau qui voltigeait, et trouvai Son Éminence en train de déguster son dîner.

— N'y touchez pas, criai-je – mais il était trop tard.

Il était déjà en train de mâcher.

— Crachez, lui ordonnai-je, et je l'aurais volontiers empoigné pour le forcer à m'obéir si l'un des secrétaires ne m'avait saisie à bras-le-corps, ne m'avait jetée sur le plancher et ne s'était assis sur moi.

Je n'arrivais quasiment plus à respirer vu comment il m'écrasait la poitrine, mais je criai de toutes mes forces :

— Morozzi n'a pas besoin de tuer Borgia ! Tout ce qu'il lui faut, c'est de faire en sorte qu'il ne soit pas élu !

Della Rovere me regardait bouche bée. En dépit du morceau qu'il avait toujours dans sa bouche, il parvint à articuler :

— Une femme ? C'est une femme !

Doux Jésus, on aurait cru que les portes de l'Enfer s'étaient ouvertes et qu'un millier de démons s'en étaient déversés. Dans le tumulte qui suivit la révélation de mon sexe, je parvins à me remettre debout malgré la pluie de coups que je reçus, des assistants mais aussi de della Rovere, qui s'était levé exprès et mettait du cœur à l'ouvrage.

Seul le beuglement d'indignation de Borgia, lorsqu'il parvint à se frayer un passage, les calma quelque peu. Il m'arracha d'un coup sec à cette rixe (il n'y a pas d'autre terme), me mit en sécurité derrière lui et affronta son rival honni. Le rouge lui montant aux joues, il tança vertement della Rovere.

— Ne l'as-tu pas entendue, espèce de sot ? Nous savons tous pourquoi tu as amené Morozzi ici, mais il n'est pas ta créature, il ne l'a jamais été. Il n'a pas réussi à m'atteindre, mais ça lui est égal car il lui suffit de t'atteindre, toi !

Della Rovere ouvrit la bouche, sans aucun doute pour lui faire une réponse cinglante, mais aucun son n'en sortit. Ses yeux s'agrandirent démesurément et il porta une main à la gorge. Un regard de terreur pure le submergea, puis il se mit à convulser.

Si mon arrivée avait causé le trouble, la confusion était à présent à son comble. Les deux secrétaires de Borgia nous avaient suivis ; avec les deux assistants de della Rovere, nous étions sept dans la pièce. De nous tous, seuls Borgia et moi avions gardé la tête froide, et de nous deux, j'étais la seule à avoir une quelconque idée de ce qu'il fallait faire à présent.

— Mettez-le à terre, ordonnai-je, et après un instant de flottement, je fus obéie.

La catastrophe qui se déroulait sous nos yeux éclipsait tout le reste, même la terreur des femmes qui semble se tapir chez tant d'hommes. Della Rovere respirait avec beaucoup de difficulté. Sa peau était déjà glacée au toucher. Une écume blanche se formait au coin de ses lèvres et son corps tout entier s'était raidi. Son dos se cambra lorsqu'il fut pris d'un nouveau spasme.

Toutefois, il était encore pleinement conscient, comme venait me le confirmer l'affolement que je lisais dans ses yeux.

Ce détail me rassura, car cela voulait dire qu'il n'avait ingéré qu'une petite quantité de la mixture que j'avais fabriquée.

— Desserrez ses vêtements, sommai-je ses assistants.

Me tournant vers l'un des secrétaires de Borgia, je m'écriai :

— Retournez à l'appartement. Il y a une sacoche de cuir marron dans la petite chambre. Ramenez-la ici, *vite*.

L'homme partit en courant. À ce moment-là, Borgia se pencha tout près de moi. D'un discret coup de coude, il attira mon attention sur ce qu'il avait dans la paume de sa main. Mon médaillon.

— Où ? articulai-je en silence.

Il inclina la tête en direction de la table où della Rovere était en train de prendre son dîner, il y avait une éternité de cela. À voix très basse, il expliqua :

— Dessous. Peu subtil, mais si on l'avait trouvé à côté d'un cardinal mort, cela aurait été efficace.

— Morozzi… ?

— Envolé, j'en suis sûr.

Et avec lui, tout espoir de venger mon père dans l'immédiat. Pendant un bref instant, l'angoisse me submergea. Mais j'ai toujours su être patiente. Si je parvenais quand même à hisser Borgia sur le trône de Saint-Pierre, je ferais tout au moins échouer le plan dont avait rêvé le prêtre fou pour faire mourir les juifs, et dans le même temps j'obtiendrais une arme formidable pour m'aider dans ma traque. La justice avait peut-être été retardée mais elle ne serait pas bafouée, pas tant que le sang coulait dans mes veines.

En jetant un œil à della Rovere qui, j'en étais certaine, pouvait nous entendre, Borgia lança :

— Te rends-tu compte que si tu le soignes et qu'il meure quand même, on te tiendra pour responsable de sa mort ?

Tandis que si j'arrêtais tout maintenant, on dirait simplement qu'Il Cardinale et moi avions tout fait pour tenter de stopper l'empoisonnement, mais en vain. L'ennemi de Borgia serait mort, et il deviendrait pape.

Pour être tout à fait honnête avec vous, j'hésitai. Que della Rovere meure par l'arme dont il avait l'intention de se servir pour provoquer la mort de Borgia et, en toute probabilité, m'envoyer au bûcher, me paraissait plutôt juste. Peut-être même pourrait-on aller jusqu'à parler de justice divine.

Néanmoins…

Je ne doute pas un instant que della Rovere savait exactement ce qui était en jeu pour lui, tant il tentait désespérément de parler. Mais il était déjà si proche de la fin qu'aucun son ne sortait de lui à part des grognements étranglés.

Il Cardinale se leva et fit un pas en arrière. Il prit le temps d'observer son grand ennemi, l'homme qui avait comploté pour le voir mourir. Puis, il dit :

— Fais ton possible pour lui.

Ne me demandez pourquoi il fit ce choix-là. Depuis toutes ces années, je n'ai jamais eu le courage de le lui demander. Mais Borgia étant Borgia, je lui faisais confiance pour avoir ses raisons.

J'administrai suffisamment d'émétine à della Rovere pour vider dix fois son estomac. Cette épreuve, qui venait s'ajouter à la première, s'avérerait peut-être trop difficile à supporter pour son cœur ; mais je n'avais pas le choix. Toutes les particules du losange devaient être expulsées de son corps avant qu'elles n'atteignent les organes vitaux et ne fassent des ravages. Les vomissements violents et répétés étaient le seul moyen de le sauver.

Ce genre de détail étant particulièrement déplaisant, je me contenterai de dire que della Rovere se comporta avec autant de dignité que possible au vu des circonstances. On ne saurait en dire autant de ses assistants ; ils avaient l'air si écœurés par le spectacle que je craignis qu'ils ne se mettent eux aussi à vomir, sans aide de ma part cette fois-ci.

Quant au Cardinal, lorsque j'eus enfin l'occasion de regarder où il était, il avait disparu.

Au petit matin du 11 août de l'an 1492 après Jésus-Christ, le quatrième et dernier tour de scrutin eut lieu. Quinze votes allèrent au cardinal Rodrigo Borgia, la voix décisive venant du vieux patriarche de Venise qui, dit-on après, avait raconté à plusieurs cardinaux quels grands amis Borgia et lui avaient été lorsqu'ils étaient tous deux enfants, il y avait tant d'années de cela, à Venise. À ce jour, personne ne sait réellement pour qui il crut voter.

Dans un geste magnanime lui ressemblant si peu que cela fit jaser, le Cardinal Giuliano della Rovere (dont on remarqua la mauvaise mine) accepta la motion que l'on avait déposée pour élire Borgia à l'unanimité.

Lorsque l'on ouvrit les fenêtres donnant sur la place et que l'on cria « *Habemus Papam !* », la foule hurla de joie. Rome (et toute la chrétienté) n'aurait pas à subir le chaos engendré par une longue et âpre lutte pour la papauté. Le Sacré Collège avait choisi un homme qui, malgré ses origines espagnoles, avait su conquérir le cœur des Romains. Ces derniers entamèrent promptement les réjouissances, avec leur enthousiasme habituel.

Pendant ce temps-là, Borgia était porté jusqu'à la basilique Saint-Pierre sur la *sedia gestatoria*, le trône mobile du pape, et hissé sur le maître-autel, où chacun des cardinaux vint lui présenter ses hommages. Je ne saurais vous dire si della Rovere s'acquitta dignement de cette tâche, la basilique n'étant assurément pas un endroit pour « un » page couvert de vomissures, et qui avait de surcroît oublié de remettre son chapeau.

Je retournai au palazzo en passant par des rues remplies de festoyeurs se jetant déjà sur les immenses quantités de nourriture et de vin que Borgia s'était arrangé, bien sûr, pour mettre à disposition en prévision de sa victoire. Non loin du Pons Ælius, je tombai par hasard sur Petrocchio, que l'on avait chargé d'organiser l'événement. Le Maestro me fit la grâce d'un large sourire et, en dépit de mon état, d'une étreinte non moins enthousiaste.

— Il est pape ! s'extasia-t-il. Notre Borgia à nous est pape !

Il n'y avait pas de doute à cela. Quant à savoir s'il serait capable de voir au-delà des intérêts de La Famiglia pour être « notre » pape...

En arrivant au palazzo je trouvai les domestiques pris d'une fièvre soudaine, car ils devaient emballer au plus vite tous les effets de

Borgia et les envoyer dans sa nouvelle maison. Renaldo fondit sur moi, visiblement choqué par mon apparence mais voulant tout savoir. Je lui dis ce que je pus sans m'étendre trop tout de même, et me rendis aussi vite que possible dans mes quartiers. Je n'avais aucune idée de l'endroit où j'allais me retrouver, mais je faisais confiance à Borgia pour y avoir déjà réfléchi. Malgré mon état de fatigue, je n'attendis pas plus longtemps pour rassembler mes affaires, les mettre dans mon coffre, et bien vérifier que le verrou secret était en place. Une fois cela accompli, seulement, je pris le temps de prendre un bain et de revêtir des vêtements à moi.

À peine avais-je fini qu'une servante frappa timidement à ma porte. Lorsque je lui ouvris, elle me tendit deux mots.

— Ceci est arrivé pour vous, Madonna, murmura-t-elle sans oser me regarder. Telle était ma réputation, déjà, née de la rumeur mais alimentée par la vérité. Très peu de gens m'ont regardée dans les yeux depuis, en tout cas pas de leur plein gré. Je vis avec, mais on ne peut pas dire que ce soit plaisant.

J'ouvris le premier mot après son départ. Debout près de la fenêtre, je parcourus rapidement les quelques lignes élégamment tracées :

M fait route vers Florence. Je suis. T'envoie des nouvelles dès que j'en sais plus. DbE.

Florence, l'opulente cité des Médicis. Qu'allait trouver là-bas le prêtre fou, et qu'est-ce que cela signifierait pour nous tous ? Au moins, je pouvais compter sur David pour remuer ciel et terre afin de découvrir ce que Morozzi comptait faire par la suite.

Le second mot venait de Rocco. Il disait seulement que le matériel commandé était prêt et que je pouvais venir le chercher à son échoppe à ma convenance.

Je m'y rendis le lendemain matin. Je me disais qu'il serait lâche de ne pas le faire, mais à la vérité, j'étais incapable de ne pas y aller.

Nando jouait dans la rue. Il se leva d'un bond en me voyant et se jeta dans mes bras. Je m'agenouillai, le serrai fort et fis de mon mieux pour ne pas fondre en larmes en sentant entre mes mains cette petite créature bouillonnante de vie – Dieu merci. Je n'y parvins qu'à moitié. J'étais en train de m'essuyer les joues lorsque Rocco sortit de son échoppe.

Il resta là un moment dans la rue ensoleillée et le bruit de la ville qui retournait lentement à la normale, après les excès de la veille. Son visage était solennel et ses yeux en alerte, lorsqu'il tira une pièce de sa poche et la jeta en l'air en direction de son fils, qui bondit pour l'attraper.

— Dis à Maria que je veux un pain particulièrement bon, lui recommanda-t-il, et prends-toi un biscotto, tant que tu y es.

Nando déguerpit, me laissant avec son père. J'avais la bouche sèche et n'osai détourner mon regard du sien. Au bout d'un moment, Rocco s'écarta pour me laisser entrer. Il me suivit et ferma la porte derrière nous.

À peine passé le seuil, je me retournai et lâchai les mots qui venaient du fond de mon cœur.

— Je suis tellement navrée.

Il ne me fit pas l'affront de ne pas comprendre, et hocha la tête.

— Lorsque je me suis rendu compte que j'aurais pu le perdre, je t'en ai voulu.

C'est bien ce que j'avais lu sur son visage, et c'est bien ce que j'avais cru ancré à jamais. Mais les êtres tels que moi nourrissent eux aussi de l'espoir, quand bien même infime. Rassemblant tout mon courage, je lui demandai :

— Est-ce toujours le cas ?

Il me dévisagea et j'eus soudain le sentiment que lui seul, parmi tous ceux que je connaissais, me voyait réellement, comme personne (pas même moi) ne parvenait à le faire. Qu'il ne voyait pas la noirceur en moi à l'origine de ces effroyables cauchemars et de visions difformes que je ne comprenais pas, mais plutôt la femme que je rêvais d'être. Une femme de la lumière.

— Tu as bien failli mourir en le sauvant. Quoi que tu aies pu faire d'autre, je ne l'oublierai jamais.

— Morozzi s'en est tiré. Il est toujours dans la nature…

J'avais sauvé l'enfant et les juifs, mais au final j'avais échoué à venger mon père. L'ombre qui obscurcissait ma vie était toujours là, et avec elle le mystère qui faisait que j'étais telle que j'étais.

Rocco s'avança vers moi et me prit la main.

— Nous nous chargerons de lui, Francesca. Il n'est pas seulement ton ennemi à toi.

Ne sachant quel son allait sortir de ma bouche, je préférai me contenter de hocher la tête, et fus soulagée lorsqu'il m'emmena voir le matériel qu'il avait fabriqué pour moi. Je feignis de m'y intéresser jusqu'à ce qu'il dise :

— Lorsque tu es venue me commander tous ces objets, tu avais envie de me demander quelque chose, n'est-ce pas ?

Je m'efforçai de m'en rappeler, mais sincèrement rien d'autre ne m'importait en cet instant-là que le pardon que je semblais avoir obtenu, et le chemin qu'il me restait encore à parcourir. Or, un souvenir finit par refaire surface. Je commençai par l'écarter, mais n'en fis rien en constatant qu'il était vraiment sérieux.

— Je voulais te demander s'il était vrai que mon père appartenait à une société secrète d'alchimistes du nom de Lux. Je me demandais si toi-même tu n'en serais pas membre.

— As-tu prévu quelque chose demain soir ?

Sa question me décontenança. Je ne vis pas tout de suite le rapport avec ce que je venais de dire.

— Je ne crois pas…

— Alors viens ici et tu trouveras ta réponse.

Avant d'avoir pu totalement assimiler le sens de sa phrase, j'entendis les pas d'un enfant résonner dans la rue. Dans un sourire, Rocco dit :

— Seulement, ne sois pas surprise si certaines des personnes que tu vas rencontrer te sont déjà connues.

C'est alors que Nando fit irruption devant nous, un pain chaud dans les mains et pris d'une envie irrépressible de bavarder. Par-dessus sa tête, mon regard croisa celui de Rocco. En lui, je vis la calme acceptation de la lutte qui nous attendait, mais également l'espoir tenace que l'avenir peut être meilleur et que la lumière peut triompher.

En particulier lorsqu'une maîtresse des ténèbres en a décidé ainsi.

NOTE DE L'AUTEUR

Pour l'écriture de *Francesca*, je me suis appuyée sur les ouvrages suivants : *Lucrezia Borgia : Life, Love and Death in Renaissance Italy* et *Cesare Borgia : His Life and Times* (Sarah Bradford), *The Borgias* (Ivan Cloulas), *The Borgias* (Marion Johnson), *The Fall of the House of Borgia* (E. R. Chamberlin), *The Borgias* (Clemente Fusero), *The Borgias : The Rise and Fall of a Renaissance Dynasty* (Michael Edward Mallett), et *The Borgias and Their Enemies* (Christopher Hibbert). La lecture de *At the Court of the Borgias* (Johann Burchard) m'a été en outre d'une aide précieuse.

Plusieurs personnes ont contribué à faire de mon idée de départ un ouvrage publié. Je suis tout particulièrement reconnaissante à mon agent, Andrea Cirillo, pour sa patience de tous les instants et ses conseils avisés. Un grand merci également à Charles Spicer et Allison Caplin pour leur remarquable travail éditorial, ainsi qu'à la championne du marketing Anne-Marie Tallberg, qui a si généreusement partagé avec moi ses connaissances.

Comme toujours, ma famille a su gérer à merveille l'écrivaine distraite qui n'avait plus d'autres sujets de conversation que les poisons et les divers moyens d'infliger une mort atroce. Sans leur soutien sans faille, cet ouvrage n'aurait jamais vu le jour.

Note de l'auteur

Le défi que pose l'écriture d'un roman historique est de parvenir à incorporer aux événements réels ceux que l'on imagine et d'en faire une histoire cohérente, et espère-t-on, prenante. Si le personnage de Francesca est manifestement fictif, une grande partie de ce qui est raconté ici est inspiré d'individus réels et d'événements auxquels ils ont pris part pendant l'été 1492.

Le pape Innocent VIII est décédé le 25 juillet de cette année-là, des suites d'une longue maladie ponctuée d'une rémission temporaire à peu près au moment où le père de Francesca est censé avoir été assassiné. Dans les dernières semaines de sa vie, le bruit a couru qu'Innocent buvait du lait maternel pour combattre la maladie. À la toute fin, on a également raconté qu'il avait ingéré du sang de jeunes garçons dans un effort désespéré pour retarder l'heure de sa mort. J'aimerais m'attribuer le mérite d'avoir inventé des procédés aussi macabres, mais nous sommes ici face à un cas typique de réalité dépassant la fiction.

Le bruit a couru que la mort du pape, comme tant d'autres à l'époque, avait été causée par du poison. Il est très probable qu'Innocent soit décédé de causes naturelles, mais nous ne pouvons en être davantage certains que Francesca dans le livre.

S'il n'existe aucune preuve qu'Innocent ait envisagé de publier un édit papal appelant à l'expulsion des juifs de toute la chrétienté, le fait est qu'il a approuvé la décision de Ferdinand et d'Isabelle de forcer les juifs à se convertir ou bien à quitter leur royaume. Le sentiment d'antisémitisme était omniprésent en Europe à cette époque-là, mais aucune institution ne l'a cautionné plus activement que l'Église catholique.

L'histoire du « Saint Enfant », décrite comme ayant eu lieu à La Guardia en Espagne, se base sur des faits réels. Tomás Torquemada, le Grand Inquisiteur d'Espagne, est lui aussi un personnage historique, mais il n'existe aucune trace d'un voyage qu'il aurait fait à Rome au moment de la mort d'Innocent.

Le conclave qui a élu son successeur est passé à la postérité comme étant le plus corrompu de tous les temps. À cette occasion, Rodrigo Borgia a triomphé en devenant le pape Alexandre VI, non parce qu'il était le seul à avoir recours sans vergogne aux pots-de-vin pour obtenir des voix, mais parce qu'il a su comprendre et exploiter le plus efficacement l'appât du gain qui animait les autres princes de l'Église. Les immenses richesses dont il s'est servi pour asseoir sa victoire seraient en partie venues des juifs, avec qui il aurait conclu un accord pour qu'en échange, il tolère leur présence dans les États pontificaux et, par extension, la chrétienté. S'il y a bien eu pendant le conclave tentative d'empoisonnement du grand rival de Borgia, le cardinal Giuliano della Rovere, cela a échappé aux historiens.

Rodrigo Borgia et les plus célèbres de ses enfants, Lucrèce et César, sont depuis longtemps accusés d'avoir employé le poison pour servir leurs ambitions, en plus de toutes sortes d'autres crimes. Je crois quant à moi que Lucrèce a été victime de la soif effrénée de pouvoir de son père, et qu'elle a survécu aussi longtemps non pas *à cause*, mais *malgré* la corruption de son époque. Concernant Rodrigo et César, s'ils étaient sûrement davantage enclins à utiliser l'arme du poison, ils lui ont visiblement préféré les méthodes plus directes du pot-de-vin, de l'intimidation, voire de la guerre ouverte si nécessaire.

L'histoire de *Francesca* se passe au début d'une grande lutte entre les forces de la Renaissance et celles de l'Inquisition, une lutte qui a dominé l'Europe pendant des siècles et a été cruciale pour façonner le monde tel que nous le connaissons aujourd'hui. On peut certes arguer qu'il y avait des gens bien intentionnés des deux côtés du conflit ; mais force est de constater, dans l'ensemble, que l'Inquisition a représenté une autorité tyrannique prête à sacrifier jusqu'à l'espoir d'une vie meilleure pour beaucoup, dans l'unique but de maintenir au pouvoir une poignée d'hommes. Les valeureux hommes et femmes qui se sont élevés contre cela, en payant souvent leur courage de leur vie, méritent que l'on se souvienne d'eux. Mais la victoire qu'ils ont obtenue doit inlassablement être reconquise, par chaque nouvelle génération.

Chronologie

31 mars 1492	Édit expulsant tous les juifs d'Espagne publié par la reine Isabelle et le roi Ferdinand
Printemps 1492	La santé du pape Innocent VIII empire ; des rumeurs circulent selon lesquelles on lui donne à boire du lait maternel
Fin juin 1492	La santé du pape s'améliore
Début juillet 1492	La santé du pape empire à nouveau ; des rumeurs circulent selon lesquelles on lui donne à boire le sang de jeunes garçons
25 juillet 1492	Le pape Innocent VIII meurt, et la course à sa succession commence
31 juillet 1492	L'ultimatum expire pour les juifs : s'ils n'ont pas quitté l'Espagne, ils risquent d'exécution
3 août 1492	Christophe Colomb fait voile depuis l'Espagne, mais personne n'en fait grand cas car tous les regards sont tournés vers le Vatican à cause du décès récent du pape
6 août 1492	Le conclave destiné à élire le nouveau pape débute à Rome, pour la première fois dans la Chapelle Sixtine

8 août 1492	Premier tour de scrutin, aucun favori ne se détache clairement ; apparemment Borgia était en troisième position
9 août 1492	Deuxième tour de scrutin ; Borgia remonte légèrement mais n'est visiblement pas le favori
10 août 1492	Troisième tour de scrutin ; Borgia remonte nettement tandis que le bruit court qu'il aurait acheté des voix
11 août 1492	Rodrigo Borgia devient le pape Alexandre VI, élu par ce qui restera dans l'histoire comme le conclave le plus corrompu de l'histoire de l'Église

Imprimé en France. - JOUVE, 1, rue du Docteur Sauvé, 53100 MAYENNE
N° 769127Z. - Dépôt légal : octobre 2011